Oscar classici

Dello stesso autore

nella collezione Oscar

Giacomo Leopardi

CANTI

A cura di Giorgio Ficara
con uno scritto di Giuseppe Ungaretti

OSCAR MONDADORI

© 1987 Arnoldo Mondadori Editore S.p.A., Milano

I edizione Oscar classici settembre 1987

ISBN 978-88-04-53136-4

Questo volume è stato stampato
presso Mondadori Printing S.p.A.
Stabilimento NSM - Cles (TN)
Stampato in Italia. Printed in Italy

Ristampe:

18   19   20   21   22   23   24

2007   2008   2009   2010   2011

www.librimondadori.it

Il punto di vista della natura

La prima alba che illuminò il mondo non fu cantata. Un uomo, forse, vide per primo la montagna formarsi nella luce, gli alati destarsi e alzarsi nel cielo enigmatico. O forse non fu così. Leopardi sottrae quell'attimo allo sguardo umano: "...gl'inarati colli/ Solo e muto ascendea l'aprico raggio/ Di febo e l'aurea luna", scrive nell'*Inno ai Patriarchi*. Sola e muta, la prima alba incantò solo se stessa. E quando finalmente gli uomini la videro – videro questa dolce inaugurale luce del mondo – non provarono alcuna necessità di commento o di lode, né si domandarono nulla. Erano, essi stessi, uomini dell'alba, uomini che appartenevano alla natura come la vetta appartiene alla montagna, come il fiume appartiene alla valle, come l'albero appartiene al bosco. Questa appartenenza non è esattamente ciò che i tedeschi chiamano *Stimmung*, nel senso di accordo o "solidarietà e consenso con qualcosa di più vasto",[1] non è un rapporto fra un soggetto e un oggetto, un'armonia platonica fra la regolarità del cosmo e l'anima dell'uomo, ma è un'unità in atto, un tutto unico e vivo in cui l'uomo non è distinguibile dalla natura. In questa condizione di beatitudine – età dell'oro o *Saturnia regna* – l'uomo viveva secondo natura (ὁμολογου-μένως τῇ φύσει, secondo Zenone stoico), poco incline a distinguere tra divino e umano nei fenomeni naturali e nella sua stessa vita, anzi irresistibilmente portato a "congiungere insieme" il divino e l'umano "in un solo subbietto, formando una

---

[1] L. Spitzer, *L'armonia del mondo*, trad. it. di V. Poggi, Bologna, Il Mulino, 1967, pp. 9-10.

persona sola".[2] Una sorta di divinità naturale, acronica, era il mezzo in cui viveva l'uomo, privo di memoria e futuro, di nostalgia e speranze, privo della nozione del tempo e privo di sé. In questa indeterminatezza e favolosa ignoranza e non opporsi di nulla a nulla dovette consistere la felicità dello stato di natura, qualcosa che, per noi, sfugge all'intuizione e trascende la logica. Ma in principio era la Favola, diceva Valéry; ed è sul dopo, sul poi che dovremmo dubitare.

Anche per Leopardi il punto di partenza è l'età dell'oro: nel *Bruto minore*, che è un atroce verdetto contro la storia, si dice che "libera ne' boschi e pura etade/ Natura a noi prescrisse,/ Reina un tempo e Diva...", dove la mitica prescrizione è garanzia, per l'uomo, di felicità senza limite. I primi uomini, secondo l'*Inno ai Patriarchi*, "molto all'eterno/ Degli astri agitator più cari, e molto/ Di noi men lacrimabili", furono "nell'alma/ Luce prodotti"; e ancora oggi, dall'altra parte del mondo, fra le vaste californie selve "Nasce beata prole, a cui non sugge/ Pallida cura il petto" e vive felice e ignara con tutti gli altri abitatori del bosco. Il ricordo di quella beatitudine divina e il desiderio di farla rinascere nella storia, è il sogno della poesia: all'età dell'oro segue la poesia, come all'amore fra due esseri segue, nel tempo, la casa, che è l'umano e storico impulso edificante dell'amore; come alla fantastica gioia silenziosa dell'inizio dei tempi seguono i tempi, e all'età primitiva segue la civiltà.

La poesia è civiltà o non è nulla, secondo Leopardi, e l'unione "della civiltà coll'immaginazione è lo stato degli antichi, e propriamente lo stato antico", leggiamo nel *Discorso sopra lo stato presente dei costumi degl'Italiani*: il primo canto dell'uomo sulla terra è generatore di civiltà in quanto rifugio della natura nel tempo, permanenza dello stato di natura nel sogno degli uomini. Con lo stesso misterioso arbitrio con cui è apparsa, l'età dell'oro dilegua lasciando agli uomini un ricordo di felicità e uno stato certo di infelicità, o difficoltà, o disagio nell'esistenza. E gli antichi, i greci soprattutto, sognando l'età

[2] G. LEOPARDI, *Zibaldone di pensieri*, t. II, in *Tutte le opere*, a cura di F. Flora, Milano, Mondadori, 1973[8], p. 481. Per i *Canti* le citazioni si intendono dall'edizione PERUZZI, Milano, Rizzoli, 1981; per tutte le altre opere dall'edizione FLORA. Dello *Zibaldone* si riproduce, fra parentesi quadra, il numero della pagina del manoscritto.

dell'oro nel loro presente, cioè ammantando di illusione (che è poi, nel vocabolario leopardiano, sinonimo di fantasia mito immaginazione) la dolorosa realtà, favoriscono precisamente la nascita dei costumi civili, che sono i più vicini allo stato di natura. Non è pensabile, d'altra parte, una civiltà impoetica, cioè priva di sogni, di innocenza, di ingenuità, di quella "divina sprezzatura" con cui i poeti guardano all'età dell'oro e a nient'altro. Noi moderni siamo soliti considerare la civiltà come un punto di arrivo, forse anche disperato, del tempo storico: per Leopardi, al contrario, essa è l'aurora, la luce beata in cui gli uomini *sentivano* la natura come i primi uomini e la cantavano con semplicità e verecondia, come Omero nell'*Iliade*, sopra tutti gli altri, o Anacreonte o Pindaro o Simonide che, vecchio e piangente, guardando il cielo il mare la terra, "toglieasi in man la lira" (*All'Italia*). È un tempo in cui la natura parla agli uomini e gli uomini non vedono, sentono, intendono altro che la natura. Di ciò che è umano, delle gesta umane, i poeti antichi cantano l'eroismo, cioè una condizione di straordinaria apertura dell'io alle illusioni e al destino (cioè alla natura) e di completa ignoranza e indifferenza di sé; cantano il sangue versato sui campi di battaglia, la mischia, il grido della vittoria, e il cielo gremito di dèi: "Oh venturose e care e benedette/ L'antiche età, che a morte/ Per la patria correan le genti", sospira Leopardi nella canzone *All'Italia*. Quell'apice di innocenza e di poeticità – un uomo illuso, un uomo che muore per difendere la propria illusione, è prima di tutto *poetico*, come Alessandro – non potrà mai più essere eguagliato.

Per Leopardi la storia è un crollo, una caduta senza fine, dalla beatitudine delle origini e dalla civiltà antica all'età romantica, fondo ultimo della barbarie da cui non vi è uscita; la storia è mera accidentalità, sogno o incubo dell'antropocentrismo, corruzione della divina natura, disprezzo del fato, unico sovrano legittimo delle azioni degli uomini; con essa si inaugura "il regno di ciò che fu e poteva non essere, il regno del caso".[3] In questa concezione millenaristica della storia (un millenarismo al contrario, in cui l'escaton non è che il principio), Leopardi rimane fermo, possiamo dire, per tutta la vita: natura e antichità, sinonimi non tanto sul piano logico quanto

[3] A. TILGHER, *La filosofia di Leopardi*, Bologna, Boni, 1979, p. 147.

su quello intuitivo,[4] sono il miracolo che non può più ritornare, la meta irraggiungibile perché definitivamente abbandonata alle spalle. Il senso del mondo è nella natura, e la storia del mondo coincide con l'abbandono progressivo di questo senso fino all'insensatezza della modernità, con i suoi sogni teologici e teleologici, con il suo Spirito e il suo Assoluto. Gli antichi non comprendono la morte: essa è ombra e la vita luce, sulla terra tutto è divino, e tutto è ignoto e inesplorato e morto nell'aldilà. La natura, cioè la vita, non è per gli antichi "una piccola cosa", ma è "anzi vastissima e massimamente rispetto all'uomo" [246]; la "vista della bella natura desta entusiasmo" [257]; "la sola natura è grande, e fonte di grandezza" [470]; tutto "nella natura è armonia, ma soprattutto niente in essa è contraddizione" [1597]; l'opera della natura è "miracolosa e stupenda" [2936]. D'altra parte la natura ricompensa questo entusiasmo o trasporto degli antichi nei suoi confronti con il dono della felicità, che è il fine di ogni uomo nonché l'unica condizione in cui egli può amare la propria esistenza. Da questo mitico accordo fra natura e uomo nasce la poesia classica, una poesia che ha tutte le bellezze e la forza che non potranno mai più ritornare nelle età successive e che Leopardi, dal canto suo, vede come un "esempio di grandezza e di perfezione poetica al di là della portata di un poeta moderno".[5] Infatti: "un Omero un Anacreonte un Pindaro [...] appena è credibile che rinasca", deplora nel *Discorso di un italiano intorno alla poesia romantica*, dove il margine di *credibilità* è ristretto, con ogni verosimiglianza, al disegno e all'idea della propria poesia, e non certo a quella dei contemporanei.

Ma, se tutto in essa è così perfetto, perché l'antichità finisce? Qual è il principio di corruzione della natura? E quali sono i suoi effetti nella storia degli uomini? Fin dal *Discorso* e dai primi appunti dello *Zibaldone* alle ultime disperate note del 1832, Leopardi affronta il problema quasi con ostinazione e –

---

[4] Leopardi affronta la questione nel *Discorso di un italiano*. A detta di Sapegno, il "punto debole" del ragionamento è proprio "l'equazione che egli stabilisce, senza punto dimostrarla, fra natura e antichità": N. Sapegno, *Giacomo Leopardi*, in *Storia della letteratura italiana*, VII, Milano, Garzanti, 1969, p. 84.
[5] G. Singh, *Il concetto dell'antichità nella poetica di Leopardi*, in *Leopardi e il mondo antico*, "Atti del V Convegno Internazionale di studi leopardiani", Firenze, Olschki, 1982, p. 589.

secondo la forma tipica del suo pensiero, che non procede né progredisce da un punto all'altro, ma descrive un cerchio – con una specie di fissità: "Sapientissimi furono gli uomini prima della nascita della sapienza, e del raziocinio sulle cose: e sapientissimo è il fanciullo, e il selvaggio della California, che non conosce il *pensare*" [2712]; "la fantasia che ne' primi uomini andava liberamente vagando per immensi paesi, a poco a poco dilatandosi l'imperio dell'intelletto, [...] fugata e scacciata dalle sue terre antiche, e sempre incalzata e spinta, alla fine s'è veduta, come ora si vede, stipata e imprigionata e pressocch'immobile" (*Discorso*). Sono dunque il pensiero, l'intelletto e la ragione – che Leopardi di proposito nomina insieme, senza distinguere – e il loro primo effetto, il sapere, che hanno spezzato l'equilibrio dello stato di natura e ne hanno impedito l'espressione dopo gli antichi. Il pensiero è una barriera alla natura che parla al cuore degli uomini, è un *no*, un'opposizione alla fantasia che è l'autentico e solo linguaggio degli antichi (si osservi: da un *no* incomincia la storia e il tempo umano). Circa il pensiero, "Tout homme qui pense est un être corrompu"; "La seule raison n'est point active; elle retient quelquefois, rarement elle excite, et jamais elle n'a rien fait de grand", dice Rousseau, citato da Leopardi, anzi spesso tradotto e ripetuto quasi alla lettera nello *Zibaldone* e, per quanto riguarda i principi generali e la concezione mitica della natura, mai completamente tradito: "La ragione è nemica d'ogni grandezza: la ragione è nemica della natura: la natura è grande, la ragione è piccola" [14]; "non c'è dubbio che i progressi della ragione e lo spegnimento delle illusioni producono la barbarie" [22]; e d'altra parte: "La barbarie non consiste principalmente nel difetto della ragione ma della natura" [115]; "La natura può supplire e supplisce alla ragione infinite volte, ma la ragione alla natura non mai" [333]; "Tutto è incerto e manca di norma e di modello, dacché ci allontaniamo da quello della natura, unica forma e ragione del modo di essere" [1613]; "quanto crescerà l'imperio della ragione, tanto, snervate e diradate le illusioni, mancherà la grandezza" (*Discorso*). L'uomo che per primo interroga la natura e vuole conoscerne o congetturarne un disegno, si esilia da essa per sempre; è simile a chi prende un veleno e lentamente ma inevitabilmente muore. La natura gli dà illusioni e non gli richiede che entusiasmo, ma quando è tradita (tradire la natura significa meramente: pensare) si chiude nel proprio mistero; e d'altra parte l'amore dell'uomo per la natura – quel primitivo e sacro trasporto – si trasforma in odio: "dovunque si medita, senza immaginazione ed entusiasmo, si detesta la vita", scrive Leopardi nel *Frammento sul suicidio*. Nell'anima dell'uomo ragione e natura sono come due nemici in un dramma: non sappiamo del tutto chi siano né perché si combattano, non sappiamo perché la catastrofe del primo nemico, che soccombe eternamente, sia così terribile e la vittoria del secondo così meravigliosa, perché nell'annientamento di un nemico inferiore e debole ci sia tanta potenza e maestà, ma vediamo chiara di fronte a noi, anzi dentro di noi, l'irriducibilità del conflitto.[6]

In questo conflitto la ragione si finge alcuni simulacri di vittoria. La conoscenza, ad esempio: "che giova", si chiede Leopardi, "che per rispetto alla cognizione di noi medesimi siamo più ricchi di quello che fossero i poeti antichi?" (*Discorso*); nel sapere si "manifesta la decrepitezza del mondo" (*Ivi*) e si svela un'angosciosa povertà: conoscere questa somma di negazioni, questa desolazione della *verità*, e poi? Alla fine, commenta Leopardi, "la verità assoluta è indifferente all'uomo" [3821], "Quell'anima che non è aperta se non al vero puro, è capace di poche verità" [1961]. Che cosa significa conoscere? Dove conduce la conoscenza e qual è il suo termine? Gli antichi, che non conoscevano nulla, *sentivano* infinitamente con "celeste naturalezza", ma noi? Nel nostro io non c'è niente e se il nostro io guarda il mondo, anche il mondo è un deserto. La verità è estranea all'uomo come gli è estranea la morte, come gli è odioso il gelo e la solitudine e l'infelicità. Anche nel cuore dell'antichità qualcuno indovinò il pericolo e scrisse una favola, in cui una fanciulla, Psiche, era "felicissima senza conoscere" [637]. Ma l'uomo, nonostante tutto, diventa sempre più familiare e fraterno al proprio sapere, insegue il vero in metafisica che, ricorda Leopardi citando D'Alembert, "ressemble au vrai en matière de goût", e perde la propria forza

---

[6] Cfr. C. LUPORINI, *Leopardi progressivo*, in *Filosofi vecchi e nuovi*, Firenze, Sansoni, 1947, p. 190: "Leopardi non si preoccupa affatto di dirci che cos'è *natura*, che cos'è *ragione*. [...] Questi termini, più che concetti sono personaggi di un dramma. Quel che importa è quindi, innanzitutto, il modo in cui il contrasto viene presentato. Esso è presentato come un contrasto di valore; ciò che il Leopardi esprime nell'antitesi grandezza-piccolezza".

per "i progressi del suo spirito" [4080]. Questa rovina è in genere caratteristica di tutte le età successive a quella antica, ed è quasi un sovvertimento della mente umana che, prigioniera del vero, si apparta in eterno dal "caro immaginar" (*Ad Angelo Mai*); del cuore, che sente mancare i "dolci inganni" della "prima stagione" (*Al Conte Carlo Pepoli*); della terra, che diventa inabitabile senza quella "sola, infinita/ Felicità" (*Amore e Morte*). L'inferno della ragione – una condizione, secondo De Sanctis, tipicamente leopardiana, in cui il pensiero "avvelena tutte le gioie della vita, [...] occupa esso solo l'animo, spogliato l'universo di ogni bellezza"[7] – è la condizione di tutti gli uomini dopo il miracolo dell'antichità, ma raggiunge il suo estremo – storico – di miseria nel romanticismo, per cui lo stato di sapere è eudemonia, e contro cui Leopardi polemizza nel *Discorso* ("i romantici si sforzano di sviare il più che possono la poesia dal commercio coi sensi, per li quali è nata e vivrà finattantochè sarà poesia, e di farla praticare coll'intelletto, e strascinarla dal visibile all'invisibile e dalle cose alle idee, e trasmutarla di materiale e fantastica e corporale che era, in metafisica e ragionevole e spirituale").

Il romanticismo, nella sua esasperata tensione di conoscenza del mondo naturale, dei suoi confini e dell'al di là di essi, nelle sue pressanti interrogazioni dell'assoluto, nella produzione e invenzione costante di nuove forme dell'assoluto, distrugge la natura come è, e come appare, e spezza la superficie cristallina e seducente delle cose. Alla "perfetta armonia e unità", illusione dei classici,[8] il romanticismo sostituisce la dissonanza e la profondità supplizio dei moderni.[9] Ma a che vale la finzione della profondità – questa escursione della mente in un territorio vuoto – se ci allontana per sempre dalla superficiale ma viva natura? A che valgono le opinioni che abbiamo delle cose se non ad agitarci e a turbarci, e a cancellare le cose stesse? L'intelletto non aggiunge nulla alle cose, non può cambiare il

[7] F. De Sanctis, *"Alla sua donna" poesia di Giacomo Leopardi*, in *Saggi critici*, III, a cura di L. Russo, Bari, Laterza, 1957³, p. 236.

[8] Cfr. F. Strich, *Classicismo e romanticismo tedesco*, a cura di E. Pocar, Milano, Bompiani, 1953, p. 80 e *passim*.

[9] Cfr. M. Luzi, *Leopardi nella poesia del Novecento*, in *Leopardi e il Novecento*, "Atti del III Convegno Internazionale di studi leopardiani", Firenze, Olschki, 1974, p. 12.

colore o la forma di un paesaggio (non può capire che cosa sia un paesaggio), non raggiunge neppure i confini di un piccolo lago o di un piccolo bosco o di una siepe o di un angolo di luce nell'immobile quiete dei campi; l'intelletto non ha alcuna ricchezza di fronte alla fantasia, "già sterminatamente ricca per se stessa" (*Discorso*). Ciò che può fare e inventare, e ha inventato nel corso del tempo, è la chimera della profondità, un altro mondo immaginato o visto dietro il mondo visibile, e che gli pare più vero del mondo vero. Questa operazione e opzione dell'intelletto, contrarie alla bellezza e alla poesia – il cui unico linguaggio è la "bella confusione della fantasia", secondo Schlegel – hanno prodotto, di fronte al vero *bello* della natura, il falso *brutto* della storia. Tutta la storia è falsa, anzi è *niente*, sappiamo da una pagina mirabile dei *Ricordi d'infanzia e di adolescenza*: "mie considerazioni sulla pluralità dei mondi e il niente di noi e di questa terra e sulla grandezza e la forza della natura che noi misuriamo coi torrenti ec. che sono un nulla in questo globo ch'è un nulla nel mondo e risvegliato da una voce chiamantemi a cena onde allora mi parve un niente la vita nostra e il tempo e i nomi celebri e tutta la storia...". Il tempo umano che passa, come passano Silvia, Nerina, Virginia – creature che amiamo perché sono passate – lascia a Leopardi, che lo contempla dal punto di vista della natura, un'impressione e un assillo di vanità, e di terribile silenzio; l'infinità del passato gli viene in mente "ripensando ai Romani così caduti dopo tanto romore e ai tanti avvenimenti ora passati", che paragona dolorosamente con la "profonda quiete e silenzio della notte" [50]; fieramente gli si stringe il cuore "A pensar come tutto al mondo passa,/ E quasi orma non lascia"; imperi, popoli, battaglie, "Tutto è pace e silenzio, e tutto posa/ Il mondo, e più di lor non si ragiona" (*La sera del dì di festa*). Anzi, "alle ruine/ Delle italiche moli" insultano gli armenti e la cauta volpe abita le città latine e l'*atro* bosco mormora fra "le alte mura" (*A un vincitore*). Solo l'incessante natura è vittoriosa su questa rovina: "dell'uomo ignara e dell'etadi/ Ch'ei chiama antiche, e del seguir che fanno/ Dopo gli avi i nepoti,/ Sta natura ognor verde..."; "Caggiono i regni intanto,/ Passan genti e linguaggi: ella nol vede" (*La ginestra*).

Questo passare tragico di tempi, questo sgretolarsi di monumenti, ci ha lasciato comunque la labile traccia dei sogni e dei saperi che l'uomo ha forgiato come spade per spezzare l'enigma del mondo. Leopardi considera esecrabili, dalla prima all'ultima, queste illusioni intellettuali che sono infelicemente succedute alle antiche illusioni naturali, secondo la concezione, anzi la norma storica stabilita nello *Zibaldone*: "invece di aumentare il nostro sapere, non facciamo che sostituire un sapere a un altro" [4507]. Schiller, "uomo di gran sentimento" [1724], affermava che la storia non può nulla contro la *pia natura*, che infine le generazioni passano unite sotto lo stesso azzurro, sopra lo stesso verde, e il sole di Omero *sorride anche a noi*, uomini della modernità. Per Leopardi, la storia, l'uomo con il suo sogno di potenza, i suoi sogni-armi spuntate contro la natura, ha oscurato il sole di Omero, tradito l'illusione e l'incanto originale, negato l'accordo del vivente con lo splendore dell'eternamente vivo. I mutanti saperi delle epoche, dal cristianesimo antico e medievale all'illuminismo al romanticismo, sono falsi[10] rispetto alla natura vera (si tratta in fondo dell'antitesi classica fra *ars* e *ingenium*) e, incrinando la divina e viva superficie delle cose, rivelano il mortale e vuoto abisso della profondità oltre le cose.

Ma quali sono, in particolare, questi sogni dell'uomo storico? La metafisica innanzitutto, cioè per Leopardi la filosofia senz'altro, da Platone fino a Kant,[11] con l'eccezione di Cartesio, Galileo, Newton, Locke, che "hanno veramente mutato faccia alla filosofia" [1857]. La metafisica non vede e non trova nulla; è un esercizio e un "complesso di meditazioni" che non porta in alcun luogo. Quali sono le grandi scoperte di Leibniz? "Monadi, ottimismo, armonia prestabilita, idee innate; favole e sogni." Quali sono le grandi scoperte di Kant? "Credo che niuno le sappia, nemmeno i suoi discepoli"; anzi, "questo o quel romanzo di Wieland contiene un maggior numero di verità solide, o nuove, o nuovamente dedotte, o nuovamente considerate, sviluppate ed espresse, anche di genere astratto, che non ne contiene la *Critica della ragione* di

---

[10] Cfr. S. Timpanaro, *Natura, dèi e fato nel Leopardi*, in *Classicismo e illuminismo nell'Ottocento italiano*, Pisa, Nistri-Lischi, 1969², pp. 386-387 e *passim*.

[11] Leopardi ignora evidentemente la critica kantiana alla metafisica, anzi adopera il termine metafisica in un'accezione del tutto particolare. In realtà proprio Kant, nei *Sogni di un visionario chiariti con i sogni della metafisica* (1766), avanza, contro i metafisici, obiezioni e argomenti analoghi a quelli di Leopardi.

Kant" [2618]. La metafisica, come la religione, è una ragnatela irreale, un inganno dell'egoismo umano ai danni dell'illusione naturale, una simulazione di realtà oltre la natura e il confine della materia, dove nessun filosofo troverà altro che il nulla. Le grandi scoperte dell'uomo per lo più non sono che scoperte di grandi errori metafisici (ad esempio Locke, che scopre la falsità delle idee innate) e sono più spesso opera del caso che del ragionamento. Questa necessità di vedere *cose*, invece di scoprire o inventare sistemi, è un dato costante in Leopardi, diciamo nel Leopardi ragionatore e filosofo, di volta in volta relativista, scettico, possibilista: Dio non esiste in quanto principio assoluto, ma solo in quanto possibilità; il tempo non esiste in sé, "non è cosa alcuna, è nulla" [4181], tuttalpiù è una divertente e vana logomachia; l'infinito è solo un concetto; lo spirito un'invenzione dei metafisici, una "sostanza che non è materia" [4206]. A partire da queste negazioni, vedere le *cose* è un privilegio della poesia, è l'eterno scacco della poesia che vede e sente alla filosofia che distingue e sogna. E per chi vuole fonderle, poesia e filosofia, in un unico soggetto, come i romantici, Leopardi ha pronta una sua sentenza: "la filosofia nuoce e distrugge la poesia, e la poesia guasta e pregiudica la filosofia. Tra questa e quella esiste una barriera insormontabile, una nemicizia giurata e mortale, che non si può nè toglier di mezzo, e riconciliare, nè dissimulare" [1231]. Il poeta, mediante l'immaginazione, vede le cose e i rapporti delle cose, "anche i menomi, e più lontani, anche delle cose che paiono le meno analoghe" [1650]; il filosofo, mediante la ragione, si allontana dalle cose e compone un intreccio nuovo di rapporti, in una sorta di puro etere soprannaturale che giustifica ogni arbitrio della mente, e anzi lo rende esemplare

In questo mondo felice si può credere ciò che più conviene, o piace, o addirittura ciò che si vuole. Si può credere alla bellezza come "perfezion metafisica" [2] o principio primo o idea platonica, mentre Leopardi al contrario ci ricorda che è solo "idea della convenienza" [8-9] o grazia o, con Teofrasto, σιωπῶσαν ἀπάτην, cioè segreto inganno, caso, trasparenza, apparenza; e all'ambiguità della nozione di bellezza dedica più di una riflessione nei *Canti*, da *Alla sua donna*, in cui – per gioco forse? – le attribuisce qualcosa di soprannaturale ("non è cosa in terra/ Che ti somigli") e divinamente enigmatico ("altra terra ne' superni giri/ Fra' mondi innumerabili t'accoglie"); ad

Aspasia, dove non è altro che "amorosa idea" della mente, priva assolutamente di relazione con la figura viva;[12] a *Sopra un basso rilievo,* che la proclama "illaudabil meraviglia", ma anche suscitatrice di compassione e concordia fra gli uomini "miseri" e "sensibili". Si può credere che il mondo abbia un fine, oltre i propri confini, una specie di destinazione celeste, ma Leopardi – spinoziano non confesso – obietta che, come niente di estraneo alle cose "preesiste alle cose", né "forme o idee, nè necessità nè ragione di essere" [1616], così niente le segue e le conduce in nessun luogo: "la natura non si è prefissa alcun fine, tutte le cause finali non sono che finzioni umane" e la "dottrina del fine rovescia completamente la natura", considerando "come un effetto ciò che in realtà è causa, e viceversa".[13] Si può credere allo spirito, suprema invenzione di una cosa che non è materia, ma che secondo Leopardi non è nulla; a Cristo, fragile, "nuova illusione" [335] dopo la caduta delle illusioni naturali; all'amore spirituale o romantico, fonte di "idee vaghe" [3911] e monumento all'interiorità, questa infelice figlia della ragione; al progresso, mediocre sogno rassicurante dell'uomo civilizzato e teofania laica.

Più vicino al suo Epitteto ("sovvengati che tu non sei qui che attore di un dramma...") e poi a Cartesio, che non ai moderni sognatori quali Saint-Simon Bonald Lamennais De Maistre Chateaubriand, Leopardi vede la natura come una potenza che persegue ingegnosamente fini contraddittori, o perlomeno inintellegibili, e l'uomo come un inerme deuteragonista della natura: attore del dramma, attore ingannato dal dramma e dio-ingannatore, si fronteggiano eternamente. L'attore non sa nulla di quanto lo circonda, non conosce il significato di quanto accade, né i fini o la volontà di questo dio-ingannatore, (*poeta* per Epitteto) che ha inventato il dramma, ma sa intimamente e solo di dovere "rappresentar bene quella qual si sia persona che *gli* è destinata". Questo impulso stoico, questa

<hr/>

[12] Cfr. SPITZER, *L'Aspasia di Leopardi,* in "Cultura neolatina", XXIII, 1963, pp. 113-145.
[13] B. SPINOZA, *Etica,* a cura di S. Giametta, Torino, Boringhieri, 1959, p. 61. Leopardi, nello *Zibaldone* [4186], parla di "spinosismi" circa i sogni dei metafisici e con un'ironia che non lascerebbe adito a dubbi. Tuttavia, nella concezione leopardiana della natura divina, e nella polemica contro i finalisti, troviamo molte e inconfondibili tracce del pensiero di Spinoza.

dedizione, questo inchinarsi alla necessità è caratteristico di Leopardi. Disprezzando i sogni teologici e filosofici, cioè la chiave eventuale del *dramma*, e guardando, lui attore immensamente solo, la natura incomprensibile, Leopardi addita l'unica meta possibile: lasciare opere umane nel mondo, le opere che il destino ha decretato siano lasciate nel mondo; lasciare che le opere nascano al mondo, e non opporsi, non nascondersi come in una tana nel tempo storico. Poco importa se il *dramma*, cioè la messa in scena della natura, è enigmatico. Compito dell'*attore* è di lasciare, oltre il fiume del tempo, la propria opera, cioè la propria rappresentazione, o transito o esplorazione di quella scena. L'attore, per Leopardi, non è un demiurgo, un interprete del mondo, né uno spirito beato, come diceva Goethe di Platone: "Platone si comporta nei riguardi del mondo come uno spirito beato, a cui piace abitarvi per qualche tempo. Non ha nient'altro da fare se non *acquistarne conoscenza*... Egli penetra nelle profondità più per riempirle del proprio essere che per *esplorarle*".[14] Al contrario, nell'opera com'è intesa da Leopardi non c'è nulla dell'essere dell'*attore*, cioè della sua intenzione o idea del mondo, ma c'è tutto della costituzione del *dramma*, della sua intensità e della sua infinita varietà. L'opera è un'idea della forma del *dramma*.

Ma ci chiediamo: nell'angustia della sua epoca così deprecata, nella barbarie del tempo presente, come può Leopardi dar voce a questa istanza di opere? Dove può cercare l'ispirazione per la sua opera più alta, i *Canti*? Perché può scrivere ancora poesie, se fantasia e immaginazione sono scomparse insieme agli antichi? Leopardi, che ama Omero ma è più vicino a Virgilio, non si nasconde anzi dichiara espressamente questo problema di legittimità. Così, pensando anche a Virgilio, la domanda può essere posta in un altro modo: "Malgrado la diligente e meschina etica della produzione dei tempi moderni non sopravvive in noi qualcosa di questa nostalgia originaria [...] di un paradiso terrestre, di un giardino benedetto dagli dei, Eden o Elisium?"[15] Un grande motore della poesia dei *Canti* è in questa nostalgia dell'antico, o meglio nella contra-

[14] La citazione, dai *Farbenlehre*, si trova in SPITZER, *L'armonia del mondo*, cit., p. 21.
[15] E.R. CURTIUS, *Virgilio*, in *Letteratura della letteratura*, a cura di L. Ritter Santini, Bologna, Il Mulino, 1984, pp. 292-293.

stante opinione che l'antico sia perduto per sempre (e con esso l'immaginazione) ma che, d'altra parte, la poesia sia necessaria e possibile anche nel moderno; nella perplessità storica circa l'essenza della poesia (che non sarà, nel moderno, imitazione diretta della natura, come per gli antichi) e nella fiducia metastorica circa la sua sopravvivenza, proclamata nonostante la barbarie del moderno. "Voi, di ch'il nostro mal si disacerba,/ Sempre vivete, o care arti divine...", leggiamo nella canzone *Sopra il monumento di Dante*; il "caro immaginar" vive indisturbato "nella ferma e nella stanca etade,/ Così come solea nell'età verde" (*Al Conte Carlo Pepoli*); e nel *Risorgimento*, la pioggia il bosco il monte il fonte, cioè *les hormones de l'imagination* direbbe Bachelard, ritornano a vivere e a bisbigliare e a dissipare la tenebra del vero. La modernità non può trarre da sé alcunché di poetico, nel senso forte di poesia imitazione della natura: "Un poeta, una poesia, senza illusioni senza passioni, sono termini che reggano in logica? Un poeta in quanto poeta può egli essere egoista e metafisico? e il nostro secolo non è tale caratteristicamente? come dunque può il poeta essere caratteristicamente contemporaneo in quanto poeta?" [2945]. Ma nella modernità – e contro la modernità – può esprimersi un'intensa nostalgia dell'antico, una specie di contemplazione dell'antica contemplazione, o un'imitazione dell'imitazione della natura, cioè quel genere nuovo e moderno di poesia che Leopardi definisce "malinconica" o "sentimentale": "Non è propria de' tempi nostri altra poesia che la malinconica [...]. Fra gli antichi avveniva tutto il contrario. Il tuono naturale che rendeva la loro cetra era quello della gioia o della forza della solennità ec. La poesia loro era tutta vestita a festa..." [3976]. Se le care arti divine vivono ancora, è solo in una poesia malinconica, che ne sogna un'altra perduta, in una poesia riflessa che "somiglierà Virgilio e il Tasso", in una poesia autunnale che vede l'antica luce della primavera, forse una poesia della luce dal punto di vista dell'ombra. Notiamo, fra parentesi, come quest'ombra – cioè la somma di cognizioni e acquisti dell'io pensante o dell'io assoluto – che è di per se stessa il *sentimentale* moderno e romantico, coincide solo in parte col *sentimentale* leopardiano. Infatti: "non divenni sentimentale" annota Leopardi "se non quando perduta la fantasia divenni insensibile alla natura, e tutto dedito alla ragione e al vero" [144]; ma nel *Discorso* parla del "puro sentimentale" degli antichi, "spontaneo modesto verecondo semplice ignaro di se medesimo" come fonte prima di ogni poesia. Nella nozione del *suo* sentimentale agiscono cioè due forze contrastanti, quella negatrice della ragione e quella edificante e affermativa della nostalgia, l'una legata all'altra, e inspiegabili dal punto di vista della poesia l'una senza l'altra. Leopardi considera la modernità – cioè insieme il razionalismo illuministico e lo spiritualismo romantico – soprattutto come fine dell'età classica. E la sua nostalgia non ha una funzione di ripiegamento soggettivo, ma invece di impulso e richiamo verso un oggetto, verso una Vita che è stata uccisa dal tempo storico ma che può essere rianimata dalla poesia: nostalgia, dunque, dell'"infanzia del mondo, o di ciò che nel mondo rimane perpetuamente fanciullo",[16] di una natura "non sconsacrata" e accogliente "cornice dei nostri affetti",[17] ma anche slancio di rifondazione del poetico nell'età moderna, sogno di un'alta acronia.

Ora questo sogno prende forma innanzitutto in una definizione chiara di ciò che è poetico (le cose e la natura) e di ciò che poetico non è (le idee e la metafisica), e inoltre in una definizione del poetico in sé, come genere contrapposto ad altri generi. Il romanticismo inclina alla metafisica, al ragionevole e allo spirituale; Leopardi afferma, nel *Discorso*, che la poesia è materiale, fantastica e corporale. Il romanticismo distrugge la nozione di forma, e contamina le arti e i suoi generi: "La poesia dipinge e suona, il dramma si allarga fino a diventare epopea e si approfondisce diventando lirica", e così via.[18] Leopardi oppone alla contaminazione romantica una stretta difesa del genere, una definizione di territori, anzi un'apologia del territorio poetico: "La lirica si può chiamare la cima il colmo la sommità della poesia, la quale è la sommità del discorso umano" [245]; il genere lirico è "vera e pura poesia in tutta la sua estensione; proprio d'ogni uomo anche incolto, che cerca di ricrearsi o di consolarsi col canto" [4234]. Almeno in questo debitore di Petrarca e della sua "assolutezza espressiva",[19]

[16] FLORA, *La poesia del Leopardi*, in *Storia della letteratura italiana*, IV, Milano, Mondadori, 1956[8], p. 181.
[17] G. GETTO, *Saggi leopardiani*, Messina-Firenze, D'Anna, 1977[2], p. 52.
[18] Cfr. STRICH, *Classicismo e romanticismo tedesco*, cit., p. 91.
[19] G. CONTINI, *Il commento petrarchesco di Carducci e Ferrari*, in *Varianti e altra linguistica*, Torino, Einaudi, 1970, p. 638.

Leopardi persegue una nuova definizione della forma come sostanza e anima del poetico. Se la poesia è la "sommità del discorso umano", la forma è la chiave e l'architettura e il mezzo e il merito di questa sommità. "Come negli anelli le gemme", così le idee si chiudono e si legano nei versi, grazie al miracolo naturale della forma, dovuto all'ispirazione, o alla precisione, o al caso: "Chi non sa circoscrivere, non può produrre" [1259]; "la novità della più parte de' pensieri degli autori più originali e pensatori, consiste nella forma" [4503-4504]; "la storia delle lingue è la storia della mente umana" [2591]; "Togliete i pregi dello stile anche ad un'opera che voi credete di stimare principalmente per i pensieri, e vedete quanta stima ne potete più fare" [2798]. La forma, qui, non ha nulla della tradizione formalistica italiana. Nella poesia di Leopardi non ci sono più sonetti, terzine, quartine, sestine, ottave, madrigali (sopravvive la rima: e il piacere della rima è il "debole di Leopardi; la mancia vistosa ch'egli paga alla Musa come un dandy"[20]). Potremmo dire, anzi, che la forma è l'acquisto di verità della poesia, la garanzia di oggettività di un discorso che si oppone e supera altri discorsi, astratti (come quello filosofico), approssimativi (come quello romantico, fusione e confusione di più discorsi), o addirittura falsi (come quello teologico). La forma è insieme fondazione e limite, proprio come la natura: al di là della forma non è pensabile alcuna opera umana, come al di là della natura non è pensabile altro che il nulla. In questo limite naturale della forma è l'impulso principale della poesia di Leopardi, i cui "endecasillabi scuciti e settenari storti"[21] sfidano l'astrazione e l'indeterminatezza care ai romantici. Nel limite del mondo naturale, Leopardi, come i grandi poeti classici, come Goethe fra i moderni, vede la possibilità di pronunciare parole, e con le parole costruire opere, innalzare templi alla stessa natura (e a nessun dio). Va da sé che non potremmo parlare di forma se non esistesse un limite oggettivo – naturale – alla ricerca infinita dell'uomo. Ciò che nega il romanticismo è appunto questo limite, *ad hunc actum*, che rende finita l'infinità del possibile e per conseguenza esemplare l'opera dell'artista. Il romanticismo crede nell'artista che non

[20] L. SINISGALLI, *Leopardi e il Novecento*, "Atti del III Convegno Internazionale di studi leopardiani", cit., p. 226.
[21] *Id.*, p. 224.

pone nulla nello spazio, che quasi non parla non plasma non costruisce, ma pensa ed è pensato dai propri pensieri (Schlegel), che è attraversato dall'infinità ed "è uno con tutto ciò che è vivo" (Hölderlin nell'*Iperione*), che scopre l'eternità dentro di sé e in nessun altro luogo (Novalis). Leopardi, al contrario, con la sua poesia pone oggetti nello spazio, costruisce case, limita e dà vita al pensiero astratto in forme compiute, trae da tutto ciò che è vivo l'eternità dello stile, vede non la miseria del proprio io ma la ricchezza illimitata della natura.

Idea di forma e idea di natura sono dunque, per Leopardi, strettamente connesse. In tal senso la sua poetica potrebbe leggersi come un perfetto rovesciamento della teoria romantica della trascendentalità dell'arte, apertamente dichiarata, ad esempio, nel frammento 1120 di Novalis: "Tutti i suoni che la natura produce, sono rauchi e senza espressione – e solo all'anima musicale appare spesso melodico ed espressivo il mormorio del bosco, il sibilo del vento, il canto dell'usignolo, il mormorio del ruscello. Il musicista trae da se stesso l'essenza della propria arte – e neppure il più piccolo sospetto di imitazione può coglierlo. La natura visibile sembra che non faccia altro che preparare ovunque il lavoro al pittore, ed essere in tutto il suo modello irraggiungibile. Ma in realtà l'arte del pittore è così indipendente, ed è nata così interamente *a priori*, quanto l'arte del musicista".[22] Per Leopardi, antitrascendentalista e antiromantico, la domanda è invece: che cos'è la Natura in sé? Innanzitutto la natura è sempre la stessa [1550], "ci sta tutta spiegata davanti, nuda ed aperta" [2710] e, per vederla, non dobbiamo sollevare alcun velo ma solo aprire i nostri occhi; è miracolosa, stupenda, artificiosissima, arcana [2936] e "tende in ogni sua operazione alla vita" [3813]; è qualcosa di cui "non possiamo nemmeno stabilire nè conoscere o sufficientemente immaginare nè i limiti, nè le ragioni, nè le origini" [2937]. Leopardi, che ha sprezzanti giudizi sulla storia, sulla scienza e sulla ragione – cioè su tutto quanto si muove e precipita – sta di fronte alla natura, che è *sempre la stessa*, con un atteggiamento di pura reverenza. La natura, che non va in nessun luogo e non ha fini, che non agisce se non con la stessa necessità con cui esiste, che segue il caso e il capriccio

---

[22] NOVALIS, *Frammenti*, trad. it. di E. Pocar, Milano, Rizzoli, 1981, p. 287.

("secondo le idee di Stratone da Lampsaco" [4510]), gli desta più ammirazione delle più ardite dottrine sui fini e sull'ordine universale: "io questo ciel, che sì benigno/ Appare in vista, a salutar m'affaccio,/ E l'antica natura onnipossente" (*La sera del dì di festa*); nel cielo che appare benigno vede più incanti che nella propria anima. Nella luna che irraggia dolcemente la notte vede soprattutto l'immutabilità della luna, che non ha memoria, né intenzioni se non quella di *rischiarare* ("E tu pendevi allor su quella selva/ Siccome or fai, che tutta la rischiari"). Nello squarcio di sereno che rompe da ponente, dopo la tempesta, vede tutto quanto può vedere, i monti, la campagna che si sfrangia di nebbie, il fiume ("E chiaro nella valle il fiume appare"). Nel tramonto della luna, che scende "nell'infinito seno" del mare, vede l'oscurità – una specie di non essere, di acuto disagio – ma anche l'eterna rassicurazione dell'alba. L'atteggiamento adorante di Leopardi implica una fiducia assoluta e un disprezzo assoluto: fiducia nella natura – cioè l'esistente l'identico il perdurante l'aperto l'arcano – che parla al cuore dell'uomo, e disprezzo per le opinioni dell'uomo sulla natura stessa. La natura è ciò che l'uomo non può pensare. Le "improvvise sorprese" della sua voce e le sue infinite modulazioni[23] hanno per Leopardi un valore essenzialmente religioso, in quanto di fronte ad esse la mente dell'uomo è aperta e povera. La natura invade la mente. "Quid? hic... quis est, qui complet aures meas tantus et tam dulcis sonus?", leggiamo nel *Somnium Scipionis*; che dolce e immenso suono è questo che attraversa i tempi e ci colpisce ancora oggi, alla fine dei tempi? E da dove viene? Paul Valéry, immaginando una conversazione fra Eustazio e Pitagora di fronte al cielo stellato, ci spiega il paradosso di questo suono: "Quali suoni dolci e potenti – chiede Eustazio a Pitagora – e quali armonie di una purezza strana vibrano entro la sostanza di questa notte che ci avvolge? La mia anima, all'estremo dell'ascolto, capta con sorpresa lontane modulazioni. Simile alla speranza, si tende sino ai limiti del mio sentire, per cogliere quei fremiti di cristallo e quel rombo lento e maestoso che mi stupiscono. Ma qual è lo strumento misterioso di tali delizie? Il cielo medesimo – gli rispondeva Pitagora. – Tu stai ascoltando ciò che incanta

[23] M. FUBINI, *Introduzione* ai *Canti*, Torino, Loescher, 1964, p. 12.

gli dei. Nell'universo, il silenzio non esiste".[24] Questa conversazione potrebbe svolgersi oggi come duemila anni fa: il silenzio della nostra epoca non ha inghiottito il suono *dolce* e *potente* dell'universo; il numinoso, se mai ha abitato le città degli uomini, non ha mai lasciato la natura. Leopardi dal canto suo avverte la perennità della natura come una specie di grazia, o consolazione, o rivelazione di fronte alla finzione di verità dell'intelletto, o a quell'illusione di morte della natura che è "al di dentro di noi, quando il sentimento diviene ottuso".[25] Se accade un giorno che la natura gli sembri morta e muta, per la malinconia che lo opprime o per l'astratto pensare che lo esalta, un altro giorno può tornare in relazione con le cose inanimate e "rientrare in amicizia con esseri che non l'hanno offeso" [1551]. Ne scrive al Giordani in una lettera del marzo 1820: "mi si svegliarono alcune immagini antiche, e mi parve di sentire un moto nel cuore, onde mi posi a gridare come un forsennato, domandando misericordia alla natura, la cui voce mi pareva di udire dopo tanto tempo". La natura parla da prima e oltre la fine dei tempi. Il dubbio sulla sua eternità (espresso nel *Cantico del gallo silvestre*: "Tempo verrà, che esso universo, e la natura medesima, sarà spenta") è, a rigore, solo una grandiosa congettura metafisica, quasi una fantasticheria dell'antimetafisico Leopardi. La nostra mente, che perisce ma è in grado di accogliere l'eterno dentro di sé, può ugualmente figurarsi la morte come il trionfo dell'eternità; ma la nostra immaginazione, cioè le nostre orecchie tese nella notte stellata, ci dicono che la natura è immortale. Se il cristianesimo immagina e dichiara un totale riscatto della storia, "degli anni carichi di città, di fiumi e di allegria"[26] nell'eternità, Leopardi vede l'eternità *nella* natura, e la storia, che non è natura, fatalmente esclusa da essa. Egli non cerca la salvezza di sé nell'eternità, non vuole nulla per sé, ma come un uomo rapito in contemplazione, è del tutto indifferente al proprio destino.

[24] P. VALÉRY, *Variazioni su una pensée*, in *Varietà*, a cura di S. Agosti, Milano, Rizzoli, 1971, p. 101.
[25] F. DE SANCTIS, *Giacomo Leopardi*, a cura di W. Binni, Bari, Laterza, 1961², p. 164.
[26] J.L. BORGES, *Storia dell'eternità*, trad. it. di L. Bacchi Wilcock, Milano, Il Saggiatore, 1983², p. 33.

Questo carattere di contemplazione disinteressata è molto vicino all'idea stessa di poesia, per Leopardi. La poesia è *a posteriori* rispetto alla natura, non è nulla in sé e ha l'unico obiettivo di lasciar apparire ciò che esiste e vive: "Placida notte, e verecondo raggio/ Della cadente luna...", dice Saffo quasi fuori di sé, con una strana voce, che è un po' sua e un po' della stessa natura: la semplice evocazione di una bellezza che appare è la forma stessa del canto. La natura, che è felice, vuol essere cantata dall'uomo infelice; additandogli la propria felicità (esultanza, nel *Passero solitario*: "Primavera dintorno/ Brilla nell'aria, e per li campi esulta"), non garantisce né offre all'uomo felicità, ma semplicemente si mostra. Notiamo, incidentalmente, che proprio in questo disvelarsi infinito e senza fini la natura è *crudele*: "E tu pur volgi/ Dai miseri lo sguardo; e tu, sdegnando/ Le sciagure e gli affanni, alla reina/ Felicità servi, o natura" (*La vita solitaria*); "Ma da natura/ Altro negli atti suoi/ Che nostro male o nostro ben si cura" (*Sopra un basso rilievo*[27]). La natura, dice Leopardi, è una bella donna; l'uomo si atteggia verso di lei come un innamorato che vuole blandirla e prenderla ed esserne riamato, ma sempre invano. Nei suoi atti c'è una cura estrema e instancabile della propria bellezza, ma anche una gelida indifferenza: l'uomo "si slancia fervidamente verso la natura, ne sente profondissimamente tutta la forza, tutto l'incanto, tutte le attrattive, tutta la bellezza, l'ama con ogni trasporto, ma quasi che egli non fosse punto corrisposto, sente ch'egli non è partecipe di questo bello che ama ed ammira, si vede fuor della sfera della bellezza, come l'amante escluso dal cuore, dalle tenerezze, dalle compagnie dell'amata" [718-719]. La natura è un bambino che gioca con il suo castello di sabbia e "disfa subito il fatto" (*Ad Arimane*): "Quale un fanciullo, con assidua cura,/ Di sassolini e di fuscelli, in forma/ O di tempio o di torre o di palazzo,/ Un edificio innalza; e come prima/ Fornito il mira, ad atterrarlo è

---

[27] Una lettura molto faziosa di questo verso suggerisce che nella forma impersonale *si cura* si celi "il pensiero che siamo noi ad attribuire arbitrariamente alla natura un'anima o un'umanità, mentr'essa è in sé e per sé solo una cosa neutra, un *medium*, alcunché di astratto, un nulla": K. VOSSLER, *Leopardi*, Napoli, Ricciardi, 1925, p. 287. Tale opinione, che trascura evidentemente il carattere di personalità e divinità della natura, in Leopardi, fa capo a un'interpretazione e a una tradizione interpretativa idealistiche dei *Canti*, incontrastate nel passato, e a tutt'oggi, con nostra sorpresa, molto correnti.

volto,/ Perchè gli stessi a lui fuscelli e sassi/ Per novo lavorio son di mestieri;/ Così natura ogni opra sua, quantunque/ D'alto artificio a contemplar, non prima/ Vede perfetta, ch'a disfarla imprende,/ Le parti sciolte dispensando altrove./ E indarno a preservar se stesso ed altro/ Dal gioco reo, la cui ragion gli è chiusa/ Eternamente, il mortal seme accorre/ Mille virtudi oprando in mille guise/ Con dotta man: che, d'ogni sforzo in onta,/ La natura crudel, *fanciullo invitto*,/ Il suo capriccio adempie, e senza posa/ Distruggendo e formando si trastulla" (*Palinodia*). La natura è un dio ingannatore, un beffatore, un clown che uccide per gioco e cura per uccidere ancora:[28] "Si ammiri quanto si vuole la provvidenza e la benignità della natura per aver creati gli antidoti, per averli, diciam così, posti allato ai veleni, per aver collocati i rimedi nel paese che produce la malattia. Ma perchè creare i veleni? perchè ordinare le malattie? E se i veleni e i morbi sono necessari o utili all'economia dell'universo, perchè creare gli antidoti? perchè apparecchiare e porre alla mano i rimedi?" [4206]. Bella donna, bambino capriccioso, dio ingannatore, la natura è comunque un *personaggio*; e in questo ruolo rimane ferma, per Leopardi, dal cosiddetto pessimismo storico – nemica della felicità è la ragione – al cosiddetto pessimismo cosmico – nemica della felicità è la natura stessa –, posto che questi valori, così espressi, abbiano un significato. Benigna come nell'età aurea o cattivo genio come per noi moderni ("brutto/ Poter che, ascoso, a comun danno impera", in *A se stesso*), la natura non è mai un'astratta produzione della mente, una proiezione o una figura che l'io trae da se stesso; buona o cattiva, coi suoi terrori o la sua grazia, la natura di Leopardi è "tutta compiuta in sé, e non riceve complementi, cioè amore. Non vede né sente colui che la chiama. La voce di lui torna a lui

---

[28] Per Cartesio, cui presumibilmente si ispira Leopardi, questo inganno ai danni dell'uomo è determinato da una sorta di illusionismo divino: "Je supposerai donc qu'il y a, non point un vrai Dieu, qui est la souveraine source de vérité, mais un certain mauvais génie, non moins rusé et trompeur que puissant, qui a employé toute son industrie à me tromper. Je penserai que le ciel, l'air, la terre, les couleurs, les figures, les sons et toutes les choses extérieures que nous voyons, ne sont que des illusions et tromperies, dont il se sert pour surprendre ma crédulité". DESCARTES, *Méditations*, in *Oeuvres et Lettres*, Paris, Bibliothèque de la Pléiade, 1953, p. 272.

come un'eco gelida".[29] Già nel *Discorso* Leopardi intuiva questa differenza o estraneità della natura al destino umano, e suggeriva una soluzione per la poesia: "è necessario che, non la natura a noi, ma noi ci adattiamo alla natura, e però la poesia non si venga mutando, come vogliono i moderni, ma nei suoi caratteri principali, sia, come la natura, immutabile"; se la natura è *invariata* e *incorrotta*, è necessario che l'uomo, il quale non è nulla e nulla trova in sé di altrettanto immutabile, si pieghi di fronte alla natura. Se trova in sé il mutabile e l'incerto, e fuori di sé l'immutabile e il certo, e non vede una relazione possibile fra i due poli, l'uomo deve esprimere unicamente questa maestosa e misteriosa indifferenza. La natura, "cieca e sorda" [2432], disprezza l'imperfezione degli uomini, che vivono solo a metà, che nascono e muoiono e il cui destino è così insoddisfacente, impreciso, oscuro. Il suo *punto di vista* è una specie di alto e remoto sguardo su se stessa, da cui gli uomini sono esclusi. La terra stessa, per lei, non è che "un punto/ Di luce nebulosa", un trascurabile bagliore. Leopardi ci dice quanto al contrario sia essenziale per l'uomo vedere la natura, stare in solitudine e ascoltare la sua voce: "Sovente in queste piagge,/ Che, desolate, a bruno/ Veste il flutto indurato, e par che ondeggi/ Seggo la notte; e sulla mesta landa/ In purissimo azzurro/ Veggo dall'alto fiammeggiar le stelle,/ Cui di lontan fa specchio/ Il mare..." (*La ginestra*). Noi, mortali, possiamo contemplare ciò che non muore e ascoltare ciò che parla eternamente; non sappiamo nulla, ma abbiamo occhi e orecchie; abbiamo una mente che può immaginare lo spirito e i cori angelici e Dio e i fini dell'universo ("arcano universo; il qual di lode/ Colmano i saggi", nel *Pepoli*), ma può anche *sentire* l'immensità delle cose; "e profondamente senten-dola e intentamente riguardandola" [3171], perdere quasi se stessa, distruggere la propria forma, dimenticare di esserci, ed esser formata come mente, accogliere l'aperto che la circonda. Se la storia è un alto, obliquo, venato, pietoso monumento alla mente umana, la natura annienta pietra e marmi con magistrale semplicità.

Fatte queste considerazioni sul rapporto di antagonismo fra

---

[29] M. BONTEMPELLI, *Leopardi l'"uomo solo"*, in *Introduzioni e discorsi*, Milano, Bompiani, 1964, p. 38.

natura e uomo, potremmo arguire che il ragionamento leopardiano si chiuda proprio sulla soluzione antisoggettivistica di tale antagonismo. Ma è davvero così? Siamo del tutto certi che questa descrizione esaurisca le direzioni, gli impulsi e gli appelli che ha, in sé, per Leopardi, la natura? Forse esiste una specie di intimità fra la mente dell'uomo e la natura. Esiste un modo di pensare che accetta l'immaginazione e il cuore, cioè la natura, come trama e segno del pensiero stesso. L'inconciliabilità del pensiero con la natura, della filosofia con la poesia, della mente con il cuore, così acutamente avvertita da Leopardi in un primo momento, è posta in discussione in un secondo momento. Alla "nemicizia giurata e mortale" fra poesia e filosofia succede una sorta di riconciliazione, "rarissima e singolare": "gli spiriti veramente straordinari e sommi, i quali si ridono dei precetti, e delle osservazioni, e quasi dell'impossibile, e non consultano che loro stessi, potranno vincere qualunque ostacolo, ed essere sommi filosofi moderni poetando perfettamente" [1383]. Questo obiettivo, "vicino all'impossibile", viene perseguito da Leopardi malgrado il suo sospetto e quasi avversione nei confronti del pensiero astratto ed è raggiunto nei *Canti* – non sempre e non uniformemente – in una poesia che possiamo definire intellettuale, o ragionante, o filosofica. Ogni canto leopardiano è, in effetti, una specie di proposizione logica completa di premesse, considerazioni, deduzioni; e nella nozione stessa di *idillio* è molto difficile, se non equivoco, distinguere il ragionamento dall'ispirazione, l'argomentazione dalla spontaneità, come sempre e con inalterata fortuna ha distinto la critica.[30] Ma la poesia pensa? Eliot una volta coniò un paradosso: "Non vedo alcuna ragione" disse "per credere che Dante o Shakespeare avessero delle idee proprie. Coloro i quali credono che Shakespeare pensasse sono tutte persone impegnate non a scrivere poesie, bensì impegnate a pensare".[31] E noi siamo indubbiamente attratti da questa rivendicazione di un territorio incontaminato, da questa presunzione di purezza;

[30] A questo proposito, si veda una mia breve requisitoria: G. FICARA, *Silenziosa luna. Studio sul "Canto notturno"*, in *L'arte dell'interpretare. Studi critici offerti a Giovanni Getto*, Cuneo, L'Arciere, 1984, pp. 573-588.
[31] La citazione da Eliot si trova in L. TRILLING, *Il significato di un'idea nella letteratura*, in *La letteratura e le idee*, a cura di L. Gallino, Torino, Einaudi, 1962, pp. 132-133.

siamo incantati dal sogno dell'Occidente, che vuole diventare Oriente, della profondità che vuol tornare apparenza. Ma sappiamo anche che non possiamo disfarci del pensiero se non in sogno, appunto, non certo nella poesia. Per Leopardi il temuto pensiero si affaccia nella poesia, allo stesso modo che il poetico, cioè la natura, entra e modifica la struttura del pensiero; pensiero puro e poesia pura sono per lui dati incomprensibili. Il pensiero in sé non è nulla, come lo spirito, l'infinito, il tempo: noi che immaginiamo il pensiero libero e autodeterminato, o immaginiamo addirittura di poter pensare la natura come un universale del pensiero, non vediamo che è la natura, al contrario, a determinare il pensiero, ad arricchirlo e sorprenderlo. Certe scoperte naturali, ad esempio, aprono un "immenso campo di riflessioni", cioè determinano il pensiero in un senso piuttosto che in un altro: Copernico mostra all'uomo una "pluralità di mondi" oltre il suo, e gli suggerisce l'esistenza di infinite "altre creature che secondo tutte le leggi d'analogia debbono abitare gli altri globi" [84]. Il pensiero, in sé, non avrebbe mai pensato ciò che ha visto Copernico, né avrebbe saputo mai produrre l'esistenza in atto di "altri globi". La superiorità della natura sul pensiero è garanzia di funzionalità del pensiero stesso; e il "senso della verità" [349] impresso dalla natura al pensiero è la dimostrazione che l'uomo può effettivamente, ed efficacemente, pensare. La natura libera i pensieri dalla loro prigione di chiarezza: "una piccolissima *idea confusa*" annota Leopardi "è sempre maggiore di una grandissima, affatto chiara". La natura è il *di più* che l'uomo di genio pretende dai propri pensieri, è il *semper divinum aliquid atque infinitum* di cui parla Cicerone[32] e che tormenta da secoli la nostra ragione. Che cosa vogliamo noi, vivi e ragionevoli, di fronte alla natura esistente e irragionevole? Forse ciò che la natura stessa può darci, cioè un contrasto con le nostre idee, un "effetto poetico generale" [3241] e quasi un "entusiasmo della ragione" [3383]. La voce della natura, che l'uomo può "ascoltare dentro di sè, con quella reverenza con cui si ascolta una voce non umana",[33] non soltanto dichiara se stessa alla mente, ma ne trasforma intimamente la struttura: la mente

---

[32] La citazione è trascritta da Leopardi nello *Zibaldone*, [1573].
[33] FUBINI, *Introduzione* ai *Canti*, cit., p. 7.

diviene poetica, la ragione entusiasta, i pensieri *alti* e *grandi*. Questa trasformazione o naturalizzazione della mente, questo "solo piccolo pensiero" – per dirla con Wittgenstein – è alla base dei *Canti*: se non gli è più possibile essere uomo-natura, come nell'età dell'oro, se l'imitazione della natura gli pare un manierismo logoro, se l'esercizio del pensiero astratto lo delude, Leopardi può ritrovare nel canto l'unità di natura e mente, la stessa unità "distrutta dall'astrazione" di cui parlava Schiller.[34] Una strana forza sfida, dalle profondità del cielo stellato, l'attesa della nostra mente, e desta in noi l'entusiasmo che ci è proprio:[35] "Primavera odorata, inspiri e tenti/ Questo gelido cor?", leggiamo nella canzone *Alla Primavera*; l'ispirazione poetica, cioè il preteso invasamento, l'estasi tanto plausibile nell'antichità, è innanzitutto una relazione: il poeta avverte la richiesta della primavera di essere cantata, ma d'altra parte chiede – irrazionalmente, entusiasticamente – di essere visto, lui, dalla primavera: "...se tu pur vivi,/ E se de' nostri affanni/ Cosa veruna in ciel, se nell'aprica/ Terra s'alberga o nell'equoreo seno,/ Pietosa no, ma spettatrice almeno". Il sole ferisce il nostro sguardo, leggiamo nel *Passero solitario*; il mare e i monti azzurri ci ispirano "dolci sogni" e "pensieri immensi" (*Le ricordanze*) e quasi l'idea di andare oltre la nostra stessa vita (e che cosa è un pensiero *immenso* se non un pensiero contrastato dalla natura?), ma ci domandiamo chi e dove saremo noi quando non vedremo più quel mare, quei monti azzurri e quel sole, e la terra sarà "straniera valle". Attraverso i millenni guardiamo la luna "intatta" e "silenziosa", ma anche la luna ci guarda mentre compie il suo "corso immortale" (*Canto notturno*), e forse è *pensosa* e vede "Questo viver terreno,/ Il patir nostro, il sospirar...".

Ora a questa relazione, a questa reciprocità, si potrebbe obiettare, e si è obiettato decisamente, che è più un mito del pensiero stesso, un'astuzia della soggettività che non una realtà vera. La natura non esisterebbe se non come funzione della mente; Leopardi non sarebbe che un solipsista dedito a

---

[34] Cfr. SCHILLER, *Sulla poesia ingenua e sentimentale* (1795-1796), trad. it. di E. Franzini e W. Scotti, Milano, Studio Editoriale, 1986, pp. 37-43; 77-109.
[35] Tale relazione fra natura, "objet doué d'un maximum d'existence et l'état de l'âme", pensiero e "présence d'immensité", è oggetto dello studio di C. Du Bos, *Du spirituel dans l'ordre littéraire*, Paris, Corti, 1967.

scolpire per la posterità i contorni del proprio io. Infatti. Leopardi è "grande nella esplorazione del proprio petto, ne' colloqui col suo povero cuore";[36] "si può dire che il segreto di Leopardi è tutto qui: nella traduzione fantastica dei suoi pensieri e sentimenti più profondi...";[37] la natura ovviamente non è che uno "sconosciuto substrato, senza peso terrestre e meccanico, da cui germogliano musicali rivelazioni del mistero".[38] Eppure questi argomenti, che da De Sanctis in poi ci hanno consegnato un'immagine di Leopardi soggettivista e quasi intimista, proteso sull'abisso del proprio cuore, sono difficilmente ammissibili. L'*amor sui*, che "secondo il Leopardi pensatore costituisce la molla unica della vita",[39] l'eudemonismo frustrato dalla natura e il conseguente ripiegamento sulla propria e sull'universale infelicità, non sono che il momento iniziale o d'avvio della poetica leopardiana. L'*amor sui* non è niente a confronto della natura. E nei *Canti*, più ancora della sofferenza individuale, del petrarchesco sospirare e piangere, è sorprendente la reazione del cuore "quando a tenzone/ Scendono i venti, e quando nembi aduna/ L'olimpo" (*Nelle nozze*), cioè l'immotivata estasi, l'incauto uscir da sé verso l'esterno e l'illimitato; il naufragio del pensiero ("tra questa/ Immensità s'annega il pensier mio...") nella natura e la parola che s'inceppa e non può rendere adeguatamente la sua bellezza: "Mirava il ciel sereno,/ Le vie dorate e gli orti,/ E quinci il mar da lungi, e quindi il monte./ Lingua mortal non dice/ Quel ch'io sentiva in seno" (*A Silvia*). Da tutto questo è evidente che l'*amor sui*, nella poesia, non è che l'istante della riflessione che succede all'estasi, al sentire "tant'alto" di un essere "frale in tutto e vile" (*Sopra il ritratto*). Se nell'estasi la personalità è annullata, dominata dal sentimento e trascinata fuori di sé, il ritorno allo stato di riflessione – che è detto comunemente: ritornare in sé – ricostituisce i limiti della personalità stessa. In questi limiti, cari alla poesia classica e meno alla poesia romantica – pensiamo all'Empedocle di Hölderlin che scende negli abissi – Leopardi ritrova intatto il

---

[36] DE SANCTIS, *Giacomo Leopardi*, cit., p. 167.
[37] G. DE ROBERTIS, *Saggio sul Leopardi*, Firenze, Vallecchi, 1973, p. 111.
[38] P. BIGONGIARI, *Leopardi*, Firenze, Vallecchi, 1962, p. 103.
[39] U. BOSCO, *Titanismo e pietà in Giacomo Leopardi*, Roma, Bonacci, 1980, p. 37.

dono e il dettato che la natura lascia agli uomini. Dal punto di vista di Leopardi il "lamento alla natura è [...] preghiera",[40] innanzitutto come sospensione e attesa; dal punto di vista della natura questa preghiera è il ponte, o la relazione, che consente il formarsi e l'orientarsi della voce della natura verso il cuore del poeta. Ascoltiamo ancora Valéry. Di fronte al cielo stellato, egli dice, "ci troviamo come sospesi lontano da noi stessi. Il nostro sguardo si abbandona allora alla visione, entro un campo di eventi luminosi [...]. Possiamo contare le stelle, noi che non possiamo credere di esistere nei loro confronti. Non vi è reciprocità da esse a noi. Sentiamo in noi qualcosa che ci chiede una parola, e un'altra cosa che la rifiuta. Quello che vediamo nel cielo, e quello che troviamo nella profondità di noi stessi, in quanto parimenti sottratti alla nostra azione – e l'uno scintillando al di là del nostro potere, l'altro vivendo al di qua della nostra espressione – finiscono per produrre una sorta di relazione fra l'attenzione che dirigiamo verso ciò che è più lontano e la nostra attenzione più intima. Questi due tipi di attenzione sono come gli estremi della nostra attesa, estremi che si corrispondono e che si assomigliano nella speranza di qualche novità decisiva, nel cielo o nel cuore".[41] Questa descrizione esattissima e acutissima ci avvicina a Leopardi più di interi volumi dedicati a Leopardi. Esiste una specie di costante nello sguardo poetico, lo sguardo verso il cielo stellato, una specie di attesa o ricerca, quasi una *speranza di qualche novità decisiva*, cui Leopardi non si sottrae. Dall'estasi, cioè l'entusiasmo "astratto, vago, indefinito" di fronte allo "spettacolo della natura", l'essere "fuor di se" preda d'una "forza estranea che lo trasporta", alla riflessione, cioè alla forma, cioè al "concepire in modo chiaro e completo" [257-258], si produce la sorpresa di trovare, nella natura stessa e dunque nel proprio cuore, una "bellezza diversa" da quella che si è soliti "considerare come tale" [2832]. Il contrasto con le proprie idee, che, nella contemplazione, succede alle idee, è appunto la bellezza e la forma del poetico, notte stellata che non è più notte stellata ma sorpresa e mutazione. Prigioniero della notte stellata, il pensiero di Leopardi rinuncia alla teoria,

[40] TIMPANARO, *Classicismo e illuminismo nell'Ottocento italiano*, cit., p. 389.
[41] VALÉRY, *Varietà*, cit., p. 105.

cioè a cercare i fili che connettono il particolare all'universale, ma non rinuncia a una più esaltante ricerca *mitica*[42] e interna alla stessa natura. Questo pensiero affascinato, turbato da alberi e stelle, forse non vedrà chiaro, né concluderà o scoprirà mai nulla: ma non sappiamo, proprio da Leopardi, che chi scopre qualcosa pone fine per sempre alle opere dell'uomo su questa terra?

Giorgio Ficara

---

[42] La distinzione fra "pensiero mitico" e "pensiero teoretico" è di E. Cassirer, *Linguaggio e mito*, trad. it. di V.E. Alfieri, Milano, Il Saggiatore, 1976³.

Nota biobibliografica

Cronologia

Giacomo Leopardi nasce a Recanati il 29 giugno 1798 dal conte Monaldo e dalla marchesa Adelaide Antici. L'anno successivo nasce il fratello Carlo, e nel 1800 la sorella Paolina. La prima istruzione di Leopardi è affidata ai precettori don Sebastiano Sanchini, don Vincenzo Diotallevi e al gesuita Giuseppe De Torres. Del 1809 è la prima prova poetica, il sonetto *La morte di Ettore*; del 1812 la tragedia *Pompeo in Egitto* e gli *Epigrammi*. Fra i tredici e i diciassette anni scrive "da sei o sette tomi non piccoli sopra cose erudite" quali la *Storia dell'astronomia* (1813), le traduzioni da Mosco e della *Batracomiomachia*, il *Saggio sopra gli errori popolari degli antichi* (1815). Nella primavera del 1816 traduce il primo libro dell'*Odissea* e il 18 luglio scrive la *Lettera ai compilatori della "Biblioteca italiana"* in risposta alla Staël. Nel 1817 pubblica la *Traduzione del libro secondo della Eneide*; ha un fitto carteggio con Pietro Giordani – che incontrerà a Recanati l'anno successivo – e dà inizio agli appunti del suo *Zibaldone*. Del 1818 è la stesura del fondamentale *Discorso di un italiano intorno alla poesia romantica* e una prima edizione delle *Canzoni* (*All'Italia* e *Sopra il monumento di Dante*) con una lettera dedicatoria a Vincenzo Monti, presso Bourlié, a Roma. Del luglio 1819 è il tentativo, fallito, di fuga da Recanati. Nel 1820 pubblica, presso l'editore Marsigli di Bologna, la *Canzone ad Angelo Mai*, con una lettera dedicatoria a Leonardo Trissino. Il 17 novembre 1822, chiamato dallo zio marchese Carlo Antici, parte per Roma, ma vi è disgustato dal-

l'aperta rozzezza dei suoi abitanti, dall'imperante mania archeo-
logica e dall'aspetto stesso della città, monumentale e disumano: unico conforto, la visita al sepolcro del Tasso e l'amicizia del
Mai e di alcuni studiosi e filologi stranieri quali il Niebuhr, il
Rheinhold, il Bunsen e lo Jacopssen. Ritornato a Recanati, compone, tra gennaio e novembre del 1824, le prime venti *Operette
morali*; pubblica nello stesso anno, presso l'editore Nobili di
Bologna, le dieci *Canzoni*, seguite dalle *Annotazioni* e dalla
*Comparazione delle sentenze di Bruto minore e di Teofrasto vici-
ni a morte*, e scrive il *Discorso sopra lo stato presente dei costumi
degl'Italiani*. Nel luglio del 1825, invitato dall'editore Stella, è a
Milano, dove incontra il Monti e il Cesari, e, nell'autunno dello
stesso anno, a Bologna, dove – forse – compone il *Frammento
apocrifo di Stratone di Lampsaco*. L'anno successivo, sempre a
Bologna, conosce il conte Carlo Pepoli, librettista del Bellini, e
gli dedica un'epistola in versi recitata nell'Accademia dei
Felsinei; si innamora, mal corrisposto, di Teresa Malvezzi, ari-
stocratica e aspirante poetessa. Pubblica, presso la bolognese
Tipografia delle Muse, i *Versi*, che comprendono le canzoni, gli
idilli *L'infinito*, *La sera del giorno festivo*, *La ricordanza*, *Il sogno*,
Lo spavento notturno, *La vita solitaria*, le *Elegie*, i *Sonetti in persona di ser Pecora*, l'*Epistola a Carlo Pepoli*, *La guerra de' topi e
delle rane*, e il *Volgarizzamento della satira di Simonide sopra le
donne*. Pubblica inoltre presso lo Stella il commento alle *Rime
di Francesco Petrarca*. Dopo un breve soggiorno a Recanati, nel-
l'aprile del 1827 è ancora a Bologna, dove incontra l'esule napo-
letano Antonio Ranieri; nel giugno dello stesso anno escono a
Milano, edite dallo Stella, le *Operette morali*; il 21 giugno è a
Firenze, dove conosce fra gli altri – per tramite del Vieussieux –
Tommaseo, Capponi, Montani, Colletta, Manzoni, Stendhal;
scrive l'*Indice del mio Zibaldone* e pubblica presso lo Stella la
Crestomazia italiana della prosa (cui segue, l'anno successivo, la
Crestomazia italiana poetica); nel novembre si trasferisce a Pisa,
dove ricomincia a scrivere versi, "versi veramente all'antica, con
quel *suo* cuore d'una volta". Sul finire del 1828 fa ritorno a
Recanati, per l'ultima volta, e vi trascorre "sedici mesi di notte
orribile". Il 10 maggio del 1830 è a Firenze, dove rivede
Antonio Ranieri e incontra il filologo svizzero Luigi De Sinner;
si innamora senza fortuna di Fanny Targioni Tozzetti, l'Aspasia
dei *Canti*, presentatagli da Alessandro Poerio. Dà inizio, forse in
quest'anno, alla composizione dei *Paralipomeni della Batraco-*

miomachia. Nell'aprile del 1831 appare l'edizione Piatti (Firenze) dei *Canti* (I-X, XII-XVI, XVIII-XXV). Dopo una permanenza a Roma in compagnia del Ranieri, il 22 marzo 1832 è ancora a Firenze e incomincia a raccogliere, elaborandoli dal vasto materiale dello *Zibaldone*, i centoundici *Pensieri*. Il 2 ottobre 1833 è a Napoli, sempre con il Ranieri. L'anno successivo conosce lo scrittore tedesco August von Platen; pubblica, presso l'editore Piatti di Firenze, la seconda edizione delle *Operette morali* (con l'aggiunta del *Dialogo di un venditore d'almanacchi e di un passeggere* e del *Dialogo di Tristano e di un amico*, scritte nel 1832). Del 1835 è l'edizione Starita – Napoli – dei *Canti* (I-XXXII, XXXV-XLI); del 1836 l'edizione Starita delle *Operette morali* (ma vi compaiono solo le prime tredici, a causa del sequestro da parte della censura borbonica). Leopardi muore a Napoli il 14 giugno 1837. Nel 1842 Ranieri cura l'edizione parigina (Baudry) dei *Paralipomeni della Batracomiomachia* e, nel 1845, l'edizione Le Monnier – Firenze – delle *Opere*, che comprende i *Canti* (vol. I) e le *Operette morali* (le ventidue dell'edizione Piatti con l'aggiunta degli inediti *Dialoghi di Plotino e di Porfirio* e *Copernico*, scritti da Leopardi nel 1827: vol. II).

Repertori

AA.VV., *Bibliografia leopardiana*, Firenze, Olschki a cura del Centro Nazionale di Studi Leopardiani di Recanati (in cinque volumi); C.F. Goffis, *Leopardi. Storia e antologia della critica*, Palermo, Palumbo, 1963; G.L., *Tutte le opere*, a cura di W. Binni, Firenze, Sansoni, 1969 (cfr. la nota bibliografica di E. Ghidetti); C. Galimberti, *Leopardi*, in *Dizionario critico della letteratura italiana*, Torino, UTET, 1973.

Biografie

A. Ranieri, *Sette anni di sodalizio con Giacomo Leopardi*, Milano, Giannini, 1880 (l'edizione più recente è a cura di G. Cattaneo e A. Arbasino, Milano, Garzanti, 1979); C. Annovi, *Per la storia di un'anima, biografia di Giacomo Leopardi*, Città di Castello, Lapi, 1898; G.A. Cesareo, *La vita di Giacomo Leo-*

pardi, Milano-Palermo-Napoli, Sandron, 1902; G. Chiarini, *Vita di Giacomo Leopardi*, Firenze, Barbera, 1905; P. Hazard, *Giacomo Leopardi*, Paris, Blond, 1913; G. Ferretti, *Vita di Giacomo Leopardi*, Bologna, Zanichelli, 1940; A. Panzini, *Casa Leopardi*, a cura di P. Pancrazi, Firenze, Le Monnier, 1948; I. Origo, *Leopardi, a Study in Solitude*, London, Hamish Hamilton, 1953; R. Minore, *Leopardi*, Milano, Bompiani, 1987.

Edizioni

Epistolario, a cura di P. Viani e G. Piergili, Firenze, Le Monnier, 1925; *Canti*, a cura di F. Moroncini, Bologna, Cappelli, 1927; *Operette morali*, Id., 1928-29; *Opere minori approvate*, Id., 1931; *Epistolario*, a cura di F. Moroncini, Firenze, Le Monnier, 1934-41, *Tutte le opere*, a cura di F. Flora, Milano, Mondadori, 1937-49; *Opere*, a cura di G. Getto e E. Sanguineti, Milano, Mursia, 1967; *Tutte le opere*, a cura di W. Binni, Firenze, Sansoni, 1969; *Scritti filologici*, a cura di G. Pacella e S. Timpanaro, Firenze, Le Monnier, 1969; *Operette morali*, edizione critica a cura di O. Besomi, Milano, Mondadori, 1979; *Canti*, edizione critica a cura di E. Peruzzi, Milano, Rizzoli, 1981.

Commenti ai Canti

G. De Robertis (Firenze, Le Monnier, 1927); A. Momigliano (Messina, Principato, 1929); M. Fubini (Torino, utet, 1930); C. Calcaterra (Torino, sei, 1947); N. Gallo-C. Garboli (Torino, Einaudi, 1962); C. Muscetta-G. Savoca (Torino, Einaudi, 1968); G. De Robertis-D. De Robertis (Milano, Mondadori, 1978); F. Bandini (Milano, Garzanti, 1981[2]); F. Gavazzeni-M.M. Lombardi (Milano, bur, 1998).

P. GIORDANI, *Scritti editi e postumi*, Milano, 1857-58, volumi IV-V-VI; V. GIOBERTI, *Pensieri e giudizi sulla letteratura italiana e straniera*, Firenze, 1856; C.-A. SAINTE-BEUVE, *Portraits contemporains*, IV, Paris, Didier, 1855; F. DE SANCTIS, *Giacomo Leopardi*, a cura di W. Binni, Bari, Laterza, 1953; ID., *Saggi critici*, II-III, a cura di L. Russo, Bari, Laterza, 1957³; ID., *La letteratura italiana del secolo XIX*, III, a cura di W. Binni, Bari, Laterza, 1961²; F. MORONCINI, *Studio sul Leopardi filologo*, Napoli, Morano, 1891; G. CARDUCCI, *Degli spiriti e delle forme nella poesia di Giacomo Leopardi*, Bologna, Zanichelli, 1898; G. PASCOLI, *Pensieri e discorsi*, Bologna, Zanichelli, 1907; F. NERI, *Il pensiero del Rousseau nelle prime chiose dello "Zibaldone"*, in "Giornale storico della letteratura italiana", LXX, 1917; V. CARDARELLI, *Viaggi nel tempo*, Firenze, Vallecchi, 1920; K. VOSSLER, *Leopardi*, Napoli, Ricciardi, 1925; B. CROCE, *Poesia e non poesia*, Bari, Laterza, 1923; E. DONADONI, *Da Dante al Manzoni. Miscellanea in onore di G.A. Venturi*, Pavia, Fusi, 1923; G. GENTILE, *Manzoni e Leopardi*, Milano, Treves, 1928; C. DE LOLLIS, *Saggi sulla forma poetica italiana dell'Ottocento*, Bari, Laterza, 1929; M. FUBINI, *L'estetica e la critica letteraria nei "Pensieri" di Giacomo Leopardi*, in "Giornale storico della letteratura italiana", CVII, 1931; A. MOMIGLIANO, *Studi di poesia*, Bari, Laterza, 1937; G. GENTILE, *Poesia e filosofia di Giacomo Leopardi*, Firenze, Sansoni, 1939; A. TILGHER, *La filosofia di Leopardi*, Roma, Religio, 1940; M. BONTEMPELLI, *Sette discorsi*, Milano, Bompiani, 1942; A. MOMIGLIANO, *Introduzione ai poeti*, Roma, Tumminelli, 1942; G. UNGARETTI, *Vita d'un uomo. Saggi e interventi*, Milano, Mondadori, 1974; B. TERRACINI, *Leopardi filòlogo*, in "Cursos y conferencias", XII, 1943; A. MOMIGLIANO, *Elzeviri*, Firenze, Le Monnier, 1945; G. DE ROBERTIS, *Saggio sul Leopardi*, Firenze, Vallecchi, 1946²; F. FLORA, *Leopardi e la letteratura francese*, Milano, Malfasi, 1947; W. BINNI, *La nuova poetica leopardiana*, Firenze, Sansoni, 1947; C. LUPORINI, *Leopardi progressivo*, in *Filosofi vecchi e nuovi*, Firenze, Sansoni, 1947; G. CONTINI, *Implicazioni leopardiane*, in "Letteratura", 33, IX, 1947; M. APOLLONIO, *Fondazioni della cultura italiana moderna*, I, Firenze, Sansoni, 1948; E. RAIMONDI, *Modi leopardiani*, in "Convivium", XVI, 1948; F.

FLORA, *Saggi di poetica moderna*, Messina-Firenze, D'Anna, 1949; G. DE ROBERTIS, *Primi studi manzoniani e altre cose*, Firenze, Le Monnier, 1949; M. FUBINI, *Romanticismo italiano*, Bari, Laterza, 1953; E. BIGI, *Dal Petrarca al Leopardi*, Milano-Napoli, Ricciardi, 1954; I.H. WHITFIELD, *Giacomo Leopardi*, Oxford, Basil Blackwell, 1954; S. TIMPANARO, *La filologia di Giacomo Leopardi*, Firenze, Le Monnier, 1955; E. PERUZZI, *Saggio di lettura leopardiana (A Silvia)*, in "Vox Romanica", XV, 1954; ID., *Il primo momento del canto "A Silvia"*, in "Italica", XXXIV, 1957; ID., *La parola dominante*, in "Vox Romanica", XVI, 1957; ID., *Aspasia*, in "Vox Romanica", XVII, 1958; U. BOSCO, *Titanismo e pietà in Giacomo Leopardi*, Firenze, Le Monnier, 1957; K. MAURER, *Leopardis "Canti" und die Auflösung der Lyrischen Genera*, Frankfurt am Mein, Klostermann, 1957; S. SOLMI, *Scritti leopardiani*, Milano, Scheiwiller, 1959; A. MONTEVERDI, *Frammenti critici leopardiani*, Roma, Tipografia del Senato, 1959; C. GALIMBERTI, *Linguaggio del vero in Leopardi*, Firenze, Olschki, 1959; R. BACCHELLI, *Leopardi e Manzoni*, Milano, Mondadori, 1960; A. MONTEVERDI, *La composizione del "Canto notturno"*, in "Rassegna della letteratura italiana", VII, 1960; N. SAPEGNO, *Ritratto del Manzoni e altri saggi*, Bari, Laterza, 1961; C. MUSCETTA, *Ritratti e letture*, Milano, Marzorati, 1961, N. SAPEGNO, *Leopardi*, Torino, ERI, 1961; F. FLORA, *La poesia leopardiana*, Milano, Nuova Accademia, 1962; M. FUBINI, *Metrica e poesia. Lezioni sulle forme metriche italiane*, Milano, Feltrinelli, 1962; P. BIGONGIARI, *Leopardi*, Firenze, Vallecchi, 1962; L. SPITZER, *L'Aspasia di Leopardi*, in "Cultura neolatina", XIII, 1963; U. LEO, *Il Passero solitario, eine Motivstudie*, in *Wort und Text, Festschrift für F. Schalk*, Frankfurt am Mein, 1963; S. TIMPANARO, *Classicismo e illuminismo nell'Ottocento italiano*, Pisa, Nistri-Lischi, 1965; E. PERUZZI, *L'ultimo canto leopardiano*, in "Lettere italiane", XVIII, 1966; G. GETTO, *Saggi leopardiani*, Firenze, Vallecchi, 1966 (seconda edizione: Messina-Firenze, D'Anna, 1977); E. BIGI, *La genesi del "Canto notturno" e altri studi sul Leopardi*, Palermo, Manfredi, 1967; C. DE LOLLIS, *Scrittori d'Italia*, Milano-Napoli, Ricciardi, 1968; A. BRILLI, *Satira e mito nei "Paralipomeni" leopardiani*, Urbino, Argalia, 1968; N. SAPEGNO, *Giacomo Leopardi*, in *Storia della letteratura italiana*, VII, Milano, Garzanti, 1969; S. RAMAT, *Psicologia della forma leopardiana*, Firenze, La Nuova Italia,

1970; G. Ceronetti, *Intatta luna*, in *Difesa della luna e altri argomenti di miseria terrestre*, Milano, Rusconi, 1971; F. Ferrucci, *Addio al Parnaso*, Milano, Bompiani, 1971; D. De Robertis-M. Martelli, *La composizione del "Canto notturno"*, in "Studi di filologia italiana", XXX, 1972; G. Contini, *Memoria di A. Monteverdi*, in *Altri esercizi*, Torino, Einaudi, 1972; W. Binni, *La protesta del Leopardi*, Firenze, Sansoni, 1973; G. Macchia, *La caduta della luna*, Milano, Mondadori, 1973; S. Solmi, *Studi e nuovi studi leopardiani*, Milano-Napoli, Ricciardi, 1975, S. Ramat, *Vitalità dei "Paralipomeni"*, in "Forum italicum", II, 2, 1978; A. Noferi, *Il gioco delle tracce*, Firenze, La Nuova Italia, 1979; W. Binni, *La poesia di Leopardi negli anni napoletani*, in "La rassegna della letteratura italiana", III, 1980; A. Prete, *Il pensiero poetante. Saggio su Leopardi*, Milano, Feltrinelli, 1980, G. Bàrberi Squarotti, *Leopardi: le allegorie della poesia*, in *Dall'anima al sottosuolo. Problemi della letteratura dell'Ottocento da Leopardi a Lucini*, Ravenna, Longo, 1982; P. Citati, *L'infinito secondo Leopardi*, in *Il migliore dei mondi impossibili*, Milano, Rizzoli, 1982; E. Peruzzi, *Gioberti e una postilla leopardiana*, in "Paradigma", V, 1983; M.A. Rigoni, *Saggio sul pensiero leopardiano*, Napoli, Liguori, 1983; M. Ricciardi, *Giacomo Leopardi: la logica dei "Canti"*, Milano, Angeli, 1984; A. Ferraris, *L'ultimo Leopardi*, Torino, Einaudi, 1987; W. Binni, *Lettura delle operette morali*, Genova, Marietti, 1987; G. Di Fonzo, *La negazione e il rimpianto: la poesia leopardiana dal Bruto minore alla Ginestra*, Roma, Bulzoni, 1991; L. Baldacci, *Il male nell'ordine: scritti leopardiani*, Milano, Rizzoli, 1998; V. Guarracino, *Guida alla lettura di Leopardi*, Milano, Mondadori, 1998; S. Natoli-A. Prete, *Dialogo su Leopardi: natura, poesia, filosofia*, Milano, Bruno Mondadori, 1998; G. Cavallini, *Torna azzurro il sereno: nuovi studi leopardiani*, Roma, Bulzoni, 1999; M. Gigante, *Leopardi e l'antico*, Bologna, Il Mulino, 2002; di AA.VV., si vedano inoltre gli Atti dei convegni recanatesi di studi leopardiani, editi da Olschki: *Leopardi e il Settecento*, 1964; *Leopardi e l'Ottocento*, 1970; *Leopardi e il Novecento*, 1974; *Leopardi e la letteratura italiana dal Duecento al Seicento*, 1978; *Leopardi e il mondo antico*, 1982; *Il riso leopardiano: comico, satira, parodia*, 1995; *Lo Zibaldone cento anni dopo. Composizione, edizione, temi*, 1998.

CANTI

Nota al testo

Per il testo dei *Canti* abbiamo seguito l'edizione critica del Peruzzi, eliminando, per brevità, le correzioni d'autore e le varianti dei testi sprovvisti d'autografo. I passi di tutte le altre opere di Leopardi riportati in nota sono tratti dall'edizione Flora.

Per *Annotazioni* si intendono le *Annotazioni alle prime dieci canzoni* stampate da Leopardi in appendice all'edizione del 1824 (Nobili, Bologna), poi ripubblicate nel "Nuovo Ricoglitore" (Milano, settembre 1825) con alcune varianti. Per *Note* si intendono le *Note ai Canti* pubblicate nell'edizione del 1831 (Piatti, Firenze); nonché, per quanto riguarda la *Palinodia*, quelle aggiunte nell'edizione del 1835 (Starita, Napoli). Per "note a margine" si intendono tutte le annotazioni apposte da Leopardi, a mano, sul margine e sul retro del manoscritto, o del testo a stampa nell'edizione Bourlié (Roma, 1819). Vengono indicate di volta in volta le annotazioni su schede a parte.

I
All'Italia

O patria mia, vedo le mura e gli archi
E le colonne e i simulacri e l'erme
Torri degli avi nostri,
Ma la gloria non vedo,
Non vedo il lauro e il ferro ond'eran carchi 5
I nostri padri antichi. Or fatta inerme,
Nuda la fronte e nudo il petto mostri.
Oimè quante ferite,
Che lividor, che sangue! oh qual ti veggio,
Formosissima donna! Io chiedo al cielo 10

Composta a Recanati nel settembre del 1818 e pubblicata presso Bourlié,
Roma, nello stesso anno; poi nell'edizione Nobili del 1824.
Metro: canzone di sette strofe con schema ABcdABCeFGeFHGIhlMiM per le
strofe dispari e AbCDaBDEFgEfHgIHLMiM per le strofe pari.

1-6. *O patria... antichi:* cfr. l'ode al Ronchi di Fulvio Testi, che Leopardi incluse
nella *Crestomazia poetica* con il titolo *Sopra l'Italia:* "Ben molt'archi e colonne
in più d'un segno/ serban del valor prisco alta memoria;/ ma non si vede già,
per propria gloria/ chi d'archi e di colonne ora sia degno" (vv. 13-16); e Ossian,
Guerra d'Inistona nella traduzione di Cesarotti, vv. 17-19: "O Selma, o Selma,/
veggo le torri tue, veggo le querce/ dell'ombrose tue mura".
2. *simulacri:* statue.
5. *carchi:* "*carchi* di lauro. 'Spoliis Orientis onustum' dice Virg. [*Eneide*, I, v.
289] di Cesare o d'Augusto, a titolo similmente di lode. Qui è un'iperbole per
lodare" (nota a margine di Leopardi).
6-10. *Or fatta inerme... donna:* la personificazione della patria, raffigurata come
donna avvenente e di nobile aspetto, ma avvilita, lacera, in lacrime, è un luogo
comune nella lirica civile; cfr. per esempio Lucano, *Farsaglia*, I, vv. 183-89.
Modelli diretti di Leopardi sono in questo caso, oltre alle canzoni petrarche-

E al mondo: dite dite;
Chi la ridusse a tale? E questo è peggio,
Che di catene ha carche ambe le braccia;
Sì che sparte le chiome e senza velo
Siede in terra negletta e sconsolata,   15
Nascondendo la faccia
Tra le ginocchia, e piange.
Piangi, che ben hai donde, Italia mia,
Le genti a vincer nata
E nella fausta sorte e nella ria.   20

Se fosser gli occhi tuoi due fonti vive,
Mai non potrebbe il pianto
Adeguarsi al tuo danno ed allo scorno;
Che fosti donna, or sei povera ancella.
Chi di te parla o scrive,   25
Che, rimembrando il tuo passato vanto,
Non dica: già fu grande, or non è quella?
Perchè, perchè? dov'è la forza antica,
Dove l'armi e il valore e la costanza?
Chi ti discinse il brando?   30
Chi ti tradì? qual arte o qual fatica

sche *Italia mia* (*Rime*, CXXVIII, vv. 1-3) e *Spirto gentil* (LIII, vv. 11-23), *Il beneficio* del Monti (vv. 1-3 e 8-9: "Una donna di forme alte e divine/ per lungo duolo attrita, e di squallore/ sparsa l'augusto venerando crine [...] la sinistra alla gota; e scisso il manto/ scopria le piaghe dell'onesto petto"), e la *Mascheroniana* (II, v. 129: "carca di ferri e lacerata il manto").
14. *sparte*: sparse, scomposte.
20. *E nella fausta sorte e nella ria*: cfr. il *Discorso di un italiano intorno alla poesia romantica*: "la patria nostra, perduta la signoria del mondo e la signoria di se stessa [...] non serba altro che l'imperio delle lettere e arti belle, per le quali come fu grande nella prosperità, non altrimenti è grande e regina nella miseria". Il verso non significa dunque genericamente 'nella buona e nella cattiva sorte', ma piuttosto: l'Italia è destinata a superare le altre nazioni non soltanto nella buona sorte, quando le domina con un effettivo potere politico-militare, ma anche nella cattiva, perché si avvale comunque di un insuperato prestigio nelle lettere e nelle arti.
22-23. *Mai non potrebbe... scorno*: cfr. la versione leopardiana dell'*Eneide*, II, 496-97: "Chi narrar la clade, o il duol, le morti/ di quella notte adeguar può col pianto?".
31. *arte*: inganno.

O qual tanta possanza
Valse a spogliarti il manto e l'auree bende?
Come cadesti o quando
Da tanta altezza in così basso loco?   35
Nessun pugna per te? non ti difende
Nessun de' tuoi? L'armi, qua l'armi: io solo
Combatterò, procomberò sol io.
Dammi, o ciel, che sia foco
Agl'italici petti il sangue mio.   40

   Dove sono i tuoi figli? Odo suon d'armi
E di carri e di voci e di timballi:
In estranie contrade
Pugnano i tuoi figliuoli.
Attendi, Italia, attendi. Io veggio, o parmi,   45
Un fluttuar di fanti e di cavalli,
E fumo e polve, e luccicar di spade

32. *qual tanta possanza*: quale straordinario potere; cfr. v. 89: "Qual tanto amor".
37. *L'armi, qua l'armi*: cfr. Virgilio, *Eneide*, II, v. 668: "Arma, viri, ferte arma"; e Monti, *Il bardo della Selva Nera*, IV, vv. 100-4: "ed io,/ io qui resto? io che tutto ancor non diedi/ alla patria il mio sangue, al mio signore?/ A me l'armi, su via, l'armi!".
38. *procomberò*: cfr. Virgilio, *Eneide*, II, vv. 424-26: "primusque Coroebus/ Penelei dextra divae armipotentis ad aram/ procumbit" (citato da Leopardi in una nota a margine); celebre il commento del Tommaseo nel *Dizionario della lingua italiana*: "*procombere*: cadere dinnanzi o cadere per [...] l'adopra un verseggiatore moderno, che per la patria diceva di voler incontrare la morte: *Procomberò*. Non avend'egli dato saggio di saper neanco sostenere virilmente i dolori, la bravata appare non essere che rettorica pedanteria".
41. *Dove sono i tuoi figli?*: cfr. Foscolo, *Ortis*, lettera da Ventimiglia, 19 e 20 febbraio 1799: "Ove sono dunque i tuoi figli?"; e, nello *Zibaldone*, [58]: "Per un'ode lamentevole sull'Italia può servire quel pensiero di Foscolo nell'Ortis, lett. 19 e 20 febbraio 1799".
42. *timballi*: tamburi.
43. *In estranie contrade*: riferimento alla campagna napoleonica in Russia (1812); cfr. infatti l'*Argomento di una canzone sullo stato presente dell'Italia*: "Passaggio agl'italiani che hanno combattuto per Napoleone: alla Russia... vedo che i tuoi figli combattono vedo il valore ec. passaggio alla campagna di Russia".
45. *Attendi*: presta attenzione. – *Io veggio, o parmi*: formula di uso comune, nella lirica, per introdurre una visione; cfr. Tasso, *Gerusalemme liberata*, X, 22, v. 1: "Veggio o parmi vedere".

Come tra nebbia lampi.
Nè ti conforti? e i tremebondi lumi
Piegar non soffri al dubitoso evento?   50
A che pugna in quei campi
L'itala gioventude? O numi, o numi:
Pugnan per altra terra itali acciari.
Oh misero colui che in guerra è spento,
Non per li patrii lidi e per la pia   55
Consorte e i figli cari,
Ma da nemici altrui
Per altra gente, e non può dir morendo:
Alma terra natia,
La vita che mi desti ecco ti rendo.   60

    Oh venturose e care e benedette
L'antiche età, che a morte
Per la patria correan le genti a squadre;
E voi sempre onorate e gloriose,
O tessaliche strette,   65
Dove la Persia e il fato assai men forte
Fu di poch'alme franche e generose!
Io credo che le piante e i sassi e l'onda
E le montagne vostre al passeggere
Con indistinta voce   70
Narrin siccome tutta quella sponda
Coprìr le invitte schiere
De' corpi ch'alla Grecia eran devoti.

---

50. *Piegar non soffri*: non ti addolora rivolgere. – *dubitoso*: incerto (si riferisce all'esito della battaglia).
59-60. *Alma... ti rendo*: cfr. Alfieri, *Ode quarta all'America liberata*, vv. 58-62: "Patria nostra oppressata [...] ciò che a noi desti allor, ti rendiam ora".
61. *venturose*: fortunate.
62. *che*: quando.
65. *tessaliche strette*: il passo delle Termopili, dove fu combattuta la celebre battaglia tra spartani e persiani, nel 480 a.C.; cfr. Petrarca, *Rime*, XXVIII, vv. 100-1: "le mortali strette/ che difese il leon [Leonida, re di Sparta] con poca gente".
73. *De' corpi... devoti*: dei trecento spartani che si erano votati alla Grecia (e che morirono in battaglia).

Allor, vile e feroce,
Serse per l'Ellesponto si fuggia,   75
Fatto ludibrio agli ultimi nepoti;
E sul colle d'Antela, ove morendo
Si sottrasse da morte il santo stuolo,
Simonide salia,
Guardando l'etra e la marina e il suolo.   80

   E di lacrime sparso ambe le guance,
E il petto ansante, e vacillante il piede,
Toglieasi in man la lira:
Beatissimi voi,
Ch'offriste il petto alle nemiche lance   85
Per amor di costei ch'al Sol vi diede;
Voi che la Grecia cole, e il mondo ammira.
Nell'armi e ne' perigli
Qual tanto amor le giovanette menti,
Qual nell'acerbo fato amor vi trasse?   90
Come sì lieta, o figli,
L'ora estrema vi parve, onde ridenti
Correste al passo lacrimoso e duro?

---

76. *Fatto ludibrio.... nepoti*: diventato oggetto di scherno e disprezzo fino alla
più lontana posterità.
77. *sul colle d'Antela*: il colle nei pressi delle Termopili dove si ritirarono i
trecento per tentare l'ultima resistenza.
77-78. *morendo... morte*: con la morte gloriosa conquistò l'immortalità della
fama; traduce liberamente il verso di Simonide: "οὐδὲ τεθνᾶσι θανόν-
τες".
79. *Simonide*: di Ceo, poeta greco vissuto tra il 556 e il 468 a.C.; nella *Dedica
delle due prime canzoni* (a Vincenzo Monti, stampata nell'edizione bolognese
del 1824) Leopardi scrive: "Una cosa nel particolare della prima canzone
m'occorre di significare alla più parte degli altri che leggeranno; ed è che il
successo delle Termopile fu celebrato veramente da quello che in essa Canzone
s'introduce a poetare, cioè da Simonide, tenuto nell'antichità fra gli ottimi
poeti lirici, vissuto, che più rileva, ai medesimi tempi della scesa di Serse, e
greco di patria" (passo poi ripreso nelle *Note*). – *salia*: cfr. Monti, *Il bardo della
Selva Nera*, I, vv. 16-19: "Sopra una vetta [...] salia tutto raccolto in suo
pensiero/ l'irto poeta".
80. *l'etra*: il cielo.
83. *Toglieasi*: prendeva.
87. *cole*: venera.

Parea ch'a danza e non a morte andasse
Ciascun de' vostri, o a splendido convito: 95
Ma v'attendea lo scuro
Tartaro, e l'onda morta;
Nè le spose vi foro o i figli accanto
Quando su l'aspro lito
Senza baci moriste e senza pianto.   100

    Ma non senza de' Persi orrida pena
Ed immortale angoscia.
Come lion di tori entro una mandra
Or salta a quello in tergo e sì gli scava
Con le zanne la schiena,   105
Or questo fianco addenta or quella coscia;
Tal fra le Perse torme infuriava
L'ira de' greci petti e la virtute.
Ve' cavalli supini e cavalieri;
Vedi intralciare ai vinti   110
La fuga i carri e le tende cadute,
E correr fra' primieri
Pallido e scapigliato esso tiranno;
Ve' come infusi e tinti
Del barbarico sangue i greci eroi,   115
Cagione ai Persi d'infinito affanno,
A poco a poco vinti dalle piaghe,
L'un sopra l'altro cade. Oh viva, oh viva:
Beatissimi voi
Mentre nel mondo si favelli o scriva.   120

103-6. *Come lion... coscia*: celebre paragone omerico: cfr. *Iliade*, V, vv. 161-62 e XII, vv. 299-306.
108. *L'ira... virtute*: cfr. Foscolo, *Sepolcri*, v. 201: "la virtù greca e l'ira".
113. *esso tiranno*: il tiranno stesso. Spiega Leopardi, nelle *Annotazioni alle dieci canzoni stampate in Bologna nel 1824*: "Similmente lo Speroni dice che *amor vince essa natura* volendo dir *fino alla natura*".
114. *infusi*: intrisi. "*Infuso* in questo senso vale *sopra cui è stato sparso*, e ciò può esser più o meno, sicchè il *tinti* che segue, non viene ad esser soverchio, nè a dir troppo poco, rispetto ad *infusi*" (nota a margine di Leopardi).
120. *Mentre*: finché.

Prima divelte, in mar precipitando,
Spente nell'imo strideran le stelle,
Che la memoria e il vostro
Amor trascorra o scemi.
La vostra tomba è un'ara; e qua mostrando   125
Verran le madri ai parvoli le belle
Orme del vostro sangue. Ecco io mi prostro,
O benedetti, al suolo,
E bacio questi sassi e queste zolle,
Che fien lodate e chiare eternamente   130
Dall'uno all'altro polo.
Deh foss'io pur con voi qui sotto, e molle
Fosse del sangue mio quest'alma terra.
Che se il fato è diverso, e non consente
Ch'io per la Grecia i moribondi lumi   135
Chiuda prostrato in guerra,
Così la vereconda
Fama del vostro vate appo i futuri
Possa, volendo i numi,
Tanto durar quanto la vostra duri.   140

---

125. *La vostra... ara*: traduce Simonide: "βωμὸς δ'ὁ τάφος".
127. *Ecco io mi prostro*: cfr. Alfieri, *Alceste*, atto I, sc. 3.
131. *Dall'uno all'altro polo*: cfr. Testi, *Stanno il pianto*, v. 98; e Guidi, *Endimione*, atto V, sc. 2: "E la Terra che appare immensa mole,/ dall'uno all'altro polo/ sarà sotto un tuo sguardo un punto solo".
135. *i moribondi lumi*: cfr. Metastasio, *Temistocle*, atto III, sc. 5: "di sua man chiudendo/ que' moribondi lumi". In una nota a margine, Leopardi precisa: "*Chiudere i moribondi lumi* non è ridondanza perchè si posson chiuder gli occhi anche per altro che per morte".
137-38. *la vereconda Fama del vostro vate*: la fama del poeta, modesta (*vereconda*) se paragonata alla vostra.

II
Sopra il monumento
di Dante
che si preparava in Firenze

Perchè le nostre genti
Pace sotto le bianche ali raccolga,
Non fien da' lacci sciolte
Dell'antico sopor l'itale menti
S'ai patrii esempi della prisca etade   5
Questa terra fatal non si rivolga.
O Italia, a cor ti stia
Far ai passati onor; che d'altrettali

Composta fra settembre e ottobre del 1818 e pubblicata per la prima volta
nell'edizione Bourlié.
Metro: aBcADBeFDGEFGHIhI per le strofe dispari e ABcADbEfDGEfGHI-
hI per le strofe pari. Lo schema dell'ultima strofa (di tredici versi) è:
AbACbDEDeFGfG.

1. *Perchè*: benché.
2. *Pace*: la pace stabilita dal Congresso di Vienna, nel 1815.
4. *antico sopor*: il motivo dell'inerzia storica in cui è immersa l'Italia ha una
lunga e illustre tradizione letteraria che Leopardi aveva ben presente: da
Petrarca (*Rime*, LIII, vv. 10-17: "Che s'aspetti non so, né che s'agogni/ Italia,
che suoi guai non par che senta:/ vecchia, oziosa e lenta,/ dormirà sempre, e
non fia chi la svegli?/ Le man l'avess'io avvolto entro' capegli!/ Non spero che
giammai dal pigro sonno/ mova la testa per chiamar ch'uom faccia,/ sì
gravemente è oppressa e di tal soma") ad Alfieri (*La congiura de' Pazzi*, atto III,
vv. 132-34: "Dall'infame letargo, in cui sepolti/ tutti giacete, o neghittosi
schiavi,/ spero destarvi") e Foscolo (*Ortis*, lettera da Ventimiglia del 19 e 20
febbraio: "oggi i nostri fasti ci sono cagione di superbia, ma non eccitamento
dall'antico letargo").
6. *fatal*: predestinata.

Oggi vedove son le tue contrade,
Nè v'è chi d'onorar ti si convegna. 10
Volgiti indietro, e guarda, o patria mia,
Quella schiera infinita d'immortali,
E piangi e di te stessa ti disdegna;
Che senza sdegno omai la doglia è stolta:
Volgiti e ti vergogna e ti riscuoti, 15
E ti punga una volta
Pensier degli avi nostri e de' nepoti.

   D'aria e d'ingegno e di parlar diverso
Per lo toscano suol cercando gia
L'ospite desioso 20
Dove giaccia colui per lo cui verso
Il meonio cantor non è più solo.
Ed, oh vergogna! udia
Che non che il cener freddo e l'ossa nude
Giaccian esuli ancora 25
Dopo il funereo dì sott'altro suolo,
Ma non sorgea dentro a tue mura un sasso,
Firenze, a quello per la cui virtude
Tutto il mondo t'onora.
Oh voi pietosi, onde sì tristo e basso 30

16. *una volta*: finalmente, infine.
18. *aria*: nel significato petrarchesco di "sembiante", "aspetto" (cfr. *Rime*, CXLIX, v. 3 e CXXII, v. 13). – *ingegno*: indole.
19-22. *Per lo toscano... solo*: parafrasa un passo del manifesto diffuso per l'erezione del monumento: "lo straniero che a noi si reca, tutto compreso di venerazione pe' rari uomini che in ogni tempo hanno illustrato la Toscana, cerca ansioso il monumento di questi che sopra tutti gli altri com'aquila vola". Cfr. anche l'*Argomento di una canzone sullo stato presente dell'Italia*: "Cercava lo straniero la tomba di Dante e non trovava un sasso che gl'indicasse dove posavano le ossa di colui che l'Italia collocò tant'alto".
22. *Il meonio cantor*: Omero, nativo secondo alcuni della Meònia o Lidia, in Asia Minore. L'espressione è presa da Monti, *Alla Marchesa Anna Malaspina*, v. 122.
26. *sott'altro suolo*: a Ravenna.
27. *un sasso*: un monumento; cfr. Foscolo, *Sepolcri*, v. 13: "qual fia ristoro ai dì perduti un sasso".
30. *Oh voi pietosi*: i promotori del monumento.

Obbrobrio laverà nostro paese!
Bell'opra hai tolta e di ch'amor ti rende.
Schiera prode e cortese,
Qualunque petto amor d'Italia accende.

Amor d'Italia, o cari,   35
Amor di questa misera vi sproni,
Ver cui pietade è morta
In ogni petto omai, perciò che amari
Giorni dopo il seren dato n'ha il cielo.
Spirti v'aggiunga e vostra opra coroni   40
Misericordia, o figli,
E duolo e sdegno di cotanto affanno
Onde bagna costei le guance e il velo.
Ma voi di quale ornar parola o canto
Si debbe, a cui non pur cure o consigli,   45
Ma dell'ingegno e della man daranno
I sensi e le virtudi eterno vanto
Oprate e mostre nella dolce impresa?
Quali a voi note invio, sì che nel core,
Sì che nell'alma accesa   50
Nova favilla indurre abbian valore?

Voi spirerà l'altissimo subbietto,
Ed acri punte premeravvi al seno.

---

32. *hai tolta*: hai intrapreso.
40. *Spirti v'aggiunga*: aggiungano ardore (i soggetti sono *miseria, duolo* e *sdegno*).
44. *Ma voi*: si rivolge ora agli artefici della statua. – *ornar*: "lodare" (nota a margine di Leopardi).
48. *Oprate e mostre*: messe in opera e dimostrate (soggetti sono "i sensi e le virtudi dell'ingegno e della man": l'abilità e sensibilità dell'intelletto e della mano).
52. *spirerà*: "Io credo che s'altri può essere *spirato da* qualche persona o cosa (come i santi uomini dallo Spirito Santo), ci debbano essere cose e persone che *lo* possano *spirare*; e tanto più che non mancano di quelle che *lo ispirano*; sebbene il *Vocabolario* [della Crusca] non le conobbe; ma te ne possono mostrare il Petrarca, il Tasso, il Guarini e mille altri" (*Annotazioni*).
53. *acri punte*: acuti stimoli.

Chi dirà l'onda e il turbo
Del furor vostro e dell'immenso affetto?   55
Chi pingerà l'attonito sembiante?
Chi degli occhi il baleno?
Qual può voce mortal celeste cosa
Agguagliar figurando?
Lunge sia, lunge alma profana. Oh quante   60
Lacrime al nobil sasso Italia serba!
Come cadrà? come dal tempo rosa
Fia vostra gloria o quando?
Voi, di ch'il nostro mal si disacerba,
Sempre vivete, o care arti divine,   65
Conforto a nostra sventurata gente,
Fra l'itale ruine
Gl'itali pregi a celebrare intente.

   Ecco voglioso anch'io
Ad onorar nostra dolente madre   70
Porto quel che mi lice,
E mesco all'opra vostra il canto mio,
Sedendo u' vostro ferro i marmi avviva.
O dell'etrusco metro inclito padre,
Se di cosa terrena,   75
Se di costei che tanto alto locasti
Qualche novella ai vostri lidi arriva,

---

54. *l'onda e il turbo*: il turbinoso impulso.
56. *l'attonito sembiante*: l'ispirato (e perciò *attonito*) volto dell'artista.
59. *Agguagliar figurando*: cfr. Petrarca, *Rime*, CCCXXV, vv. 5-7: "Come poss'io se non m'insegni, Amore/ con parole mortali agguagliar l'opre/ divine".
60. *Lunge... profana*: cfr. Virgilio, *Eneide*, VI, v. 258: "Procul, o procul este, profani" (citato da Leopardi in una nota a margine).
64. *si disacerba*: cfr. Petrarca, *Rime*, XXIII, v. 4: "cantando il duol si disacerba".
73. *u'*: dove. – *i marmi avviva*: dà vita ai marmi.
74. *padre*: Dante.
76. *costei*: l'Italia.
77. *Qualche... arriva*: il verso riecheggia Petrarca, *Rime*, LIII, vv. 38-41:

Io so ben che per te gioia non senti,
Che saldi men che cera e men ch'arena,
Verso la fama che di te lasciasti,   80
Son bronzi e marmi; e dalle nostre menti
Se mai cadesti ancor, s'unqua cadrai,
Cresca, se crescer può, nostra sciaura,
E in sempiterni guai
Pianga tua stirpe a tutto il mondo oscura.   85

    Ma non per te; per questa ti rallegri
Povera patria tua, s'unqua l'esempio
Degli avi e de' parenti
Ponga ne' figli sonnacchiosi ed egri
Tanto valor che un tratto alzino il viso.   90
Ahi, da che lungo scempio
Vedi afflitta costei, che sì meschina
Te salutava allora
Che di novo salisti al paradiso!
Oggi ridotta sì che a quel che vedi,   95
Fu fortunata allor donna e reina.
Tal miseria l'accora
Qual tu forse mirando a te non credi.
Taccio gli altri nemici e l'altre doglie;
Ma non la più recente e la più fera,   100

"quanto v'aggrada s'egli è ancora venuto/ romor la giù del ben locato offizio!/ Come cre' che Fabrizio/ si faccia lieto udendo la novella".
80. *Verso*: a paragone di.
82. *ancor*: finora. – *s'unqua*: se mai.
84. *guai*: in margine, Leopardi cita Petrarca, *Rime*, LIII, v. 11: "Italia, che suoi guai non par che senta".
92. *meschina*: misera, travagliata.
94. *di novo*: per la seconda volta, con la morte: cfr. Dante, *Paradiso*, XV, vv. 29-30: "sicut tibi cui/ bis unquam celi ianua reclusa".
95. *a quel che vedi*: rispetto a ciò che vedi ora.
100. *Ma... fera*: nella prima edizione: "Ma non la Francia scellerata e nera"; Leopardi corresse il verso perché l'espressione gli apparve eccessiva, e perché temette, con il riferimento troppo esplicito alla Francia, di attirarsi l'accusa di reazionario. Nell'edizione fiorentina dei *Canti* annotò: "L'autore, per quello

Per cui presso alle soglie
Vide la patria tua l'ultima sera.

  Beato te che il fato
A viver non dannò fra tanto orrore;
Che non vedesti in braccio   105
L'itala moglie a barbaro soldato;
Non predar, non guastar cittadi e colti
L'asta inimica e il peregrin furore;
Non degl'itali ingegni
Tratte l'opre divine a miseranda   110
Schiavitude oltre l'alpe, e non de' folti
Carri impedita la dolente via;
Non gli aspri cenni ed i superbi regni;
Non udisti gli oltraggi e la nefanda
Voce di libertà che ne schernia   115
Tra il suon delle catene e de' flagelli.
Chi non si duol? che non soffrimmo? intatto
Che lasciaron quei felli?
Qual tempio, quale altare o qual misfatto?

---

che nei versi seguenti (scritti in sua primissima gioventù) è detto in offesa degli
stranieri, avrebbe rifiutata tutta la canzone, se la volontà di alcuni amici, i quali
miravano solamente alla poesia, non l'avesse conservata"; cfr. anche la lettera al
Brighenti del 21 aprile 1820. Per le stesse ragioni modificò il v. 108, che nella
prima edizione suonava: "di franche torme il bestial furore".
101-2. *presso... sera*: è una contaminazione di due fonti diverse: "Et pervene-
runt usque ad portas mortis" (*Salmi*, CVI, v. 18) e "Questi non vide mai
l'ultima sera" (*Purgatorio*, I, v. 58).
107. *guastar*: "*guastare una città* significa *vastam facere, disertare*, sì d'uomini,
come del resto. Or ciò non lo può far l'*asta*? e per quel ch'essa non può fare,
s'aggiunge il *furore. Iam flammae tulerint, inimicus et hauserit ensis*. Aen. 2 [v.
600]. Per l'*asta* intendete la baionetta, o quel che volete" (nota a margine). –
colti: campi coltivati.
108. *il peregrin furore*: cfr. Petrarca, *Rime*, CXXVIII, vv. 20 e 78: "che fan qui
tante pellegrine spade?" e "'l furor de lassù".
110. *divine*: "*Divini opus* Alcimedontis. Virg. [*Bucoliche*, III, v. 37] e parla
d'una tazza. l'opere illustri, eccelse ec." (nota a margine).
111. *folti*: carichi.
117. *intatto*: illeso se riferito a *tempio* o ad *altare* (v. 119), intentato se riferito a
misfatto (ivi).
118. *felli*: empi.

Perchè venimmo a sì perversi tempi? 120
Perchè il nascer ne desti o perchè prima
Non ne desti il morire,
Acerbo fato? onde a stranieri ed empi
Nostra patria vedendo ancella e schiava,
E da mordace lima 125
Roder la sua virtù, di null'aita
E di nullo conforto
Lo spietato dolor che la stracciava
Ammollir ne fu dato in parte alcuna.
Ahi non il sangue nostro e non la vita 130
Avesti, o cara; e morto
Io non son per la tua cruda fortuna.
Qui l'ira al cor, qui la pietade abbonda:
Pugnò, cadde gran parte anche di noi:
Ma per la moribonda 135
Italia no; per li tiranni suoi.

Padre, se non ti sdegni,
Mutato sei da quel che fosti in terra.
Morian per le rutene
Squallide piagge, ahi d'altra morte degni, 140
Gl'itali prodi; e lor fea l'aere e il cielo
E gli uomini e le belve immensa guerra.

128. *stracciava*: straziava.
133. *l'ira... abbonda*: "Il Sannazzaro nell'egloga sesta dell'*Arcadia*: 'E per l'*ira*
sfogar *ch'al core abbondami*' [v. 19]. Non credere ch'io vada imitando
appostamente, o che facendolo, me ne pregiassi e te ne volessi avvertire. Ma
quest'esempio lo reco per quelli che dubitassero, e dubitando affermassero,
com'è l'uso moderno in queste materie, che abbondare col terzo caso, nel
modo che lo dico io, fosse detto fuor di regola. E so bene anche questo, che fra
gl'Italiani è lode quello che fra altri è biasimo, anzi per l'ordinario (e
singolarmente nelle lettere) si fa molta più stima delle cose imitate che delle
trovate. In somma negli scrittori si ricerca la facoltà della memoria massimamente; e chi più n'ha e più n'adopera, beato lui" (*Annotazioni*).
134-36. *cadde... suoi*: riferimento alla campagna in Russia (come nella
precedente canzone, vv. 43-44).
139. *rutene*: russe.

Cadeano a squadre a squadre
Semivestiti, maceri e cruenti,
Ed era letto agli egri corpi il gelo.   145
Allor, quando traean l'ultime pene,
Membrando quèsta desiata madre,
Diceano: oh non le nubi e non i venti,
Ma ne spegnesse il ferro, e per tuo bene,
O patria nostra. Ecco da te rimoti,   150
Quando più bella a noi l'età sorride,
A tutto il mondo ignoti,
Moriam per quella gente che t'uccide.

   Di lor querela il boreal deserto
E conscie fur le sibilanti selve.   155
Così vennero al passo,
E i negletti cadaveri all'aperto
Su per quello di neve orrido mare
Dilaceràr le belve;
E sarà il nome degli egregi e forti   160
Pari mai sempre ed uno
Con quel de' tardi e vili. Anime care,
Bench'infinita sia vostra sciagura,
Datevi pace; e questo vi conforti
Che conforto nessuno   165
Avrete in questa o nell'età futura.
In seno al vostro smisurato affanno
Posate, o di costei veraci figli,
Al cui supremo danno
Il vostro solo è tal che s'assomigli.   170

   Di voi già non si lagna
La patria vostra, ma di chi vi spinse

144. *cruenti*: insanguinati.
154. *il boreal deserto*: il deserto nordico.
156. *al passo*: alla morte.
161. *Pari mai sempre*: sempre uguale (perché ugualmente dimenticato).

A pugnar contra lei,
Sì ch'ella sempre amaramente piagna
E il suo col vostro lacrimar confonda.   175
Oh di costei ch'ogni altra gloria vinse
Pietà nascesse in core
A tal de' suoi ch'affaticata e lenta
Di sì buia vorago e sì profonda
La ritraesse! O glorioso spirto,   180
Dimmi: d'Italia tua morto è l'amore?
Dì: quella fiamma che t'accese, è spenta?
Dì: nè più mai rinverdirà quel mirto
Ch'alleggiò per gran tempo il nostro male?
Nostre corone al suol fien tutte sparte?   185
Nè sorgerà mai tale
Che ti rassembri in qualsivoglia parte?

   In eterno perimmo? e il nostro scorno
Non ha verun confine?
Io mentre viva andrò sclamando intorno,   190
Volgiti agli avi tuoi, guasto legnaggio;
Mira queste ruine
E le carte e le tele e i marmi e i templi;
Pensa qual terra premi; e se destarti
Non può la luce di cotanti esempli,   195
Che stai? levati e parti.
Non si conviene a sì corrotta usanza

---

178. *affaticata e lenta*: cfr. Petrarca, *Rime*, LIII, vv. 11-12: "Italia, che suoi guai
non par che senta:/ vecchia, oziosa e lenta".
183. *mirto*: la gloria letteraria.
184. *alleggiò*: alleviò.
191. *guasto legnaggio*: "corrotta discendenza" (Sanguineti).
193. *E le carte... templi*: spiega Leopardi in una nota a margine: "Cioè, le carte
scritte, le tele dipinte, e così i marmi scolpiti. Quindi è significata la poesia ec.
l'eloquenza, la pittura e la scoltura"; crede inoltre opportuno giustificare come
non ridondante l'inclusione dei *templi* accanto ai *marmi*: "I templi dinotano
propriamente l'architettura, e possono stare con *marmi*, chè nè tutti i templi
son di marmo, [...] nè qui l'indole del concetto ha riguardo, nominandoli, ai
marmi che li possono comporre".

Questa d'animi eccelsi altrice e scola:
Se di codardi è stanza,
Meglio l'è rimaner vedova e sola.   200

198. *altrice e scola*: nutrice e maestra; riguardo ad *altrice*: "Credo che ti potrei portare non pochi esempi dell'uso di questa parola, pigliandoli da' poeti moderni: ma se non ti curi degli esempi moderni, e vuoi degli antichi, abbi pazienza che io li trovi, come spero, e in questo mezzo aiutati col seguente, ch'è del Guidiccioni [Son. *Viva fiamma di Marte, onor de' tuoi*]: 'Mira che giogo vil, che duolo amaro Preme or l'*altrice* de' famosi eroi'" (*Annotazioni*).
200. *vedova e sola*: cfr. Dante, *Purgatorio*, VI, vv. 112-13: "Vieni a veder la tua Roma che piagne/ vedova e sola"; Leopardi, in una *Annotazione*, difende l'uso di *solo* con significato di "*romito, disabitato, deserto*", e cita esempi numerosissimi, da Virgilio a Stazio, da Petrarca al Tasso.

III

Ad Angelo Mai,
quand'ebbe trovato i libri
di Cicerone
della Repubblica

Italo ardito, a che giammai non posi
Di svegliar dalle tombe
I nostri padri? ed a parlar gli meni
A questo secol morto, al quale incombe
Tanta nebbia di tedio? E come or vieni   5
Sì forte a' nostri orecchi e sì frequente,
Voce antica de' nostri,
Muta sì lunga etade? e perchè tanti
Risorgimenti? In un balen feconde
Venner le carte; alla stagion presente   10
I polverosi chiostri
Serbano occulti i generosi e santi
Detti degli avi. E che valor t'infonde,
Italo egregio, il fato? O con l'umano
Valor forse contrasta il fato invano?   15

Certo senza de' numi alto consiglio

Scritta nel gennaio 1820 e pubblicata prima dall'editore Marsigli, a Bologna,
nel 1820, poi nell'edizione Nobili del 1824.
Metro: strofe di quindici versi con schema AbCBCDeFGDeFGHH.

---

1. *a che*: perché.
9. *Risorgimenti*: ritrovamenti di opere antiche.
9-10. *feconde... carte*: i codici (*le carte*) divennero fecondi, cioè rivelarono
preziose opere antiche.
14-15. *O con l'umano... invano*: lo stesso concetto in Petrarca, *Rime*, LIII, vv.
85-6: "Rade volte adiven ch'a l'alte imprese/ fortuna ingiuriosa non contrasti".
16-17. *senza... Non è*: formula retorica tipica della tradizione latina. Cfr.

Non è ch'ove più lento
E grave è il nostro disperato obblio,
A percoter ne rieda ogni momento
Nuovo grido de' padri. Ancora è pio   20
Dunque all'Italia il cielo; anco si cura
Di noi qualche immortale:
Ch'essendo questa o nessun'altra poi
L'ora da ripor mano alla virtude
Rugginosa dell'itala natura,   25
Veggiam che tanto e tale
È il clamor de' sepolti, e che gli eroi
Dimenticati il suol quasi dischiude,
A ricercar s'a questa età sì tarda
Anco ti giovi, o patria, esser codarda.   30

    Di noi serbate, o gloriosi, ancora
Qualche speranza? in tutto
Non siam periti? A voi forse il futuro
Conoscer non si toglie. Io son distrutto
Nè schermo alcuno ho dal dolor, che scuro   35
M'è l'avvenire, e tutto quanto io scerno
È tal che sogno e fola
Fa parer la speranza. Anime prodi,
Ai tetti vostri inonorata, immonda
Plebe successe; al vostro sangue è scherno   40
E d'opra e di parola
Ogni valor; di vostre eterne lodi

Virgilio, *Eneide*, II, vv. 777-78: "Non haec sine numine Divum/ eveniunt" (e la traduzione di Leopardi: "Senza voler de' Numi/ questo già non t'avvien", vv. 1043-44); e Petrarca, *Rime*, LIII, v. 18: "Ma non senza destino a le tue braccia".
25. *Rugginosa*: perché inutilizzata.
31. *o gloriosi*: gli *eroi Dimenticati* dei vv. 27-28.
34. *non si toglie*: non è negato.
37. *sogno e fola*: cfr. Petrarca, *Trionfo dell'amore*, IV, v. 66: "sogno d'infermi e fola di romanzi".

Nè rossor più nè invidia; ozio circonda
I monumenti vostri; e di viltade
Siam fatti esempio alla futura etade.   45

Bennato ingegno, or quando altrui non cale
De' nostri alti parenti,
A te ne caglia, a te cui fato aspira
Benigno sì che per tua man presenti
Paion que' giorni allor che dalla dira   50
Obblivione antica ergean la chioma,
Con gli studi sepolti,
I vetusti divini, a cui natura
Parlò senza svelarsi, onde i riposi
Magnanimi allegràr d'Atene e Roma.   55
Oh tempi, oh tempi avvolti
In sonno eterno! Allora anco immatura
La ruina d'Italia, anco sdegnosi
Eravam d'ozio turpe, e l'aura a volo
Più faville rapia da questo suolo.   60

46. *Bennato ingegno*: si rivolge di nuovo ad Angelo Mai. — *quando*: dal momento che.
48. *ne caglia*: importa. — *cui fato aspira*: "O teologicamente o poeticamente che fosse, gli antichi non supponevano il *fato* inattivo, ma gli attribuivano anche l'azione esecutiva delle cose per esso preordinate eternamente. Acerba fata Romanos *agunt*: Oraz. Quo fata *trahunt retrahuntque* sequamur: Virg. ec. Dunque il fato può bene aspirare al Mai, cioè favorirlo attivamente" (nota a margine).
50. *que' giorni*: cfr. lettera ad Angelo Mai, 10 gennaio 1820: "V.S. ci fa tornare a' tempi dei Petrarca e dei Poggi, quando ogni giorno era illustrato da una nuova scoperta classica, e la maraviglia e la gioia de' letterati non trovava riposo".
50-51. *dira Obblivione*: funesto oblio.
53-54. *a cui... svelarsi*: cfr. il *Discorso intorno alla poesia romantica*: "La natura non si palesa ma si nasconde, sì che bisogna con mille astuzie e quasi frodi, e con mille ingegni e macchine scalzarla e pressarla e tormentarla e cavarle di bocca a marcia forza i suoi segreti: ma la natura così violentata e scoperta non concede più quei diletti che prima offeriva spontaneamente"; cfr. anche, nel *Preambolo* alle *Annotazioni*: "la Natura parlò agli antichi, cioè gl'inspirò, ma senza svelarsi".
54-55. *i riposi Magnanimi*: i generosi e nobili ozi (contrapposti all'*ozio turpe* del v. 59).
59-60. *l'aura... suolo*: cfr. Dante, *Paradiso*, XVII, v. 83: "parran faville de la sua virtute".

Eran calde le tue ceneri sante,
Non domito nemico
Della fortuna, al cui sdegno e dolore
Fu più l'averno che la terra amico.
L'averno: e qual non è parte migliore   65
Di questa nostra? E le tue dolci corde
Susurravano ancora
Dal tocco di tua destra, o sfortunato
Amante. Ahi dal dolor comincia e nasce
L'italo canto. E pur men grava e morde   70
Il mal che n'addolora
Del tedio che n'affoga. Oh te beato,
A cui fu vita il pianto! A noi le fasce
Cinse il fastidio; a noi presso la culla
Immoto siede, e su la tomba, il nulla.   75

Ma tua vita era allor con gli astri e il mare,
Ligure ardita prole,
Quand'oltre alle colonne, ed oltre ai liti
Cui strider l'onde all'attuffar del sole
Parve udir su la sera, agl'infiniti   80
Flutti commesso, ritrovasti il raggio
Del Sol caduto, e il giorno

61. *Eran... sante*: si riferisce a Dante, che morì nel 1321.
62-63. *Non domito... fortuna*: cfr. Dante, *Inferno*, II, v. 61: "l'amico mio e non de la ventura"; e, parlando di se stesso, *Paradiso*, XVII, v. 24: "ben tetragono ai colpi di ventura".
68-69. *sfortunato Amante*: Petrarca.
70-72. *men grava... affoga*: cfr. il *Preambolo* alle *Annotazioni*: "il dolore è meglio che la noia"; e *Zibaldone*, [72]: "Anche il dolore che nasce dalla noia e dal sentimento della vanità delle cose è più tollerabile assai che la stessa noia".
77. *Ligure ardita prole*: Cristoforo Colombo; c'è qui forse un richiamo al Tasso, *Gerusalemme liberata*, XV, 31, vv. 1-2: "Un uom della Liguria avrà ardimento/ all'incognito corso esporsi in prima".
79. *Cui strider... sole*: cfr. *Annotazioni*: "Di questa fama anticamente divulgata, che in Ispagna e in Portogallo, quando il sole tramontava, s'udisse a stridere di mezzo al mare a guisa che fa un carbone o un ferro rovente che sia tuffato nell'acqua, sono da vedere [... seguono luoghi di diversi scrittori latini]"; cfr. anche il cap. IX, *Del sole*, nel *Saggio sopra gli errori popolari degli antichi*.
81. *commesso*: affidato.

Che nasce allor ch'ai nostri è giunto al fondo;
E rotto di natura ogni contrasto,
Ignota immensa terra al tuo viaggio   85
Fu gloria, e del ritorno
Ai rischi. Ahi ahi, ma conosciuto il mondo
Non cresce, anzi si scema, e assai più vasto
L'etra sonante e l'alma terra e il mare
Al fanciullin, che non al saggio, appare.   90

     Nostri sogni leggiadri ove son giti
Dell'ignoto ricetto
D'ignoti abitatori, o del diurno
Degli astri albergo, e del rimoto letto
Della giovane Aurora, e del notturno   95
Occulto sonno del maggior pianeta?
Ecco svaniro a un punto,
E figurato è il mondo in breve carta;
Ecco tutto è simile, e discoprendo,
Solo il nulla s'accresce. A noi ti vieta   100
Il vero appena è giunto,

---

83. *ai nostri*: ai nostri *liti* (cfr. v. 78); nel nostro emisfero.
84. *rotto*: nella prima edizione: "vinto". – *contrasto*: ostacolo.
85-87. *Ignota... rischi*: al tuo viaggio e ai rischi da te affrontati nel ritorno rese gloria la scoperta di una terra sconosciuta e immensa.
87-88. *Ahi ahi... si scema*: "dopo scoperta l'America, la terra ci par più piccola che non ci pareva prima" (*Preambolo* alle *Annotazioni*).
89. *L'etra sonante*: cfr. *Elogio degli uccelli*: "l'aria, la quale si è l'elemento destinato al suono".
92-93. *Dell'ignoto... abitatori*: cfr. *Zibaldone*, [246-47], 18 Settembre 1820: "Quando il Petrarca poteva dire degli antipodi 'e che 'l dì nostro vola/ a gente che di là *forse* l'aspetta', quel *forse* bastava per lasciarci concepir quella gente e quei paesi come cosa immensa, e dilettosissima all'immaginazione".
94-95. *del rimoto... Aurora*: cfr. il *Saggio sopra gli errori popolari*: "Solean dire i poeti che l'Aurora sorgea la mattina dal letto dove avea riposato col suo marito".
95-96. *del notturno... pianeta*: "gli uomini, ricercando quello che si facesse il sole nel tempo della notte, o qual fosse lo stato suo, fecero intorno a questo parecchie belle immaginazioni: e se molti pensarono che la sera il sole si spegnesse, e che la mattina si raccendesse, altri immaginarono che dal tramonto si riposasse e dormisse fino al giorno" (*Note*).
98. *carta*: carta geografica.

O caro immaginar; da te s'apparta
Nostra mente in eterno; allo stupendo
Poter tuo primo ne sottraggon gli anni;
E il conforto perì de' nostri affanni.   105

  Nascevi ai dolci sogni intanto, e il primo
Sole splendeati in vista,
Cantor vago dell'arme e degli amori,
Che in età della nostra assai men trista
Empièr la vita di felici errori: 110
Nova speme d'Italia. O torri, o celle,
O donne, o cavalieri,
O giardini, o palagi! a voi pensando,
In mille vane amenità si perde
La mente mia. Di vanità, di belle   115
Fole e strani pensieri
Si componea l'umana vita: in bando
Li cacciammo: or che resta? or poi che il verde
È spogliato alle cose? Il certo e solo
Veder che tutto è vano altro che il duolo.   120

  O Torquato, o Torquato, a noi l'eccelsa
Tua mente allora, il pianto
A te, non altro, preparava il cielo.
Oh misero Torquato! il dolce canto
Non valse a consolarti o a sciorre il gelo   125
Onde l'alma t'avean, ch'era sì calda,
Cinta l'odio e l'immondo
Livor privato e de' tiranni. Amore,
Amor, di nostra vita ultimo inganno,
T'abbandonava. Ombra reale e salda   130
Ti parve il nulla, e il mondo

---

108. *Cantor vago*: Ariosto, nato nel 1474. – *dell'arme e degli amori*: cfr. *Orlando furioso*, I, v. 1: "Le donne, i cavallier, l'arme, gli amori"; la citazione è completata al v. 112: *O donne, o cavalieri*.
130-31. *Ombra... il nulla*: cfr. Dante, *Purgatorio*, XXI, v. 136: "trattando l'ombre come cosa salda".

Inabitata piaggia. Al tardo onore
Non sorser gli occhi tuoi; mercè, non danno,
L'ora estrema ti fu. Morte domanda
Chi nostro mal conobbe, e non ghirlanda.   135

   Torna torna fra noi, sorgi dal muto
E sconsolato avello,
Se d'angoscia sei vago, o miserando
Esempio di sciagura. Assai da quello
Che ti parve sì mesto e sì nefando,   140
È peggiorato il viver nostro. O caro,
Chi ti compiangeria,
Se, fuor che di se stesso, altri non cura?
Chi stolto non direbbe il tuo mortale
Affanno anche oggidì, se il grande e il raro   145
Ha nome di follia;
Nè livor più, ma ben di lui più dura
La noncuranza avviene ai sommi? o quale,
Se più de' carmi, il computar s'ascolta,
Ti appresterebbe il lauro un'altra volta?   150

   Da te fino a quest'ora uom non è sorto,
O sventurato ingegno,
Pari all'italo nome, altro ch'un solo,
Solo di sua codarda etate indegno
Allobrogo feroce, a cui dal polo   155

132-35. *Al tardo... ghirlanda*: "Di qui alla fine della stanza si ha riguardo alla congiuntura della morte del Tasso, accaduta in tempo che erano per incoronarlo in Campidoglio" (*Note*).
148. *avviene*: capita in sorte.
149. *il computar*: il calcolo: cfr. *Zibaldone*, [1378], 23 Luglio 1821: "È vergognoso che il calcolo ci renda meno magnanimi, meno coraggiosi delle bestie. Da ciò si può vedere quanto la grand'arte del computare, sì propria de' nostri tempi, giovi e promuova la grandezza delle cose, delle azioni, della vita, degli avvenimenti, degli animi dell'uomo".
153. *Pari... nome*: degno delle gloriose tradizioni italiane. – *un solo*: Alfieri.
155. *Allobrogo*: "*Allobrogo* si chiama esso Alfieri nella sua Vita, dove dice di quel cod. del Petr. [codice del Petrarca] mostratogli in Roma [Epoca III, cap.

66

Maschia virtù, non già da questa mia
Stanca ed arida terra,
Venne nel petto; onde privato, inerme,
(Memorando ardimento) in su la scena
Mosse guerra a' tiranni: almen si dia   160
Questa misera guerra
E questo vano campo all'ire inferme
Del mondo. Ei primo e sol dentro all'arena
Scese, e nullo il seguì, che l'ozio e il brutto
Silenzio or preme ai nostri innanzi a tutto.   165

   Disdegnando e fremendo, immacolata
Trasse la vita intera,
E morte lo scampò dal veder peggio.
Vittorio mio, questa per te non era
Età nè suolo. Altri anni ed altro seggio   170
Conviene agli alti ingegni. Or di riposo
Paghi viviamo, e scorti
Da mediocrità: sceso il sapiente
E salita è la turba a un sol confine,
Che il mondo agguaglia. O scopritor famoso,   175
Segui; risveglia i morti,
Poi che dormono i vivi; arma le spente
Lingue de' prischi eroi; tanto che in fine
Questo secol di fango o vita agogni
E sorga ad atti illustri, o si vergogni.   180

I: "vero barbaro Allobrogo"]. E così il Parini, Canz. *il Dono*, v. 1 ["il fero
Allobrogo"]" (nota a margine di Leopardi). – *feroce*: fiero. – *polo*: "È pigliato
all'usanza latina per *cielo*" (*Annotazioni*).
159. *Memorando ardimento*: cfr. Alfieri, *Del principe e delle lettere*, proemio
al *Libro terzo*: "Voi dunque, o Socrati, Platoni, Omeri, Demosteni, Cicero-
ni, Sofocli, Euripidi, Pindari, Alcei, e tanti altri incontaminati e liberi scrittori, inspiratemi or voi, non meno che salde ragioni, virile e memorando ardimento".
164. *brutto*: vergognoso.
172. *scorti*: guidati.
175. *scopritor famoso*: Angelo Mai.

67

IV
Nelle nozze
della sorella Paolina

Poi che del patrio nido
I silenzi lasciando, e le beate
Larve e l'antico error, celeste dono,
Ch'abbella agli occhi tuoi quest'ermo lido,
Te nella polve della vita e il suono   5
Tragge il destin; l'obbrobriosa etate
Che il duro cielo a noi prescrisse impara,
Sorella mia, che in gravi
E luttuosi tempi
L'infelice famiglia all'infelice   10
Italia accrescerai. Di forti esempi
Al tuo sangue provvedi. Aure soavi
L'empio fato interdice
All'umana virtude,
Nè pura in gracil petto alma si chiude.   15

Scritta fra ottobre e novembre del 1821 e pubblicata per la prima volta nell'edizione bolognese del 1824.
Metro: strofe con schema aBCABCDefGFEghH.

---

3. *Larve:* illusioni. – *l'antico error:* la fantasia, *antica* perché caratteristica della fanciullezza.
4. *ermo lido:* luogo isolato; l'identica espressione in Alfieri, *Solo fra i mesti miei pensieri, in riva,* v. 5: "Quell'ermo lido".
5. *nella... suono:* nella polvere e nel frastuono della vita.
12. *Al tuo sangue:* ai tuoi figli.
15. *Nè pura... chiude:* un cuore puro (coraggioso) non può albergare in un corpo gracile, incapace di forza. Cfr. *Zibaldone,* [255], 30 Settembre 1820: "Nel corpo debole non alberga coraggio, non fervore, non altezza di sentimenti, non forza d'illusioni ec. Nel corpo servo anche l'anima è serva".

O miseri o codardi
Figliuoli avrai. Miseri eleggi. Immenso
Tra fortuna e valor dissidio pose
Il corrotto costume. Ahi troppo tardi,
E nella sera dell'umane cose,   20
Acquista oggi chi nasce il moto e il senso.
Al ciel ne caglia: a te nel petto sieda
Questa sovr'ogni cura,
Che di fortuna amici
Non crescano i tuoi figli, e non di vile   25
Timor gioco o di speme: onde felici
Sarete detti nell'età futura:
Poichè (nefando stile,
Di schiatta ignava e finta)
Virtù viva sprezziam, lodiamo estinta.   30

    Donne, da voi non poco
La patria aspetta; e non in danno e scorno
Dell'umana progenie al dolce raggio
Delle pupille vostre il ferro e il foco
Domar fu dato. A senno vostro il saggio   35
E il forte adopra e pensa; e quanto il giorno
Col divo carro accerchia, a voi s'inchina.
Ragion di nostra etate

17. *eleggi*: preferiscili.
20. *nella sera... cose*: in un'epoca di declino dell'umanità.
21. *il moto e il senso*: la facoltà di agire e di sentire.
22. *Al ciel ne caglia*: se ne occupi il cielo. – *sieda*: risieda, stia fissa.
25-26. *non di vile... speme*: non siano in balia della viltà o della speranza.
28. *stile*: costume (termine petrarchesco).
29. *finta*: ipocrita.
30. *Virtù... estinta*: Leopardi riferisce in margine una sentenza di Orazio, *Odi*, III, 24, vv. 30-32: "Quatenus (heu nefas)/ virtutem incolumem odimus,/ sublatam ex oculis querimus invidi".
33-35 *al dolce... dato*: cfr. Anacreonte, 24: "Alle donne fu data la bellezza al posto di scudo e di lancia. Una donna bella vince anche il ferro e il fuoco".
37. *s'inchina*: cfr. Guarini, *Pastor fido*, atto III, vv. 56-58: "Quell'altero animale/ ch'uomo s'appella, ed a cui pur s'inchina/ ogni cosa mortale" (citato da Leopardi in una nota a margine).

Io chieggo a voi. La santa
Fiamma di gioventù dunque si spegne   40
Per vostra mano? attenuata e franta
Da voi nostra natura? e le assonnate
Menti, e le voglie indegne,
E di nervi e di polpe
Scemo il valor natio, son vostre colpe?   45

   Ad atti egregi è sprone
Amor, chi ben l'estima, e d'alto affetto
Maestra è la beltà. D'amor digiuna
Siede l'alma di quello a cui nel petto
Non si rallegra il cor quando a tenzone   50
Scendono i venti, e quando nembi aduna
L'olimpo, e fiede le montagne il rombo
Della procella. O spose,
O verginette, a voi
Chi de' perigli è schivo, e quei che indegno   55
È della patria e che sue brame e suoi
Volgari affetti in basso loco pose,
Odio mova e disdegno;

44. *di nervi e di polpe*: di vigore fisico.
45. *Scemo*: "*mancante*" (nota a margine).
47. *chi ben l'estima*: per chi lo giudica correttamente; cfr. Petrarca, *Rime*, CCCLX, v. 139. – *alto affetto*: nobile sentire.
50-53. *Non si rallegra... procella*: cfr. *Zibaldone*, [2118], 18 Novembre 1821: "Piace l'essere spettatore di cose vigorose ec. ec. non solo relative agli uomini, ma comunque. Il tuono, la tempesta, la grandine, il vento gagliardo, veduto o udito, e i suoi effetti ec. Ogni sensazione viva porta seco nell'uomo una vena di piacere, quantunque ella sia per se stessa dispiacevole, o come formidabile, o come dolorosa ec. Io sentiva un contadino, al quale un fiume vicino soleva recare grandi danni, dire che nondimeno *era un piacere* la vista della piena, quando s'avanzava e correva velocemente verso i suoi campi, con grandissimo strepito, e menandosi davanti gran quantità di sassi, mota ec. E tali immagini, benchè brutte in se stesse, riescono infatti sempre belle nella poesia, nella pittura, nell'eloquenza, ec.".
50-51. *quando... venti*: cfr. Virgilio, *Georgiche*, I, v. 318: "omnia ventorum concurrere proelia vidi", e vv. 323-24: "foedam glomerant tempestatem imbribus atris/ collectae ex alto nubes".
52. *fiede*: percuote.

Se nel femmineo core
D'uomini ardea, non di fanciulle, amore. 60

   Madri d'imbelle prole
V'incresca esser nomate. I danni e il pianto
Della virtude a tollerar s'avvezzi
La stirpe vostra, e quel che pregia e cole
La vergognosa età, condanni e sprezzi; 65
Cresca alla patria, e gli alti gesti, e quanto
Agli avi suoi deggia la terra impari.
Qual de' vetusti eroi
Tra le memorie e il grido
Crescean di Sparta i figli al greco nome; 70
Finchè la sposa giovanetta il fido
Brando cingeva al caro lato, e poi
Spandea le negre chiome
Sul corpo esangue e nudo
Quando e' reddia nel conservato scudo. 75

   Virginia, a te la molle
Gota molcea con le celesti dita
Beltade onnipossente, e degli alteri

---

60. *di fanciulle*: di uomini deboli, effeminati.
66. *alla patria*: per la patria.
68. *Qual*: come.
69. *il grido*: la fama.
70. *al greco nome*: per la gloria della Grecia.
75. *e' reddia*: egli ritornava. – *conservato*: non abbandonato, a prezzo della morte: cfr. *Zibaldone*, [2425], 6 Maggio 1822: "Era punto d'onore nelle truppe spartane il ritornare ciascuno col proprio scudo. Circostanza materiale, ma utilissima e moralissima nell'applicazione, non potendosi conservare il loro scudo amplissimo (tanto che vi capiva la persona distesa), senza il coraggio di far testa, e di non darsi mai alla fuga, che un tale scudo avrebbe impedita".
76. *Virginia*: è la giovinetta romana (celebrata nell'omonima tragedia di Alfieri) di cui si invaghì il decemviro Appio Claudio; il padre di lei, Lucio Virginio, la uccise per sottrarla all'oltraggio. La morte di Virginia inaugurò la rivolta che condusse alla restaurazione del consolato in Roma. Una analoga funzione storica ebbe Lucrezia (a cui Leopardi accenna nell'ultimo verso della canzone), che si uccise dopo aver subito la violenza di uno dei figli del re Tarquinio il Superbo. La vicenda di Lucrezia, che portò alla crisi e quindi

Disdegni tuoi si sconsolava il folle
Signor di Roma. Eri pur vaga, ed eri   80
Nella stagion ch'ai dolci sogni invita,
Quando il rozzo paterno acciar ti ruppe
Il bianchissimo petto,
E all'Erebo scendesti
Volonterosa. A me disfiori e scioglia   85
Vecchiezza i membri, o padre; a me s'appresti,
Dicea, la tomba, anzi che l'empio letto
Del tiranno m'accoglia.
E se pur vita e lena
Roma avrà dal mio sangue, e tu mi svena.   90

    O generosa, ancora
Che più bello a' tuoi dì splendesse il sole
Ch'oggi non fa, pur consolata e paga
È quella tomba cui di pianto onora
L'alma terra nativa. Ecco alla vaga   95
Tua spoglia intorno la romulea prole
Di nova ira sfavilla. Ecco di polve
Lorda il tiranno i crini;
E libertade avvampa
Gli obbliviosi petti; e nella doma   100
Terra il marte latino arduo s'accampa

all'abolizione della monarchia in Roma, è narrata da Tito Livio e da diversi
storici latini.
82-83. *Quando... petto*: cfr. Virgilio, *Eneide*, IX, vv. 431-32: "viribus ensis
adactus/ transabit costas et candida pectora rumpit"; e Livio, *Storie*, III, 48:
"Ab Ianio cultro arrepto, 'Hoc te uno possum' ait, 'modo, filia, in libertatem
vindico'. Pectus deinde puellae transfigit".
84. *Erebo*: Averno.
89-90. *se pur... svena*: cfr. Alfieri, *Virginia*, atto III, sc. 3, vv. 259-62: "E se a
svegliar del suo letargo Roma,/ oggi è pur forza che innocente sangue,/ ma non
ancor contaminato, scorra,/ padre, sposo, ferite: eccovi il petto".
91-92. *ancora Che*: sebbene.
97. *nova*: rinnovata.
97-98. *di polve... crini*: trascina il tiranno nella polvere.
100. *Gli obbliviosi petti*: gli animi dimentichi (della libertà).
101. *s'accampa*: cfr. Ariosto, *Orlando furioso*, X, 40, vv. 3-4: "né così freme il

Dal buio polo ai torridi confini.
Così l'eterna Roma
In duri ozi sepolta
Femmineo fato avviva un'altra volta.   105

mar quando l'oscuro/ turbo discende e in mezzo se gli accampa" (citato in
margine da Leopardi: "Ar. Fur., 10, 40").
105. *Femmineo fato*: il destino (o la morte) di una donna (*fato* con significato di
"morte" in *All'Italia*, v. 90). – *un'altra volta*: come già avvenne per Lucrezia.

V

A un vincitore
nel pallone

Di gloria il viso e la gioconda voce,
Garzon bennato, apprendi,
E quando al femminile ozio sovrasti
La sudata virtude. Attendi attendi,
Magnanimo campion (s'alla veloce   5
Piena degli anni il tuo valor contrasti
La spoglia di tuo nome), attendi e il core
Movi ad alto desio. Te l'echeggiante
Arena e il circo, e te fremendo appella
Ai fatti illustri il popolar favore;   10
Te rigoglioso dell'età novella
Oggi la patria cara
Gli antichi esempi a rinnovar prepara.

Scritta nel novembre 1821 e stampata per la prima volta nell'edizione
bolognese del 1824.
Metro: canzone di cinque strofe con schema AbCBACDEFDFgC.

---

3. *femminile*: effeminato; in margine al manoscritto: "neghittoso, rugginoso,
sonnacchioso".
4. *Attendi*: fa' attenzione.
5. *s'alla veloce...*: il *se* ha valore di "che" ottativo, augurale.
6. *contrasti*: "Contrastare vuol dir veramente *star contra*. Ma *contrastare a uno
una cosa* è di quelle tante figure verbali ec. irregolari che l'uso o l'eleganza
introduce in dispetto della propria forza, e dell'etimologia delle parole"
(annotazione in una scheda a parte).
7. *La spoglia di tuo nome*: il tuo nome, che abbandonerai morendo.
8. *Movi*: cfr. Poliziano, *Stanze*, II, v. 21: "mosse altri pensieri" (citato da
Leopardi in nota).

74

    Del barbarico sangue in Maratona
Non colorò la destra   15
Quei che gli atleti ignudi e il campo eleo,
Che stupido mirò l'ardua palestra,
Nè la palma beata e la corona
D'emula brama il punse. E nell'Alfeo
Forse le chiome polverose e i fianchi   20
Delle cavalle vincitrici asterse
Tal che le greche insegne e il greco acciaro
Guidò de' Medi fuggitivi e stanchi
Nelle pallide torme; onde sonaro
Di sconsolato grido   25
L'alto sen dell'Eufrate e il servo lido.

    Vano dirai quel che disserra e scote

14. *Del barbarico sangue*: il sangue versato dai persiani a Maratona, nella
battaglia vinta dagli ateniesi.
16. *il campo eleo*: il campo di Olimpia, nell'Elide; cfr. Chiabrera, *Per lo giuoco
del pallone ordinato in Toscana dal granduca Cosimo II l'anno 1618*, vv. 32-34:
"Io ben già mi rammento/ sul campo eleo la gioventute argiva/ far prova di
possanza".
16-17. *Quei... Che*: è sogg. di *stupido mirò*.
17. *stupido*: insensibile. – *l'ardua palestra*: i difficili giochi atletici.
19. *D'emula brama*: cfr. Parini, *In morte di Antonio Sacchini*, vv. 27-28:
"d'emula brama/ arser per te le più lodate genti". – *Alfeo*: il fiume di
Olimpia.
21. *asterse*: lavò.
22-24. *Tal che... torme*: qualcuno che guidò le insegne e le armi dei greci contro
le schiere disfatte dei persiani (*Medi*) in fuga.
26. *L'alto sen*: nella prima edizione: "gli alti gorghi"; *alto* nel significato latino
di "profondo"; cfr. Tasso, *Gerusalemme liberata*, XV, v. 3: "Gli accoglie il rio
nell'alto seno"; e Virgilio, *Georgiche*, IV, vv. 560-61: "ad altum/ fulminat
Euphraten". – *il servo lido*: le rive dell'Asia Minore, soggette ai Persiani.
27. *quel che*: cioè il gioco; cfr. *Zibaldone*, [115], 7 Giugno 1820: "Gli esercizi
con cui gli antichi si procacciavano il vigore del corpo non erano solamente
utili alla guerra, o ad eccitare l'amor della gloria ec., ma contribuivano, anzi
erano necessari a mantenere il vigor dell'animo, il coraggio, le illusioni,
l'entusiasmo che non saranno mai in un corpo debole (vedete gli altri miei
pensieri) in somma quelle cose che cagionano la grandezza e l'eroismo delle
nazioni. Ed è cosa già osservata che il vigor del corpo nuoce alle facoltà
intellettuali, e favorisce le immaginative, e per lo contrario l'imbecillità del
corpo è favorevolissima al riflettere, e chi riflette non opera, e poco immagina,
e le grandi illusioni non son fatte per lui".

Della virtù nativa
Le riposte faville? e che del fioco
Spirto vital negli egri petti avviva   30
Il caduco fervor? Le meste rote
Da poi che Febo instiga, altro che gioco
Son l'opre de' mortali? ed è men vano
Della menzogna il vero? A noi di lieti
Inganni e di felici ombre soccorse   35
Natura stessa: e là dove l'insano
Costume ai forti errori esca non porse,
Negli ozi oscuri e nudi
Mutò la gente i gloriosi studi.

Tempo forse verrà ch'alle ruine   40
Delle italiche moli
Insultino gli armenti, e che l'aratro
Sentano i sette colli; e pochi Soli
Forse fien volti, e le città latine
Abiterà la cauta volpe, e l'atro   45

28-29. *Della virtù... faville*: cfr. Tasso, *Gerusalemme liberata*, XVII, 81, vv. 7-8: "Ribaldo sveglia, in rimirando, mille/ spirti d'onor da le natie faville".
31. *rote*: le ruote del carro di Febo (cfr. il v. successivo) o Apollo: il sole.
37. *forti errori*: cfr. la *Comparazione delle sentenze di Bruto minore e di Teofrasto vicini a morte*: "Quegli errori magnanimi che abbelliscono o più veramente compongono la nostra vita, cioè tutto quello che ha della vita piuttosto che della morte".
40-42. *Tempo forse... armenti*: cfr. *Dell'educare la gioventù italiana*: "Povera patria ec. e si può usare il pensiero di Foscolo che ho segnato ne' miei [*Zibaldone*, 58], verrà forse tempo che l'armento insulterà alle ruine de' nostri antichi sommi edifizi ec. Pensate che se non farete quello che sarà in voi ec. forse i vostri figli sopravviveranno alla patria loro"; cfr. anche Petrarca, *Rime*, CXXVI, v. 27: "Tempo verrà ancor forse".
42. *Insultino*: balzino sopra; cfr. Orazio, *Odi*, III, 3, vv. 40-41: "dum Priami Paridisque busto/ insultet armentum".
42-43. *l'aratro Sentano*: cfr. Orazio, *Arte poetica*, 66: "et grave sentit aratrum".
43. *e pochi Soli*: "Cioè pochi anni. Sole detto poeticamente per *anno* vedilo nel *Vocabolario*. E si dice tanto bene quanto chi dice *luna* in cambio di *mese*" (*Annotazioni*).
44. *volti*: trascorsi.
45. *atro*: oscuro; cfr. Virgilio, *Eneide*, I, v. 165: "atrum nemus".
45-46. *la cauta... mura*: reminiscenza di Ossian (tradotto da Cesarotti), *Cartone*,

76

Bosco mormorerà fra le alte mura;
Se la funesta delle patrie cose
Obblivion dalle perverse menti
Non isgombrano i fati, e la matura
Clade non torce dalle abbiette genti   50
Il ciel fatto cortese
Dal rimembrar delle passate imprese.

   Alla patria infelice, o buon garzone,
Sopravviver ti doglia.
Chiaro per lei stato saresti allora   55
Che del serto fulgea, di ch'ella è spoglia,
Nostra colpa e fatal. Passò stagione;
Che nullo di tal madre oggi s'onora:
Ma per te stesso al polo ergi la mente.
Nostra vita a che val? solo a spregiarla: 60
Beata allor che ne' perigli avvolta,
Se stessa obblia, nè delle putri e lente

vv. 149-50 e 157-59: "Vidi Barcluta anch'io, ma sparsa a terra,/ rovine e polve
[...] ed affacciarsi alle fenestre io vidi/ la volpe, a cui per le muscose mura/ folta
e lunga erba iva strisciando il volto".
49-50. *matura Clade*: rovina imminente.
50. *torce*: toglie, allontana.
54. *Sopravviver ti doglia*: cfr. *Discorso di un italiano intorno alla poesia
romantica*: "sopravvivrete o Giovani italiani all'Italia, forse anch'io sciagurato
sopravvivrò"; e il passo dall'abbozzo *Dell'educare la gioventù* già citato nella
nota ai vv. 40-42.
55. *Chiaro*: glorioso.
57. *fatal*: del fato; cfr. *Annotazioni*: "Oggi s'usa comunemente in Italia di
scrivere e dir *fatale* per *dannoso* o funesto alla maniera francese; e quelli che
s'intendono della buona favella non vogliono che questo si possa fare". – *Passò
stagione*: cfr. Alfieri, *Antigone*, atto I, sc. 2, v. 41: "Passò stagion del
pianto".
59. *al polo*: a un'alta meta.
60. *a spregiarla*: a essere disprezzata; cfr. nell'abbozzo della canzone "La vita è
una miseria, il suo meglio è gittarla gloriosamente e pel bene altrui e della
patria. Che piacere si prova in una vita oziosa conservata con tanta cura? Come
mai si fuggono i pericoli? che cos'è il pericolo se non un'occasione di liberarsi
da un peso? La gloria e le grandi illusioni non valgono più di tutta la
noiosissima vita?".
62. *putri*: putride.

Ore il danno misura e il flutto ascolta;
Beata allor che il piede
Spinto al varco leteo, più grata riede.   65

65. *al varco leteo*: alle rive del Lete, il fiume infernale dell'oblio. – *più grata riede*: cfr. Orazio, *Epistole*, I, IV, 7: "grata superveniet quae non sperabitur hora"; e *Zibaldone*, [82]: "Io era oltremodo annoiato della vita, sull'orlo della vasca del mio giardino, e guardando l'acqua e curvandomici sopra con un certo fremito, pensava: S'io mi gittassi qui dentro immediatamente venuto a galla, mi arrampicherei sopra quest'orlo, e sforzatomi di uscir fuori dopo aver temuto assai di perdere questa vita, ritornato illeso, proverei qualche istante di contento per essermi salvato, e di affetto a questa vita che ora tanto disprezzo, e che allora mi parrebbe più pregevole".

VI

Bruto minore

Poi che divelta, nella tracia polve
Giacque ruina immensa
L'italica virtute, onde alle valli
D'Esperia verde, e al tiberino lido,
Il calpestio de' barbari cavalli   5
Prepara il fato, e dalle selve ignude

Composta nel dicembre 1821 e stampata per la prima volta nell'edizione
bolognese del 1824.
Metro: canzone di otto strofe con schema AbCDCEfGhILHMnN.

___

1. *Poi che divelta*: cfr. Virgilio, *Eneide*, III, vv. 1-3: "Postquam res Asiae,
Piramique evertere gentem/ immeritam visum Superis, ceciditque superbum/
Ilium, et omnis fumat neptunia Troia" (citato nelle *Annotazioni*). – *tracia*: "Si
usa qui la licenza, usata da diversi autori antichi, di attribuire alla Tracia la città
e la battaglia di Filippi, che veramente furono nella Macedonia" (*Note*).
3-9. *onde... brandi*: con la sconfitta di Bruto inizia, secondo Leopardi, il declino
di Roma, che si compirà con le invasioni barbariche; cfr. la *Comparazione delle
sentenze*: "possiamo dire che i tempi di Bruto fossero l'ultima età dell'immaginazione, prevalendo finalmente la scienza e l'esperienza del vero e propagan-
dosi anche nel popolo quanto bastava a produr la vecchiezza del mondo. Che
se ciò non fosse stato, nè quegli avrebbe avuto occasione di fuggir la vita, come
fece, nè la repubblica romana sarebbe morta con lui. Ma non solamente questa,
bensì tutta l'antichità, voglio dir l'indole e i costumi antichi di tutte le nazioni
civili, erano vicini a spirare insieme colle opinioni che gli avevano generati e gli
alimentavano" (cfr. anche *Zibaldone*, [1044-45]).
5. *Il calpestio... cavalli*: cfr. Orazio, *Epistole*, XVI, vv. 11-12: "barbarus heu
cineres insistet victor et Urbem/ eques sonante verberabit ungula".
6. *Prepara*: "Acciò che questa mutazione di Tempo non abbia a pregiudicare
agli stomachi gentili de' pedagoghi, la medicheremo con un pizzico d'autorità
virgiliana [seguono esempi dall'*Eneide* e dalle *Georgiche*, e per primo il passo
qui citato nella nota al v. 1]. Reco questi soli esempi dai mille e più che si
potrebbero cavare dal solo Virgilio, accuratissimo e compitissimo sopra tutti i
poeti del mondo" (*Annotazioni*).

Cui l'Orsa algida preme,
A spezzar le romane inclite mura
Chiama i gotici brandi;
Sudato, e molle di fraterno sangue,   10
Bruto per l'atra notte in erma sede,
Fermo già di morir, gl'inesorandi
Numi e l'averno accusa,
E di feroci note
Invan la sonnolenta aura percote.   15

   Stolta virtù, le cave nebbie, i campi
Dell'inquiete larve
Son le tue scole, e ti si volge a tergo
Il pentimento. A voi, marmorei numi,
(Se numi avete in Flegetonte albergo   20
O su le nubi) a voi ludibrio e scherno
È la prole infelice
A cui templi chiedeste, e frodolenta

7. *l'Orsa algida*: il freddo cielo del Nord.
8. *spezzar... mura*: cfr. Virgilio, *Eneide*, II, v. 177: "nec posse Argolicis exscindi Pergama telis" (citato da Leopardi in una nota a margine).
9. *gotici*: barbarici.
10. *fraterno sangue*: cfr. Alfieri, *Polinice*, atto V, sc. 3, v. 127: "Tinto son tutto del fraterno sangue".
11. *atra notte*: cfr. Virgilio, *Eneide*, I, v. 89: "nox incubat atra".
12. *Fermo... morir*: cfr. Virgilio, *ivi*, IV, v. 564: "certa mori". – *inesorandi*: inesorabili.
14. *feroci*: fiere; cfr. Orazio, *Odi*, I, 37, v. 29: "deliberata morte ferocior".
15. *Invan... percote*: cfr. Ariosto, *Orlando furioso*, I, 39, v. 4: "né pur d'un sol sospir l'aria percuote".
16. *Stolta virtù*: riprende l'esclamazione che Dione Cassio nella sua *Storia romana* attribuisce a Bruto in procinto di morire: "O virtù miserabile, eri una parola nuda e io ti seguiva come fossi una cosa"; cfr. anche la *Comparazione delle sentenze*: "Bruto vicino a morire proruppe esclamando *che la virtù non fosse cosa ma parola*", e il passo di Floro citato nello *Zibaldone*, [523], 18 Gennaio 1821: "Sed quantum efficacior est fortuna quam virtus! et quam verum est quod moriens (Brutus) efflavit, 'non in re, sed in verbo tantum, esse virtutem' *Floro*, IV, 7". – *cave*: inconsistenti.
18. *le tue scole*: i luoghi che frequenti.
19. *marmorei*: impassibili e freddi.
20. *in Flegetonte*: nell'Averno.

Legge al mortale insulta.
Dunque tanto i celesti odii commove   25
La terrena pietà? dunque degli empi
Siedi, Giove, a tutela? e quando esulta
Per l'aere il nembo, e quando
Il tuon rapido spingi,
Ne' giusti e pii la sacra fiamma stringi?   30

      Preme il destino invitto e la ferrata
Necessità gl'infermi
Schiavi di morte: e se a cessar non vale
Gli oltraggi lor, de' necessarii danni
Si consola il plebeo. Men duro è il male   35
Che riparo non ha? dolor non sente
Chi di speranza è nudo?
Guerra mortale, eterna, o fato indegno,
Teco il prode guerreggia,
Di cedere inesperto; e la tiranna   40

25-30. *Dunque... stringi?*: cfr. Virgilio, *Eneide*, IV, vv. 206-10: "Iuppiter omnipotens [...] aspicis haec? an te, genitor, cum fulmina torques,/ niquiquam horremus, caecique in nubibus ignes/ terrificant animos et inania murmura miscent?".
27. *esulta*: si solleva furioso; cfr. Virgilio, *ivi*, III, vv. 556-57: "audimus longe fractasque ad litora voces/ exultantque vada atque aestu miscentur harenae".
29. *rapido*: cfr. Virgilio, *ivi*, I, v. 42: "ipsa Jovis rapidum iaculata e nubibus ignem".
30. *Ne'*: contro i. – *sacra fiamma*: "ἱερὴν φλόγα chiama Esiodo il fulmine. *Teogon.* v. 692" (nota a margine di Leopardi).
31. *ferrata*: spietata; nelle *Annotazioni*: "*Ferrata* cioè *ferrea*" (segue lunga discussione sull'uso del vocabolo, e in generale sull'impiego dei participi passivi in luogo di aggettivi o viceversa: rosato e roseo, dorato e aureo, ecc.).
32-33. *gl'infermi Schiavi di morte*: i mortali.
34-35. *de'... plebeo*: cfr. *Zibaldone*, [503-4], 15 Gennaio 1821, e in particolare [504]: "Soltanto l'uomo vile, o debole, o non costante, o senza forza di passioni, sia per natura, sia per abito, sia per lungo uso ed esercizio di sventure e patimenti ed esperienza delle cose e della natura del mondo, che l'abbia domato e mansuefatto; soltanto costoro cedono alla necessità, e se ne fanno anzi un conforto nelle sventure, dicendo che sarebbe da pazzo il ripugnare e combatterla ec".
40. *inesperto*: incapace; "Uom che di ritornar sia poscia esperto. Dante [*Purgatorio*, I, v. 132]" (nota a margine di Leopardi).

Tua destra, allor che vincitrice il grava,
Indomito scrollando si pompeggia,
Quando nell'alto lato
L'amaro ferro intride,
E maligno alle nere ombre sorride.   45

    Spiace agli Dei chi violento irrompe
Nel Tartaro. Non fora
Tanto valor ne' molli eterni petti.
Forse i travagli nostri, e forse il cielo
I casi acerbi e gl'infelici affetti   50
Giocondo agli ozi suoi spettacol pose?
Non fra sciagure e colpe,
Ma libera ne' boschi e pura etade
Natura a noi prescrisse,
Reina un tempo e Diva. Or poi ch'a terra   55
Sparse i regni beati empio costume,
E il viver macro ad altre leggi addisse;
Quando gl'infausti giorni
Virile alma ricusa,
Riede natura, e il non suo dardo accusa?   60

42. *si pompeggia*: si erge sdegnosamente, trionfa.
43. *nell'alto lato*: profondamente, nel fianco.
45. *maligno... sorride*: cfr. *Zibaldone*, [87]: "Quando l'uomo veramente sventurato si accorge e sente profondamente l'impossibilità d'esser felice, e la somma e certa infelicità dell'uomo, comincia dal divenire indifferente intorno a se stesso [...] Ma se la sventura arriva al colmo, l'indifferenza non basta, [...] egli passa ad odiare la vita l'esistenza e se stesso, egli si aborre come un nemico, e allora [...] l'idea e l'atto del suicidio gli danno una terribile e quasi barbara allegrezza, massimamente se egli pervenga ad uccidersi essendone impedito da altrui; allora è il tempo di quel maligno amaro e ironico sorriso simile a quello della vendetta eseguita da un uomo crudele dopo forte lungo e irritato desiderio, il qual sorriso è l'ultima espressione dell'estrema disperazione e della somma infelicità".
57. *macro*: esiguo, svilito.
60. *Riede... accusa*: torna a farsi valere la natura, e condanna quella morte non da lei voluta? Cfr. *Zibaldone*, [1978], 23 Ottobre 1821: "Il suicidio è contro natura. Ma viviamo noi secondo natura? Non l'abbiamo noi al tutto abbandonata per seguir la ragione? Non siamo animali ragionevoli, cioè diversissimi dai naturali?"; e, nel *Dialogo di Plotino e Porfirio*: "Perchè questo solo atto del torsi di vita, si dovrà misurare non dalla natura nuova o dalla

Di colpa ignare e de' lor proprii danni
Le fortunate belve
Serena adduce al non previsto passo
La tarda età. Ma se spezzar la fronte
Ne' rudi tronchi, o da montano sasso   65
Dare al vento precipiti le membra,
Lor suadesse affanno;
Al misero desio nulla contesa
Legge arcana farebbe
O tenebroso ingegno. A voi, fra quante   70
Stirpi il cielo avvivò, soli fra tutte,
Figli di Prometeo, la vita increbbe;
A voi le morte ripe,
Se il fato ignavo pende,
Soli, o miseri, a voi Giove contende.   75

E tu dal mar cui nostro sangue irriga,
Candida luna, sorgi,

ragione, ma dalla natura primitiva? Perchè dovrà la natura primitiva, la quale
non dà più legge alla vita nostra, dar legge alla morte? Perchè non dee la
ragione governar la morte, poichè regge la vita?".
61-70 *Di colpa... ingegno*: cfr. *Zibaldone*, [814], 19 Marzo 1821: "La nostra
condizione oggidì è peggiore di quella de' bruti anche per questa parte. Nessun
bruto desidera certamente la fine della sua vita, nessuno per infelice che possa
essere, o pensa a torsi dalla infelicità colla morte o avrebbe il coraggio di
proccurarsela. La natura che in loro conserva tutta la sua primitiva forza, li
tiene ben lontani da tutto ciò. Ma se qualcuno di essi potesse desiderar mai di
morire, nessuna cosa gl'impedirebbe questo desiderio. Noi siamo del tutto
alienati dalla natura, e quindi infelicissimi".
67. *suadesse*: persuadesse; "Il *Vocabolario* ammette le voci *suadevole, suado,
suasione, suasivo*. Ma che vale? Se non porta a lettere di scatola il verbo *suadere*,
chi mi prosciolglie dal peccato d'impurità?" (*Annotazioni*); a sua discolpa,
Leopardi cita Ariosto, *Orlando furioso*, III, 64, vv. 1-4: "Quivi l'audace giovine
rimase/ tutta la notte, e gran pezzo ne spese/ a parlar con Merlin, che le suase/
rendersi tosto al suo Ruggier cortese".
70. *tenebroso ingegno*: oscuro ragionamento.
72. *Figli di Prometeo*: gli uomini; secondo il mito, il primo uomo fu modellato
da Prometeo nell'argilla, e animato con una scintilla del fuoco da lui sottratto a
Giove.
74. *Se... pende*: se la morte indugia, tarda a venire.

E l'inquieta notte e la funesta
All'ausonio valor campagna esplori.
Cognati petti il vincitor calpesta,   80
Fremono i poggi, dalle somme vette
Roma antica ruina;
Tu sì placida sei? Tu la nascente
Lavinia prole, e gli anni
Lieti vedesti, e i memorandi allori;   85
E tu su l'alpe l'immutato raggio
Tacita verserai quando ne' danni
Del servo italo nome,
Sotto barbaro piede
Rintronerà quella solinga sede.   90

   Ecco tra nudi sassi o in verde ramo
E la fera e l'augello,
Del consueto obblio gravido il petto,
L'alta ruina ignora e le mutate
Sorti del mondo: e come prima il tetto   95
Rosseggerà del villanello industre,
Al mattutino canto
Quel desterà le valli, e per le balze
Quella l'inferma plebe
Agiterà delle minori belve.   100
Oh casi! oh gener vano! abbietta parte
Siam delle cose; e non le tinte glebe,
Non gli ululati spechi
Turbò nostra sciagura,
Nè scolorò le stelle umana cura.   105

79. *campagna*: la campagna di Filippi.
80. *Cognati*: "cioè *fraterni*" (nota a margine di Leopardi).
84. *Lavinia*: romana, ossia discendente di Lavinia, la moglie di Enea.
93. *Consueto obblio*: il sonno notturno.
95. *come prima*: non appena.
100. *Agiterà*: inseguirà cacciando; cfr. Orazio, *Odi*, II, 13, vv. 39-40: "nec curat Orion leones/ aut timidos agitare lyncas".
102. *le tinte glebe*: le terre bagnate di sangue.
103. *gli ululati spechi*: gli antri in cui risuonano le nostre grida di dolore.

Non io d'Olimpo o di Cocito i sordi
Regi, o la terra indegna,
E non la notte moribondo appello;
Non te, dell'atra morte ultimo raggio,
Conscia futura età. Sdegnoso avello   110
Placàr singulti, ornàr parole e doni
Di vil caterva? In peggio
Precipitano i tempi; e mal s'affida
A putridi nepoti
L'onor d'egregie menti e la suprema   115
De' miseri vendetta. A me dintorno
Le penne il bruno augello avido roti;
Prema la fera, e il nembo
Tratti l'ignota spoglia;
E l'aura il nome e la memoria accoglia.   120

110-12. *Sdegnoso... caterva*: i pianti di una turba (*caterva*) vile hanno mai placato la tomba di un cuore sdegnoso?
114. *A putridi nepoti*: a un'infame discendenza.

VII

Alla Primavera,
o
delle favole antiche

Perchè i celesti danni
Ristori il sole, e perchè l'aure inferme
Zefiro avvivi, onde fugata e sparta
Delle nubi la grave ombra s'avvalla;
Credano il petto inerme   5
Gli augelli al vento, e la diurna luce
Novo d'amor desio, nova speranza
Ne' penetrati boschi e fra le sciolte
Pruine induca alle commosse belve;
Forse alle stanche e nel dolor sepolte   10
Umane menti riede

Scritta a Recanati nel gennaio 1822 e stampata per la prima volta nell'edizione
Nobili del 1824.
Metro: canzone di cinque strofe con schema aBCDbEFGHGiKlMNoMPP.

1. *Perchè*: per quanto. – *i celesti danni*: i danni causati dall'inverno; Orazio,
Odi, IV, 7, v. 12: "damna tamen celeres reparant coelestia lunae" (citato da
Leopardi in una nota a margine).
2. *Ristori*: "'e posson *gli anni* Ben *ristorare i danni* de la passata lor fredda
vecchiezza' [Guarini] Past. fido, at. 3, sc. V. – Ang. di Costanzo, son. 14" (nota
a margine di Leopardi).
5. *Credano*: affidino; "Se tu credi al *Vocabolario* della Crusca, non puoi *credere*
cioè *fidare* altrui se non quel danaio che ti paresse di dare in prestito, voglio
dire a usura, chè in altro modo è fuor di dubbio che non puoi, quando anche lo
permetta il *Vocabolario*. Ma se credi agli ottimi scrittori latini e italiani, *crederai*
cioè *fiderai* così la roba come la vita, l'onore e quante cose vorrai, non
solamente alle persone, ma eziandio, se t'occorre, alle cose inanimate"
(*Annotazioni*).
8. *penetrati*: in cui penetra (la *luce* del v. 6).
9. *Pruine*: brine. – *commosse*: inquiete.

La bella età, cui la sciagura e l'atra
Face del ver consunse
Innanzi tempo? Ottenebrati e spenti
Di febo i raggi al misero non sono   15
In sempiterno? ed anco,
Primavera odorata, inspiri e tenti
Questo gelido cor, questo ch'amara
Nel fior degli anni suoi vecchiezza impara?

    Vivi tu, vivi, o santa   20
Natura? vivi e il dissueto orecchio
Della materna voce il suono accoglie?
Già di candide ninfe i rivi albergo,
Placido albergo e specchio
Furo i liquidi fonti. Arcane danze   25
D'immortal piede i ruinosi gioghi
Scossero e l'ardue selve (oggi romito
Nido de' venti): e il pastorel ch'all'ombre

---

16. *anco*: ancora una volta.
17. *odorata*: odorosa; cfr. Foscolo, *Sepolcri*, v. 39: "e di fiori odorata arbore amica".
21. *dissueto*: "voglio che sappiano i pedagoghi ch'io poteva dire *disusato* per *dissueto*, colla stessissima significazione; ed era parola accettata nel *Vocabolario*, oltre che in questo senso riusciva elegante, e di più si veniva a riporre nel verso come da se stessa. A ogni modo volli piuttosto quell'altra. E perchè? Questo non tocca ai pedanti di saperlo." (*Annotazioni*).
23-27. *Già... selve*: cfr. *Zibaldone*, [63-64]: "Che bel tempo era quello nel quale ogni cosa era viva secondo l'immaginazione umana e viva umanamente cioè abitata o formata di esseri uguali a noi! quando nei boschi desertissimi si giudicava per certo che abitassero le belle Amadriadi e i fauni e i silvani e Pane ec. ed entrandoci e vedendoci tutto solitudine pur credevi tutto abitato e così de' fonti abitati dalle Naiadi ec. E stringendoti un albero al seno te lo sentivi quasi palpitare fra le mani, credendolo un uomo o donna come Ciparisso ec.! E così de' fiori ec. come appunto i fanciulli".
25-27. *Arcane... selve*: in una scheda a parte, Leopardi annota: "ποσσὶν ὑπ'ἀθανάτοισι Ποσειδάωνος ἰόντος Hom.": Omero, *Iliade*, XIII, v. 19; nella traduzione del Monti: "Tremar le selve e i monti/ sotto il piede immortal dell'incedente Enosigeo".
27. *ardue*: intricate.
28-29. *all'ombre Meridiane*: cfr. *Saggio sopra gli errori popolari degli antichi*, cap. VII: "gli antichi aveano del tempo del meriggio una grave idea, e lo

Meridiane incerte ed al fiorito
Margo adducea de' fiumi   30
Le sitibonde agnelle, arguto carme
Sonar d'agresti Pani
Udì lungo le ripe; e tremar l'onda
Vide, e stupì, che non palese al guardo
La faretrata Diva   35
Scendea ne' caldi flutti, e dall'immonda
Polve tergea della sanguigna caccia
Il niveo lato e le verginee braccia.

   Vissero i fiori e l'erbe,
Vissero i boschi un dì. Conscie le molli   40
Aure, le nubi e la titania lampa
Fur dell'umana gente, allor che ignuda
Te per le piagge e i colli,
Ciprigna luce, alla deserta notte
Con gli occhi intenti il viator seguendo,   45

riguardavano come sacro e terribile"; e la *Nota* di Leopardi (elaborata da una precedente *Annotazione*): "La stanchezza, il riposo e il silenzio che regnano nelle città, e più nelle campagne, sull'ora del mezzogiorno, rendettero quell'ora agli antichi misteriosa e secreta come quelle della notte: onde fu creduto che sul mezzodì più specialmente si facessero vedere o sentire gli Dei, le ninfe, i silvani, i fauni e le anime dei morti [segue indicazione dei luoghi: Teocrito, Lucano, Porfirio e altri]. Circa all'opinione che le ninfe e le dee sull'ora del mezzogiorno si scendessero a lavare ne' fiumi e ne' fonti, vedi Callimaco in lavacr. Pall. [*I lavacri di Pallade*] v. 71 seqq. e quanto propriamente a Diana, Ovidio Metam. 1. 3, v. 144 seqq.".
29. *incerte*: cfr. Virgilio, *Bucoliche*, V, v. 5: "sive sub incertas Zephyris motantibus umbras" (citato da Leopardi in una nota a margine).
30. *Margo*: riva.
31. *arguto*: acuto.
32. *Pani*: divinità pastorali.
35. *La faretrata Diva*: Diana.
36-39. *Scendea... braccia*: cfr. Ovidio, *Metamorfosi*, III, vv. 162-63: "Hic dea silvarum venatu fessa solebat/ virgineos artus liquido perfundere rore".
41. *la titania lampa*: il sole, figlio del titano Iperione; cfr. Virgilio, *Eneide*, IV, v. 725: "titaniaque astra".
44. *Ciprigna*: di Venere; qui però riferito alla Luna, che anticamente veniva anche onorata con il nome di Venere.

Te compagna alla via, te de' mortali
Pensosa immaginò. Che se gl'impuri
Cittadini consorzi e le fatali
Ire fuggendo e l'onte,
Gl'ispidi tronchi al petto altri nell'ime   50
Selve remoto accolse,
Viva fiamma agitar l'esangui vene,
Spirar le foglie, e palpitar segreta
Nel doloroso amplesso
Dafne o la mesta Filli, o di Climene   55
Pianger credè la sconsolata prole
Quel che sommerse in Eridano il sole.

   Nè dall'umano affanno,
Rigide balze, i luttuosi accenti
Voi negletti ferìr mentre le vostre   60
Paurose latebre Eco solinga,
Non vano error de' venti,
Ma di ninfa abitò misero spirto,
Cui grave amor, cui duro fato escluse
Delle tenere membra. Ella per grotte,   65
Per nudi scogli e desolati alberghi,
Le non ignote ambasce e l'alte e rotte

47-51. *Che se gl'impuri... accolse*: che se qualcuno (*altri*), fuggendo le società
umane, i suoi delitti e le sue offese (*onte*) abbracciò i tronchi rugosi nel
profondo dei boschi.
52. *agitar*: dipende, come *spirar*, *palpitar* e *pianger*, da *credè* del v. 56.
55. *Dafne*: ninfa dei monti, sacerdotessa della Madre Terra e figlia del fiume
Peneo in Tessaglia, fu amata da Apollo; per sfuggire al dio che la inseguiva,
Dafne invocò la Madre Terra, e questa la trasformò in una pianta di lauro. –
Filli: altra creatura mitologica, si uccise credendosi abbandonata da Demo-
foonte, suo amante, e fu trasformata in mandorlo. – *Climene*: madre di Fetonte
e delle Eliadi, che, affrante per la morte del fratello, si trasformarono in
pioppi.
57. *Quel... sole*: Fetonte, fulminato da Giove per aver osato guidare il carro di
Elio (il sole suo padre), precipitò nel Po (l'Eridano).
61. *Eco*: la ninfa che si consumò d'amore per Narciso: dei lei rimase soltanto la
voce.

Nostre querele al curvo
Etra insegnava. E te d'umani eventi
Disse la fama esperto,   70
Musico augel che tra chiomato bosco
Or vieni il rinascente anno cantando,
E lamentar nell'alto
Ozio de' campi, all'aer muto e fosco,
Antichi danni e scellerato scorno,   75
E d'ira e di pietà pallido il giorno.

    Ma non cognato al nostro
Il gener tuo; quelle tue varie note
Dolor non forma, e te di colpa ignudo,
Men caro assai la bruna valle asconde.   80
Ahi ahi, poscia che vote
Son le stanze d'Olimpo, e cieco il tuono
Per l'atre nubi e le montagne errando,
Gl'iniqui petti e gl'innocenti a paro
In freddo orror dissolve; e poi ch'estrano   85
Il suol nativo, e di sua prole ignaro
Le meste anime educa;
Tu le cure infelici e i fati indegni
Tu de' mortali ascolta,
Vaga natura, e la favilla antica   90

68-69. *al curvo Etra*: alla volta del cielo.
71. *Musico augel*: l'usignolo. Allusione al mito di Filomela, che si trasformò in usignolo dopo aver subito l'oltraggio del cognato Tereo. – *chiomato*: frondoso; cfr. Catullo, *Carmi*, IV, v. 11: "comata sylva".
73-74. *nell'alto Ozio*: nella profonda quiete.
76. *pallido*: impallidito; Procne, sorella di Filomela e moglie di Tereo, per vendicarsi dell'offesa (*Antichi danni e scellerato scorno*), uccise il proprio figlio Iti e ne imbandì le carni al marito: narra la leggenda che di fronte a tale orribile tragedia il sole impallidì.
77. *cognato*: affine.
79. *Dolor non forma*: non sono ispirate dal dolore.
85. *In freddo... dissolve*: cfr. Virgilio, *Eneide*, III, vv. 29-30: "mihi frigidus horror/ membra quatit"; e I, v. 92: "solvuntur frigore membra" (quest'ultimo luogo citato da Leopardi in una nota a margine).
86. *di sua prole ignaro*: estraneo ai suoi stessi figli.
87. *educa*: fa crescere (latinismo).

Rendi allo spirto mio; se tu pur vivi,
E se de' nostri affanni
Cosa veruna in ciel, se nell'aprica
Terra s'alberga o nell'equoreo seno,
Pietosa no, ma spettatrice almeno.

94. *nell'equoreo seno*: nelle profondità del mare.

VIII
Inno ai Patriarchi,
o
de' principii del genere umano

E voi de' figli dolorosi il canto,
Voi dell'umana prole incliti padri,
Lodando ridirà; molto all'eterno
Degli astri agitator più cari, e molto
Di noi men lacrimabili nell'alma   5
Luce prodotti. Immedicati affanni
Al misero mortal, nascere al pianto,
E dell'etereo lume assai più dolci
Sortir l'opaca tomba e il fato estremo,
Non la pietà, non la diritta impose   10
Legge del cielo. E se di vostro antico
Error che l'uman seme alla tiranna
Possa de' morbi e di sciagura offerse,
Grido antico ragiona, altre più dire

Composto a Recanati nel luglio del 1822 e pubblicato per la prima volta
nell'edizione bolognese del 1824 (la composizione essendo successiva all'*Ultimo canto di Saffo*, vi figurava al nono posto).
Metro: endecasillabi sciolti.

1. *dolorosi*: "uomini a cui vita è dolore" (Fubini).
3. *ridirà*: soggetto è *il canto de' figli dolorosi*.
3-4. *all'eterno... agitator*: a Dio.
5-6. *nell'alma Luce*: nella luce del sole (l'espressione *alma lux* è in Virgilio, *Eneide*, VIII, v. 455).
9. *Sortir*: avere in sorte.
10. *impose*: soggetto è *la pietà, la diritta* [...] *Legge del cielo* (oggetto dell'imposizione sarebbero i due infiniti, *nascere* e *sortir*).
11-12. *vostro antico Error*: il peccato originale.
14. *Grido antico*: antica leggenda; cfr. la versione leopardiana dell'*Eneide*, ai vv. 23-24: "Il grido/ così ragiona".

Colpe de' figli, e irrequieto ingegno,   15
E demenza maggior l'offeso Olimpo
N'armaro incontra, e la negletta mano
Dell'altrice natura; onde la viva
Fiamma n'increbbe, e detestato il parto
Fu del grembo materno, e violento   20
Emerse il disperato Erebo in terra.

    Tu primo il giorno, e le purpuree faci
Delle rotanti sfere, e la novella
Prole de' campi, o duce antico e padre
Dell'umana famiglia, e tu l'errante   25
Per li giovani prati aura contempli:
Quando le rupi e le deserte valli
Precipite l'alpina onda feria
D'inudito fragor; quando gli ameni
Futuri seggi di lodate genti   30
E di cittadi romorose, ignota
Pace regnava; e gl'inarati colli
Solo e muto ascendea l'aprico raggio
Di febo e l'aurea luna. Oh fortunata,
Di colpe ignara e di lugubri eventi,   35

---

15. *irrequieto ingegno*: la ragione, irrequieta perché bramosa di conoscere la verità.
18. *altrice*: nutrice.
18-19. *la viva Fiamma*: la forza della vita.
19-20. *detestato... materno*: l'immagine evoca, come ha notato Fubini, la maledizione di Giobbe, III, 3 e seg.: "Pereat dies in qua natus sum/ et nox in qua dictum est: Conceptus est homo".
21. *il disperato Erebo*: l'inferno (o più semplicemente la morte).
22. *Tu primo*: Adamo.
28. *l'alpina onda*: acqua sorgiva che (per la prima volta) precipitava dai monti.
32. *regnava*: regnava su (il verbo è usato transitivamente: oggetto sono gli *ameni* [...] *seggi*).
33. *muto*: "perchè anche il giorno era allora silenzioso come la notte. *Per amica silentia lunae* [Virgilio, *Eneide*, II, v. 255]" (nota a margine di Leopardi).
34. *aurea*: "Il color della luna è tra l'oro e l'argento. Ed *aureo* vale splendido" (nota a margine).

Erma terrena sede! Oh quanto affanno
Al gener tuo, padre infelice, e quale
D'amarissimi casi ordine immenso
Preparano i destini! Ecco di sangue
Gli avari colti e di fraterno scempio   40
Furor novello incesta, e le nefande
Ali di morte il divo etere impara.
Trepido, errante il fratricida, e l'ombre
Solitarie fuggendo e la secreta
Nelle profonde selve ira de' venti,   45
Primo i civili tetti, albergo e regno
Alle macere cure, innalza; e primo
Il disperato pentimento i ciechi
Mortali egro, anelante, aduna e stringe
Ne' consorti ricetti: onde negata   50
L'improba mano al curvo aratro, e vili
Fur gli agresti sudori; ozio le soglie
Scellerate occupò; ne' corpi inerti
Domo il vigor natio, languide, ignave
Giacquer le menti; e servitù le imbelli   55
Umane vite, ultimo danno, accolse.

    E tu dall'etra infesto e dal mugghiante
Su i nubiferi gioghi equoreo flutto

---

40. *Gli avari colti*: i campi coltivati, *avari* perché, come precisa Leopardi in una nota a margine, resi infecondi dal peccato originale.

41. *Furor novello*: la guerra fratricida, mai ancora sperimentata. – *incesta*: contamina (latinismo).

42. *impara*: impara a conoscere (perché quella di Abele fu la prima morte umana verificatasi sulla terra).

46. *i civili tetti*: le città, ossia la società civile (cfr. *Zibaldone*, [191], Luglio 1820: "Il primo autore delle città vale a dire della società, secondo la Scrittura, fu il primo riprovato, cioè Caino: e questo dopo la colpa, la disperazione e la riprovazione").

47. *macere*: che rendono maceri, malati.

50-52. *negata... sudori*: nacque cioè la schiavitù: il lavoro dei campi divenne vile opera di schiavi, sottoposti a despoti inoperosi e colpevoli (*improba mano*): ma il concetto si precisa e si completa nei versi che seguono.

57. *E tu*: Noè. – *etra infesto*: cielo tempestoso.

Scampi l'iniquo germe, o tu cui prima
Dall'aer cieco e da' natanti poggi   60
Segno arrecò d'instaurata spene
La candida colomba, e delle antiche
Nubi l'occiduo Sol naufrago uscendo,
L'atro polo di vaga iri dipinse.
Riede alla terra, e il crudo affetto e gli empi   65
Studi rinnova e le seguaci ambasce
La riparata gente. Agl'inaccessi
Regni del mar vendicatore illude
Profana destra, e la sciagura e il pianto
A novi liti e nove stelle insegna.   70

  Or te, padre de' pii, te giusto e forte,

59. *l'iniquo germe*: la colpevole stirpe umana.
60. *natanti poggi*: terre emergenti dalle acque; quanto al vocabolo *poggi*,
Leopardi precisa a margine: "non monti, poichè il diluvio era sul calare".
61. *Segno*: la colomba, inviata a Noè al termine del diluvio. – *instaurata*:
rinnovata (latinismo). – *spene*: speme (termine petrarchesco).
63. *occiduo*: tramontante (come dice il *Genesi*, cfr. VIII, 11: "illa venit ad eum
ad vesperum portans ramum olivae").
64. *L'atro polo*: il cielo oscuro.
65. *Riede*: "non si riferisce a *riparata* cioè *rinnovata*, ma solamente a *stirpe* [v.
67: poi sostituito con *gente*], e vuol dire, la stirpe umana, rinnovandosi, ritorna
a popolar la terra" (nota a margine).
65-66. *e il crudo... ambasce*: cfr. l'abbozzo dell'*Inno*, indicato da Leopardi con
la dicitura *Canzone nona*, e steso dopo la composizione dell'*Ultimo canto di
Saffo* (quindi tra il maggio e il luglio 1822): "A Noè: Tu salvi la nostra empia e
misera stirpe dalla guerra e vittoria degli elementi. La salvi, e non per questo
ella ne diviene migliore, nè rinnovandosi è meno empia e sventurata di prima:
anzi le calamità e le scelleraggini della seconda, superano quelle della
generazione distrutta".
66. *seguaci*: che ne conseguono.
68. *illude*: schernisce; il soggetto è *Profana destra* (vedi nota al verso seg.); chi
subisce lo scherno è il mare (*Agl'inaccessi Regni del mar*).
69. *Profana destra*: la mano sacrilega dell'uomo (che ha osato varcare i mari):
Leopardi riprende la polemica contro la navigazione vista come origine dei
mali umani, che era tipica della poesia antica.
70. *A novi... insegna*: fa conoscere a nuove terre e a nuovi cieli (dunque
diffonde su tutta la terra).
71. *Or te*: Abramo. – *forte*: in una nota a margine, Leopardi scrive: "La
scrittura narra una battaglia vinta da Abramo per salvare Lot. La forza è
compagna ed emblema della giustizia e della *virtù*".

E di tuo seme i generosi alunni
Medita il petto mio. Dirò siccome
Sedente, oscuro, in sul meriggio all'ombre
Del riposato albergo, appo le molli   75
Rive del gregge tuo nutrici e sedi,
Te de' celesti peregrini occulte
Beàr l'eteree menti; e quale, o figlio
Della saggia Rebecca, in su la sera,
Presso al rustico pozzo e nella dolce   80
Di pastori e di lieti ozi frequente
Aranitica valle, amor ti punse
Della vezzosa Labanide: invitto
Amor, ch'a lunghi esigli e lunghi affanni
E di servaggio all'odiata soma   85
Volenteroso il prode animo addisse.

    Fu certo, fu (nè d'error vano e d'ombra
L'aonio canto e della fama il grido

---

72. *seme*: Leopardi crede opportuno precisare, in margine: "il seme alimenta in
certo modo le piante, potendosi considerar come divenuto radice delle
medesime, prodotte che sono. - Può anche voler dire: i figli de' tuoi figli". –
alunni: figli (latinismo).

73. *Medita*: "cioè, di cantar te: ellissi frequentissima" (nota a margine).

74. *oscuro*: non "umile", né "tetro", ma, come si arguisce da una nota a margine
di Leopardi, che cita Marziale ("Obscurus umbris arborum", I, 49, v. 16),
"avvolto dall'ombra".

77-78. *Te... menti*: allude all'episodio (riferito in *Genesi*, XVIII, 1-22) in cui tre
presenze angeliche (*eteree menti*) celate sotto le vesti di pellegrini annunciano
ad Abramo la prossima nascita del figlio Isacco; cfr. l'abbozzo *Canzone nona*
già cit.: "Qui l'inno può prendere un tuono amabile, semplice, d'immaginazione ridente e placida, com'è quello degl'inni di Callimaco. Che dirò io di te, o
padre? Forse quando sul mezzogiorno, sedendo sulla porta solitaria della tua
casa, nella valle di Mambre sonante del muggito de' tuoi armenti, t'apparvero i
tre pellegrini ec.?".

78-79. *o figlio... Rebecca*: Giacobbe, figlio di Rebecca e di Isacco.

82. *Aranitica valle*: la valle di Haran.

83. *Labanide*: Rachele, figlia di Labano.

85. *servaggio*: per ottenere Rachele in sposa, Giacobbe dovette servire il padre
di lei, Labano, per quattordici anni.

86. *addisse*: assoggettò.

87. *Fu certo*: cfr. l'abbozzo: "Fu certo fu, e non è sogno, nè favola, nè
invenzione di poeti, nè menzogna di storie o di tradizioni, un'età d'oro pel

Pasce l'avida plebe) amica un tempo
Al sangue nostro e dilettosa e cara   90
Questa misera piaggia, ed aurea corse
Nostra caduca età. Non che di latte
Onda rigasse intemerata il fianco
Delle balze materne, o con le greggi
Mista la tigre ai consueti ovili   95
Nè guidasse per gioco i lupi al fonte
Il pastorel; ma di suo fato ignara
E degli affanni suoi, vota d'affanno
Visse l'umana stirpe; alle secrete
Leggi del cielo e di natura indutto   100
Valse l'ameno error, le fraudi, il molle
Pristino velo; e di sperar contenta
Nostra placida nave in porto ascese.

genere umano. Corse agli uomini un aureo secolo, come aurea corre e correrà sempre l'età di tutti gli altri viventi, e di tutto il resto della natura".

89. *Pasce*: soggetto sono *L'aonio canto* (il canto dei poeti) e *della fama il grido* (la leggenda); oggetto è *l'avida plebe*. – *avida*: è possibile che l'aggettivo regga *d'error vano e d'ombra* (retti peraltro anche da *Pasce*): il senso sarebbe allora "i poeti e la leggenda non hanno alimentato con inutili illusioni e favole oscure la plebe, avida d'altronde di cibarsene".

92-97. *Non che... Il pastorel*: cfr. l'abbozzo: "Non già che i fiumi corressero mai latte, nè che ec. V. la egloga di Virgilio, e la chiusa del prim'atto dell'Aminta, e del quarto del Pastor fido".

93. *intemerata*: incontaminata.

94. *Delle balze materne*: delle colline da cui sgorgava (*di latte Onda*, il fiume).

97. *di suo fato*: del suo destino d'infelicità.

98. *vota*: priva.

100. *indutto*: indossato; "Maniera tolta ai latini, ma per amore, non per forza. L'Ariosto nel ventesimosettimo del *Furioso* [69, vv. 7-8] 'Ed egli e Ferraù *gli aveano indotte L'arme* del suo progenitor Nembrotte'. Questa locuzione al mio palato è molto elegante; ma quelli che non mangiano se non Crusca, sappiano che questa non è Crusca, e però la sputino. Vuol dire 'gliele aveano vestite', ed è frequentissima nella buona latinità con questa e con altre significazioni" (*Annotazioni*); qui naturalmente il participio va inteso come 'posto sopra, a nascondere', e riferito alle leggi del cielo e della natura.

101. *Valse*: fu valido, ebbe forza e valore.

101-2. *il molle... velo*: il pietoso antico velo (che copriva la verità).

103. *ascese*: pervenne; Leopardi concepisce la vita "come percorso ascendente" (Bandini), in cui la morte (anche quando, come qui, è indicata in qualità di "porto" dei viventi) costituisce il termine ultimo superiore.

    Tal fra le vaste californie selve
Nasce beata prole, a cui non sugge   105
Pallida cura il petto, a cui le membra
Fera tabe non doma; e vitto il bosco,
Nidi l'intima rupe, onde ministra
L'irrigua valle, inopinato il giorno
Dell'atra morte incombe. Oh contra il nostro   110
Scellerato ardimento inermi regni
Della saggia natura! I lidi e gli antri
E le quiete selve apre l'invito
Nostro furor; le violate genti
Al peregrino affanno, agl'ignorati   115
Desiri educa; e la fugace, ignuda
Felicità per l'imo sole incalza.

---

104. *californie selve*: le foreste della California; "Da California io fo il nome
nazionale Californio", spiega Leopardi in una nota a margine; cfr. l'abbozzo:
"Tale anche oggidì nelle Californie selve, e nelle rupi, e fra' torrenti ec. vive una
gente ignara del nome di civiltà, e restia (come osservano i viaggiatori) sopra
qualunque altra a quella misera corruzione che noi chiamiamo coltura".
105-6. *non sugge... petto*: cfr. Virgilio, *Eneide*, V, vv. 137-38: "haurit/ corda
pavor" (citato da Leopardi in una nota a margine).
107. *Fera tabe*: morbo implacabile.
108. *ministra*: amministrano, forniscono (perché soggetti sono il *bosco*, la *rupe*,
la *valle*).
109. *inopinato*: Leopardi spiega a margine: "inaspettato".
113. *apre*: "cioè penetra, entra" (nota a margine).
115. *peregrino*: straniero, cioè per loro ancora sconosciuto.
116. *ignuda*: "cioè *inerme*; e però facile a vincere, ch'è appunto quello che
voglio dire; ovvero spogliata di tutti i suoi possedimenti ec., ovvero misera,
povera, ec., che in qualunque modo sta bene" (nota a margine).
117. *l'imo sole*: a margine Leopardi annota: "la California sta nell'estremità
occidentale del Continente. *Sole* è detto qui poeticamente invece di *terra*".

IX
Ultimo canto
di Saffo

Placida notte, e verecondo raggio
Della cadente luna; e tu che spunti
Fra la tacita selva in su la rupe,
Nunzio del giorno; oh dilettose e care
Mentre ignote mi fur l'erinni e il fato,   5
Sembianze agli occhi miei; già non arride
Spettacol molle ai disperati affetti.
Noi l'insueto allor gaudio ravviva
Quando per l'etra liquido si volve

Composta in sette giorni, nel maggio 1822, e stampata per la prima volta
nell'edizione Nobili del 1824.
Metro: canzone di quattro strofe con schema ABCDEFGHILMNOPQRsS.

_____

1. *verecondo raggio*: cfr. Monti, *Basvilliana*, IV, vv. 199-200: "la luna il raggio
[...]/ pauroso mandava e verecondo".
2-4. *e tu... giorno*: cfr. Virgilio, *Eneide*, II, vv. 801-2: "Iamque iugis summae
surgebat Lucifer Idae/ ducebatque diem", e la traduzione di Leopardi: "E su le
somme vette/ D'Ida già l'astro mattutin sorgea,/ E menavane il giorno".
3. *tacita selva*: cfr. Virgilio, *Eneide*, VI, v. 386: "per tacitum nemus" e VII, v.
505: "pestis enim tacitis latet aspera silvis".
4. *Nunzio del giorno*: Lucifero.
5. *Mentre*: finché; cfr. Virgilio, *ivi*, IV, v. 651: "dulces exuviae/ dum fata
deusque sinebat" (citato da Leopardi in una nota a margine). – *ignote*: "cioè
inesperimentate. Così *ignaro* per inesperto" (annotazione in una scheda a
parte). – *l'erinni*: le furie; per estensione, le passioni d'amore.
7. *molle*: "È ben detto *spettacol dolce, dolce vista, dolce sguardo* ec.? Perchè
dunque si può trasportare una voce dal palato agli occhi, e dal tatto agli occhi
non si potrà? Consento che la metafora sia ardita, ma quante n'ha Orazio delle
più ardite. E se il poeta, massime il lirico, non è ardito nelle metafore, e teme
l'insolito, sarà anche privo del nuovo" (annotazione a margine).
9. *etra liquido*: limpido cielo; cfr. Virgilio, *Eneide*, VII, v. 65: "liquidum trans
aethera vectae".

E per li campi trepidanti il flutto   10
Polveroso de' Noti, e quando il carro,
Grave carro di Giove a noi sul capo,
Tonando, il tenebroso aere divide.
Noi per le balze e le profonde valli
Natar giova tra' nembi, e noi la vasta   15
Fuga de' greggi sbigottiti, o d'alto
Fiume alla dubbia sponda
Il suono e la vittrice ira dell'onda.

    Bello il tuo manto, o divo cielo, e bella
Sei tu, rorida terra. Ahi di cotesta   20
Infinita beltà parte nessuna
Alla misera Saffo i numi e l'empia
Sorte non fenno. A' tuoi superbi regni
Vile, o natura, e grave ospite addetta,
E dispregiata amante, alle vezzose   25
Tue forme il core e le pupille invano
Supplichevole intendo. A me non ride
L'aprico margo, e dall'eterea porta
Il mattutino albor; me non il canto
De' colorati augelli, e non de' faggi   30

11. *Noti*: venti.
12. *Grave carro di Giove*: nel retro del manoscritto, Leopardi annota: "*Tu gravi
curru quaties Olympum*. Orazio" [*Odi*, I, 12, v. 58]; cfr. anche il *Saggio sopra gli
errori popolari degli antichi*, cap. XIII: "comunemente soleasi dai poeti
riguardare il tuono come il carro di Giove".
15. *giova*: "sta per dilettare o piacere" (*Annotazioni*); in margine al manoscritto
Leopardi annota: "Quem iuvat clamor. Oraz. [*Odi*, II, 1, v. 38] Ed io son un di
quei *che 'l pianger giova*. Petr. [*Rime*, XXXVII, v. 69]".
17. *dubbia*: "cioè *lubrica* o *malsicura* che il fiume non la sormonti, cioè
pericolosa" (annotazione a margine).
20. *rorida*: rugiadosa "perch'era in sul far del giorno" (nota a margine).
24. *Vile*: spregevole. – *grave*: importuna. – *addetta*: destinata.
27. *intendo*: tendo, rivolgo; cfr. Virgilio, *Eneide*, II, v. 405: "ad caelum *tendens*
ardentia *lumina* frustra" (citato a margine: le sottolineature sono di Leopardi).
28. *aprico*: assolato. – *margo*: "così *ora* in lat., ch'è lo stesso di *margo*, s'adopera
per *ogni luogo*, e così da noi *lido*, *piaggia*, *riva*, ec." (annotazione a
margine).

Il murmure saluta: e dove all'ombra
Degl'inchinati salici dispiega
Candido rivo il puro seno, al mio
Lubrico piè le flessuose linfe
Disdegnando sottragge,   35
E preme in fuga l'odorate spiagge.

Qual fallo mai, qual sì nefando eccesso
Macchiommi anzi il natale, onde sì torvo
Il ciel mi fosse e di fortuna il volto?
In che peccai bambina, allor che ignara   40
Di misfatto è la vita, onde poi scemo
Di giovanezza, e disfiorato, al fuso
Dell'indomita Parca si volvesse
Il ferrigno mio stame? Incaute voci
Spande il tuo labbro: i destinati eventi   45
Move arcano consiglio. Arcano è tutto,
Fuor che il nostro dolor. Negletta prole
Nascemmo al pianto, e la ragione in grembo
De' celesti si posa. Oh cure, oh speme
De' più verd'anni! Alle sembianze il Padre,   50
Alle amene sembianze eterno regno

36. *spiagge*: "Suol dirsi del mare. Ma così propriamente anche altri tali nomi, p. es. *litus* in lat., eppure metaforicamente s'appropria anche a' fiumi" (annotazione a margine).
41. *scemo*: "non vuol dir *diminuito*, ma assolutamente *mancante* [...] In somma non vale *scemato*, ma *privo*; bensì *privo d'una cosa che gli conveniva d'avere*" (nota in una scheda a parte).
42. *disfiorato*: sfiorito.
43. *indomita*: non dominata da alcuno: sovrana; "*Indomita* si può ben chiamare anche Lachesi giacchè gli antichi attribuivano alle Parche il governo del mondo" (nota a margine). – *si volvesse*: scorresse; nel retro del foglio manoscritto, Leopardi precisa: "sic volvere Parcas [Virgilio, *Eneide*, I, v. 22]".
44. *ferrigno*: aspro e scuro come il ferro.
48-49. *in grembo... si posa*: citazione omerica, come avverte Leopardi nel retro del manoscritto: "θεῶν ἐν γούνασι κεῖται. Omero, ed altri poeti greci in più luoghi".
50. *il Padre*: Giove.

Diè nelle genti; e per virili imprese,
Per dotta lira o canto,
Virtù non luce in disadorno ammanto.

Morremo. Il velo indegno a terra sparto,   55
Rifuggirà l'ignudo animo a Dite,
E il crudo fallo emenderà del cieco
Dispensator de' casi. E tu cui lungo
Amore indarno, e lunga fede, e vano
D'implacato desio furor mi strinse,   60
Vivi felice, se felice in terra
Visse nato mortal. Me non asperse
Del soave licor del doglio avaro
Giove, poi che perìr gl'inganni e il sogno
Della mia fanciullezza. Ogni più lieto   65
Giorno di nostra età primo s'invola.
Sottentra il morbo, e la vecchiezza, e l'ombra
Della gelida morte. Ecco di tante
Sperate palme e dilettosi errori,

---

55. *Morremo*: nel retro del manoscritto Leopardi cita l'esclamazione di Didone
in Virgilio, *Eneide*, IV, vv. 659-60· "Moriemur inultae./ Sed moriamur, ait. Sic,
sic iuvat ire sub umbras".
56. *Dite*: Plutone, dio degli inferi.
58. *Dispensator de' casi*: "cioè il fato" (annotazione a margine). – *E tu*: si rivolge
a Faone: cfr. la *Nota* al *Bruto minore*: "nel nono canto si seguita la tradizione
volgare intorno agli amori infelici di Saffo poetessa, benchè il Visconti ed altri
critici moderni distinguano due Saffo: l'una famosa per la sua lira, e l'altra per
l'amore sfortunato di Faone; quella contemporanea d'Alceo, e questa più
moderna".
62. *nato mortal*: "Gli Dei, secondo gli antichi, erano *nati* e non *mortali*; e
parecchi di questi erano vissuti alcun tempo *in terra* e molti erano terrestri, e
v'abitavano sempre, come le ninfe de' boschi, fiumi, mare ec., Pane, i silvani,
ec. ec." (annotazione a margine).
62-64. *non asperse... Giove*: "Vuole intendere di quel vaso pieno di felicità che
Omero pone in casa di Giove" (*Annotazioni*).
65-68. *Ogni... morte*: cfr. Virgilio, *Georgiche*, III, vv. 66-69: "Optima quaeque
dies miseris mortalibus aevi/ prima fugit; subeunt morbi tristisque senectus/ et
labor, et durae rapit inclementia mortis"; annota a margine Leopardi: "*Primo*
dipende da *età* o spetta a *s'invola*? domandatelo a Virgilio".
68-70. *di tante... m'avanza*: "Di tanti beni non m'avanza altro che il Tartaro,
cioè un male" spiega Leopardi (nota a margine).

102

Il Tartaro m'avanza; e il prode ingegno 70
Han la tenaria Diva,
E l'atra notte, e la silente riva.

71. *tenaria Diva*: Proserpina, dea degli inferi, il cui ingresso era collocato dagli antichi presso il capo Tenaro.

X

Il primo amore

Tornami a mente il dì che la battaglia
   D'amor sentii la prima volta, e dissi:
   Oimè, se quest'è amor, com'ei travaglia!
Che gli occhi al suol tuttora intenti e fissi,
   Io mirava colei ch'a questo core   5
   Primiera il varco ed innocente aprissi.
Ahi come mal mi governasti, amore!
   Perchè seco dovea sì dolce affetto
   Recar tanto desio, tanto dolore?
E non sereno, e non intero e schietto,   10

Questo componimento fu ispirato a Leopardi dall'amore per la cugina Gertrude Cassi e, secondo alcuni critici, composto proprio nei giorni della sua visita a Recanati, nel dicembre 1817; secondo altri, come il Porena, la data di composizione risalirebbe invece alla seconda metà del 1818. Fu pubblicato per la prima volta nell'edizione bolognese dei *Versi* del 1826, con il titolo di *Elegia I* e successivamente, con il titolo *Il primo amore*, nelle edizioni Piatti e Starita.
Metro: terzine, sul modello della elegia amorosa settecentesca.

1. *Tornami a mente:* cfr. Petrarca, *Rime*, CCCXXXVI, vv. 1-2: "Tornami a mente, anzi v'è dentro, quella/ ch'indi per Lete esser non pò sbandita"; e Zappi (riportato nella *Crestomazia poetica*), vv. 1-2: "Tornami a mente quella triste e nera/ notte".
1-2. *la battaglia D'amor:* cfr. Petrarca, *Rime*, CIV, v. 2: "quando Amor cominciò darvi bataglia".
4. *Che:* allorché. – *gli occhi... fissi:* cfr. Petrarca, *Rime*, XXXV, vv. 3-4: "e gli occhi porto per fuggire intenti/ ove vestigio uman la rena stampi".
5. *mirava colei:* cfr. Petrarca, *Rime*, CXXIX, vv. 33-35: "ma mentre tener fiso/ posso al primo pensier la mente vaga,/ e mirar lei".
7. *mi governasti:* cfr. Petrarca, *Rime*, CXXVII, v. 45: "come 'l sol neve mi governa Amore", e LXXIX, vv. 5-7: "Amor [...] tal mi governa".

Anzi pien di travaglio e di lamento
  Al cor mi discendea tanto diletto?
Dimmi, tenero core, or che spavento,
  Che angoscia era la tua fra quel pensiero
  Presso al qual t'era noia ogni contento?   15
Quel pensier che nel dì, che lusinghiero
  Ti si offeriva nella notte, quando
  Tutto queto parea nell'emisfero:
Tu inquieto, e felice e miserando,
  M'affaticavi in su le piume il fianco,   20
  Ad ogni or fortemente palpitando.
E dove io tristo ed affannato e stanco
  Gli occhi al sonno chiudea, come per febre
  Rotto e deliro il sonno venia manco.
Oh come viva in mezzo alle tenebre   25
  Sorgea la dolce imago, e gli occhi chiusi
  La contemplavan sotto alle palpebre!
Oh come soavissimi diffusi
  Moti per l'ossa mi serpeano, oh come

---

13. *spavento*: cfr. Petrarca, *Rime*, CXXVI, vv. 53-55: "Quante volte diss'io/ allor pien di spavento:/ 'costei per fermo nacque in paradiso!'"; e il commento ai versi di Petrarca nello *Zibaldone*, [3444-46], 16 Settembre 1823: "è proprio, dico, della impressione che fa la bellezza su quelli d'altro sesso che la veggono o l'ascoltano o l'avvicinano, lo spaventare; e questo si è quasi il principale o il più sensibile effetto ch'ella produce a prima giunta, o quello che più si distingue e si nota e risalta. E lo spavento viene da questo, che allo spettatore o spettatrice, in quel momento, pare impossibile di star mai più senza quel tale oggetto, e nel tempo stesso gli pare impossibile di possederlo com'ei vorrebbe [...]. La forza del desiderio ch'ei concepisce in quel punto, l'atterrisce per ciò ch'ei si rappresenta subito tutte in un tratto, benchè confusamente, al pensiero le pene che per questo desiderio dovrà soffrire; perocchè il desiderio è pena e il vivissimo e sommo desiderio, vivissima e somma, e il desiderio perpetuo e non mai soddisfatto è pena perpetua".
15. *Presso al qual*: a paragone del quale.
19. *felice e miserando*: cfr. Alfieri, *Filippo*, atto I, sc. 3, v. 3: "Felice, io sono, e misero, in un punto".
20. *in su le piume*: cfr. Dante, *Purgatorio*, VI, vv. 148-51: "E se ben ti ricordi e vedi lume,/ vedrai te somigliante a quella inferma/ che non può trovar posa in su le piume,/ ma con dar volta suo dolore scherma".
22. *dove*: quando.
24. *Rotto e deliro*: cfr. le *Memorie del primo amore*: "avendo passata la seconda notte con sonno interrotto e delirante" (16 dicembre 1817).

Mille nell'alma instabili, confusi   30
Pensieri si volgean! qual tra le chiome
    D'antica selva zefiro scorrendo,
    Un lungo, incerto mormorar ne prome.
E mentre io taccio, e mentre io non contendo,
    Che dicevi, o mio cor, che si partia   35
    Quella per che penando ivi e battendo?
Il cuocer non più tosto io mi sentia
    Della vampa d'amor, che il venticello
    Che l'aleggiava, volossene via.
Senza sonno io giacea sul dì novello,   40
    E i destrier che dovean farmi deserto,
    Battean la zampa sotto al patrio ostello.
Ed io timido e cheto ed inesperto,
    Ver lo balcone al buio protendea
    L'orecchio avido e l'occhio indarno aperto,   45
La voce ad ascoltar, se ne dovea
    Di quelle labbra uscir, ch'ultima fosse;
    La voce, ch'altro il cielo, ahi, mi togliea.
Quante volte plebea voce percosse
    Il dubitoso orecchio, e un gel mi prese,   50
    E il core in forse a palpitar si mosse!
E poi che finalmente mi discese
    La cara voce al core, e de' cavai
    E delle rote il romorio s'intese;
Orbo rimaso allor, mi rannicchiai   55
    Palpitando nel letto e, chiusi gli occhi,

31-32. *tra le chiome D'antica selva*: cfr. Orazio, *Odi*, IV, 3, v. 11: "nemorum comae", e Tasso, *Gerusalemme liberata*, VII, vv. 1-2: "Intanto Erminia infra l'ombrose piante/ d'antica selva dal cavallo è scòrta".
33. *prome*: promana.
41. *farmi deserto*: rendermi privo (della donna amata).
48. *altro*: cioè la presenza di lei.
49. *plebea voce*: la voce dei servi.
53. *cavai*: cavalli.
55. *Orbo*: cfr. Petrarca, *Rime*, XVIII, v. 7: "vommene in guisa d'orbo, senza luce".

Strinsi il cor con la mano, e sospirai.
Poscia traendo i tremuli ginocchi
   Stupidamente per la muta stanza,
   Ch'altro sarà, dicea, che il cor mi tocchi?   60
Amarissima allor la ricordanza
   Locommisi nel petto, e mi serrava
   Ad ogni voce il core, a ogni sembianza.
E lunga doglia il sen mi ricercava,
   Com'è quando a distesa Olimpo piove   65
   Malinconicamente e i campi lava.
Ned io ti conoscea, garzon di nove
   E nove Soli, in questo a pianger nato
   Quando facevi, amor, le prime prove.
Quando in ispregio ogni piacer, nè grato   70
   M'era degli astri il riso, o dell'aurora
   Queta il silenzio, o il verdeggiar del prato.
Anche di gloria amor taceami allora
   Nel petto, cui scaldar tanto solea,
   Che di beltade amor vi fea dimora.   75
Nè gli occhi ai noti studi io rivolgea,
   E quelli m'apparian vani per cui
   Vano ogni altro desir creduto avea.
Deh come mai da me sì vario fui,
   E tanto amor mi tolse un altro amore?   80
   Deh quanto, in verità, vani siam nui!

---

58. *traendo... ginocchi*: cfr. Virgilio, *Eneide*, V, v. 468: "genua aegra trahentem".
60. *Ch'altro... tocchi*: cfr. Petrarca, *Rime*, CCCXII, v. 9: "né altro sarà mai ch'al cor m'aggiunga".
64. *il sen mi ricercava*: mi penetrava dentro il cuore.
65. *Olimpo*: il cielo.
68. *in questo*: in questo misero (*garzon*). – *a pianger nato*: destinato al pianto (come in Petrarca, *Rime*, CXXX, v. 6).
73-74. *Anche... solea*: cfr. *Memorie del primo amore*: "ogni cosa mi par feccia, e molte ne disprezzo che prima non disprezzava, anche lo studio, al quale ho l'intelletto chiusissimo, e quasi anche, benchè forse non del tutto, la gloria".
76. *noti*: consueti.
79. *vario*: diverso.
81. *nui*: noi uomini.

Solo il mio cor piaceami, e col mio core
   In un perenne ragionar sepolto,
   Alla guardia seder del mio dolore.
E l'occhio a terra chino o in se raccolto,   85
   Di riscontrarsi fuggitivo e vago
   Nè in leggiadro soffria nè in turpe volto:
Che la illibata, la candida imago
   Turbare egli temea pinta nel seno,
   Come all'aure si turba onda di lago.   90
E quel di non aver goduto appieno
   Pentimento, che l'anima ci grava,
   E il piacer che passò cangia in veleno,
Per li fuggiti dì mi stimolava
   Tuttora il sen: che la vergogna il duro   95
   Suo morso in questo cor già non oprava
Al cielo, a voi, gentili anime, io giuro
   Che voglia non m'entrò bassa nel petto,
   Ch'arsi di foco intaminato e puro.
Vive quel foco ancor, vive l'affetto,   100
   Spira nel pensier mio la bella imago,
   Da cui, se non celeste, altro diletto
Giammai non ebbi, e sol di lei m'appago.

---

83. *sepolto*: cfr. Alfieri, *Pensieri d'amore*, vv. 3-4: "In lei sepolto, in lei/ sola è sepolto il mio pensier".
98. *voglia... petto*: cfr. Manfredi, *Vaga angioletta*, vv. 10-11: "Mai non nacque entro il mio petto/ pensier ch'al tuo candor recasse oltraggio".
99. *intaminato*: incontaminato.
101. *Spira*: respira (cioè vive).

XI

Il passero solitario

D'in su la vetta della torre antica,
Passero solitario, alla campagna
Cantando vai finchè non muore il giorno;
Ed erra l'armonia per questa valle.
Primavera dintorno   5
Brilla nell'aria, e per li campi esulta,
Sì ch'a mirarla intenerisce il core.
Odi greggi belar, muggire armenti;
Gli altri augelli contenti, a gara insieme
Per lo libero ciel fan mille giri,   10
Pur festeggiando il lor tempo migliore:
Tu pensoso in disparte il tutto miri;

La data di composizione di questo canto è incerta. Apparve per la prima volta
nell'edizione napoletana dei *Canti* (Starita, 1835). Nonostante un appunto
("Passero solitario") presente in alcune carte del 1819-20, sembra inverosimile
una datazione anteriore al 1831: le caratteristiche metriche di questo canto (la
canzone libera, non vincolata da scansioni strofiche) sono infatti molto lontane
dall'esperienza dei primi idilli.
Metro: strofe libere di endecasillabi e settenari, con rime al mezzo.

1. *torre antica*: il campanile della chiesa di Sant'Agostino, a Recanati.
2. *Passero solitario*: cfr. *Salmi*, 102, 8: "Fui insonne e gemetti come passero
solitario sul tetto"; e Petrarca, *Rime*, CCXXVI, vv. 1-2: "Passer mai solitario in
alcun tetto/ non fu quant'io".
3. *muore il giorno*: cfr. Dante, *Purgatorio*, VIII, v. 6: "che paia il giorno pianger
che si more".
7. *intenerisce il core*: cfr. ancora Dante, *Purgatorio*, VIII, vv. 1-2: "Era già l'ora
che volge il disio/ ai navicanti e 'ntenerisce il core".
8. *Odi... armenti*: cfr. Virgilio, *Eneide*, nella traduzione di Caro, VIII, v. 553:
"udian greggi belar, mugghiare armenti".

Non compagni, non voli,
Non ti cal d'allegria, schivi gli spassi;
Canti, e così trapassi   15
Di tua vita e dell'anno il più bel fiore.

   Oimè, quanto somiglia
Al tuo costume il mio. Sollazzo e riso,
Della novella età dolce famiglia,
E te, german di giovinezza amore,   20
Sospiro acerbo de' provetti giorni,
Non curo, io non so come; anzi da loro
Quasi fuggo lontano;
Quasi romito, e strano
Al mio loco natio,   25
Passo del viver mio la primavera.
Questo giorno ch'omai cede alla sera,
Festeggiar si costuma al nostro borgo.
Odi per lo sereno un suon di squilla,
Odi spesso un tonar di ferree canne,   30
Che rimbomba lontan di villa in villa.
Tutta vestita a festa
La gioventù del loco
Lascia le case, e per le vie si spande;

13. *Non... voli*: è sottinteso *ti cal* del v. 14.
15. *trapassi*: trascorri, oltrepassi.
19. *dolce famiglia*: dolci compagni; cfr. Petrarca, *Rime*, CCCX, vv. 1-2: "Zefiro
torna, e 'l bel tempo rimena/ e i fiori e l'erbe, sua dolce famiglia"; cfr. anche
Forteguerri, *Ricciardetto* (incluso nella *Crestomazia poetica*), X, 3, v. 1:
"l'allegra del piacer dolce famiglia".
21. *Sospiro... giorni*: doloroso rimpianto dell'età matura; nella *Crestomazia*
Leopardi aveva intitolato *L'età provetta* la canzone *Il brindisi* di Parini, sul
rimpianto della giovinezza.
24. *strano*: estraneo.
28. *nostro borgo*: Recanati, dove il 15 luglio si festeggia San Vito, patrono della
città, oppure, secondo altri commentatori, Montemorello, località ai margini di
Recanati dove sorgeva il palazzo Leopardi.
29. *squilla*: campana; cfr. Dante, *Purgatorio*, VIII, v. 5: "se ode squilla di
lontano".
30. *ferree canne*: fucili.

E mira ed è mirata, e in cor s'allegra.   35
Io solitario in questa
Rimota parte alla campagna uscendo,
Ogni diletto e gioco
Indugio ad altro tempo: e intanto il guardo
Steso nell'aria aprica   40
Mi fere il Sol che tra lontani monti,
Dopo il giorno sereno,
Cadendo si dilegua, e par che dica
Che la beata gioventù vien meno.

   Tu, solingo augellin, venuto a sera   45
Del viver che daranno a te le stelle,
Certo del tuo costume
Non ti dorrai; che di natura è frutto
Ogni vostra vaghezza.
A me, se di vecchiezza   50
La detestata soglia
Evitar non impetro,
Quando muti questi occhi all'altrui core,
E lor fia vóto il mondo, e il dì futuro
Del dì presente più noioso e tetro,   55
Che parrà di tal voglia?
Che di quest'anni miei? che di me stesso?
Ahi pentirommi, e spesso,
Ma sconsolato, volgerommi indietro.

40. *aprica*: che si apre luminosa.
41. *fere*: cfr. Dante, *Inferno*, X, v. 69: "non fiere li occhi suoi il dolce lome?".
49. *vaghezza*: inclinazione, desiderio.
50-51. *vecchiezza... soglia*: cfr. Omero, *Iliade*, XXIV, v. 487: "ὀλοῷ ἐπὶ γήραος οὐδῳ" (sulla tetra soglia della vecchiaia).

XII
L'infinito

Sempre caro mi fu quest'ermo colle,
E questa siepe, che da tanta parte
Dell'ultimo orizzonte il guardo esclude.
Ma sedendo e mirando, interminati
Spazi di là da quella, e sovrumani   5
Silenzi, e profondissima quiete
Io nel pensier mi fingo; ove per poco
Il cor non si spaura. E come il vento
Odo stormir tra queste piante, io quello
Infinito silenzio a questa voce   10
Vo comparando: e mi sovvien l'eterno,
E le morte stagioni, e la presente
E viva, e il suon di lei. Così tra questa
Immensità s'annega il pensier mio:
E il naufragar m'è dolce in questo mare.   15

Composto a Recanati tra primavera e autunno del 1819, stampato nel "Nuovo Ricoglitore" di Milano nel dicembre 1826 e successivamente nelle edizioni Piatti e Starita.
Metro: endecasillabi sciolti.

1. *colle*: il monte Tabor, presso Recanati.
3. *ultimo*: estremo.
8. *come*: non appena.
10. *questa voce*: lo stormire del vento.
12. *le morte stagioni*: il passato.

XIII

La sera
del dì di festa

Dolce e chiara è la notte e senza vento,
E queta sovra i tetti e in mezzo agli orti
Posa la luna, e di lontan rivela
Serena ogni montagna. O donna mia,
Già tace ogni sentiero, e pei balconi   5
Rara traluce la notturna lampa:
Tu dormi, che t'accolse agevol sonno
Nelle tue chete stanze; e non ti morde
Cura nessuna; e già non sai nè pensi
Quanta piaga m'apristi in mezzo al petto.   10
Tu dormi: io questo ciel, che sì benigno
Appare in vista, a salutar m'affaccio,

Scritto verosimilmente nel 1820, stampato per la prima volta nel "Nuovo Ricoglitore" con il titolo *La sera del giorno festivo*, poi nell'edizione fiorentina dei *Canti* (1831) e, con il titolo attuale, nell'edizione Starita.
Metro: endecasillabi sciolti.

1-4. *Dolce... montagna*: cfr. i versi dell'*Iliade* (VIII, 555-59) citati nel *Discorso di un italiano intorno alla poesia romantica* (la traduzione è di Leopardi): "Sì come quando graziosi in cielo/ rifulgon gli astri intorno della luna,/ e l'aere è senza vento, e si discopre/ ogni cima de' monti ed ogni selva/ ed ogni torre; allor che su nell'alto/ tutto quanto l'immenso etra si schiude,/ e vedesi ogni stella, e ne gioisce/ il pastor dentro all'alma"; cfr. anche l'appunto nei *Ricordi d'infanzia e di adolescenza*: "veduta notturna con la luna a ciel sereno dall'alto della mia casa tal quale alla similitudine di Omero".
1. *Dolce e chiara*: cfr. Petrarca, *Rime*, CXXVI, v. 1: "Chiare fresche dolci acque".
5. *tace ogni sentiero*: cfr. Virgilio, *Eneide*, IV, v. 525: "tacet omnis ager".
6. *Rara... lampa*: cfr. Virgilio, *ivi*, IX, v. 383: "rara per occultos lucebat semita calles".

113

E l'antica natura onnipossente,
Che mi fece all'affanno. A te la speme
Nego, mi disse, anche la speme; e d'altro   15
Non brillin gli occhi tuoi se non di pianto.
Questo dì fu solenne: or da' trastulli
Prendi riposo; e forse ti rimembra
In sogno a quanti oggi piacesti, e quanti
Piacquero a te: non io, non già, ch'io speri,   20
Al pensier ti ricorro. Intanto io chieggo
Quanto a viver mi resti, e qui per terra
Mi getto, e grido, e fremo. Oh giorni orrendi
In così verde etate! Ahi, per la via
Odo non lunge il solitario canto   25
Dell'artigian, che riede a tarda notte,
Dopo i sollazzi, al suo povero ostello;
E fieramente mi si stringe il core,
A pensar come tutto al mondo passa,
E quasi orma non lascia. Ecco è fuggito   30
Il dì festivo, ed al festivo il giorno
Volgar succede, e se ne porta il tempo
Ogni umano accidente. Or dov'è il suono
Di que' popoli antichi? or dov'è il grido
De' nostri avi famosi, e il grande impero   35
Di quella Roma, e l'armi, e il fragorio
Che n'andò per la terra e l'oceano?

17. *solenne*: festivo.
22-23. *per terra... fremo*: cfr. lettera al Giordani, 24 aprile 1820: "Io mi getto e
mi ravvolgo per terra, domandando quanto mi resta ancora da vivere"; e la
prima stesura del verso: "mi getto e mi ravvolgo".
25-30. *Odo... lascia*: cfr. *Zibaldone*, [50-51]: "Dolor mio nel sentire a tarda
notte seguente al giorno di qualche festa il canto notturno de' villani
passeggeri. Infinità del passato che mi veniva in mente, ripensando ai Romani,
così caduti dopo tanto romore e ai tanti avvenimenti ora passati ch'io
paragonava dolorosamente con quella profonda quiete e silenzio della notte, a
farmi avvedere del quale giovava il risalto di quella voce o canto villane-
sco".
32. *Volgar*: feriale (contrapposto a *solenne* del v. 17).
33-37. *dov'è... oceano*: formula dell'*ubi sunt*, frequente nella tradizione

Tutto è pace e silenzio, e tutto posa
Il mondo, e più di lor non si ragiona.
Nella mia prima età, quando s'aspetta   40
Bramosamente il dì festivo, or poscia
Ch'egli era spento, io doloroso, in veglia,
Premea le piume; ed alla tarda notte
Un canto che s'udia per li sentieri
Lontanando morire a poco a poco,   45
Già similmente mi stringeva il core.

letteraria; qui elaborata in modo singolarmente simile ai preromantici Young
(*Notti*, traduzione del Boschi: "Dov'è l'impero romano? Dov'è quello dei
greci? Eccoli divenuti un suono della nostra voce") e Ossian (*Notte*, traduzione
di Cesarotti, vv. 234-39: "Ove son ora, o vati,/ i due antichi? ove i famosi regi?/
Già della gloria lor passaro i lampi./ Sconosciuti, obliati/ giaccion coi nomi lor,
coi fatti egregi,/ e muti son delle lor pugne i campi").
42. *doloroso*: addolorato.
45. *Lontanando*: verbo raro, usato da Petrarca (*Trionfo della fama*, II, v.
75).

XIV
Alla luna

O graziosa luna, io mi rammento
Che, or volge l'anno, sovra questo colle
Io venia pien d'angoscia a rimirarti:
E tu pendevi allor su quella selva
Siccome or fai, che tutta la rischiari.   5
Ma nebuloso e tremulo dal pianto
Che mi sorgea sul ciglio, alle mie luci
Il tuo volto apparia, che travagliosa
Era mia vita: ed è, nè cangia stile,
O mia diletta luna. E pur mi giova   10
La ricordanza, e il noverar l'etate
Del mio dolore. Oh come grato occorre

Composto forse nel 1819, apparve per la prima volta nel "Nuovo Ricoglitore"
milanese con il titolo *La ricordanza*, poi nell'edizione bolognese dei *Versi*
(1826) e, con il titolo attuale, nelle edizioni Piatti e Starita.
Metro: endecasillabi sciolti.

---

1. *O graziosa luna*: cfr. Ossian, *Canti di Selma*, nella traduzione di Cesarotti, v.
1: "O graziosa stella".
2. *or volge l'anno*: un anno fa; cfr. Petrarca, *Rime*, LXII, v. 9: "or volge, Signor
mio, l'undecimo anno".
9. *cangia stile*: cfr. Petrarca, *Trionfo della morte*, I, v. 135: "come Fortuna va
cangiando stile"; e *Rime*, LXVII, v. 12: "Piacemi almen d'aver cangiato
stile".
10-11. *E pur... ricordanza*: cfr. Petrarca, *ivi*, CXIX, v. 24: "e 'l rimembrar mi
giova".
11. *noverar l'etate*: rievocare gli anni trascorsi.
12-15. *come grato... cose*: lo stesso concetto ricorre in Ossian, *L'incendio di
Tura*, vv. 607-8: "Gioconda è sempre/ la rimembranza benché al pianto

Nel tempo giovanil, quando ancor lungo
La speme e breve ha la memoria il corso,
Il rimembrar delle passate cose,   15
Ancor che triste, e che l'affanno duri!

invogli" (traduzione di M. Leoni); *La morte di Cucullino*, vv. 142-43: "A
rimembranza di passate gioie ch'a un tempo all'alma è dilettosa e triste"
(versione di Cesarotti); cfr. anche il passo della *Retorica* di Aristotele, che
Leopardi incluse nella *Crestomazia della prosa* con il titolo *Costume dei giovani*:
"vivono per la più parte con la speranza; perchè *lo sperare è dell'avvenire, e lo
ricordarsi del passato*; ma i giovini, *dell'avvenire hanno assai, e del passato poco*"
(riduzione di Caro).
13-14. Versi aggiunti a mano da Leopardi in margine a una copia dell'edizione
Starita (Napoli, 1835); riportati da Ranieri nell'edizione postuma dei *Canti*
(Firenze, 1845).
16. *triste*: tristi (plurale di "trista").

XV
Il sogno

Era il mattino, e tra le chiuse imposte
Per lo balcone insinuava il sole
Nella mia cieca stanza il primo albore;
Quando in sul tempo che più leve il sonno
E più soave le pupille adombra,   5
Stettemi allato e riguardommi in viso
Il simulacro di colei che amore
Prima insegnommi, e poi lasciommi in pianto.
Morta non mi parea, ma trista, e quale
Degl'infelici è la sembianza. Al capo   10
Appressommi la destra, e sospirando,
Vivi, mi disse, e ricordanza alcuna

Apparve per la prima volta il 13 agosto 1825 nel "Caffè di Petronio" di Bologna
e fu composto probabilmente tra il 1819 e il 1821.
Metro: endecasillabi sciolti.

1. *tra le chiuse imposte*: cfr. *Zibaldone*, 20 Settembre 1821, [1744]: "Da quella
parte della mia teoria del piacere dove si mostra come degli oggetti veduti per
metà, o con certi impedimenti ec. ci destino idee *indefinite*, si spiega perchè
piaccia la luce del sole o della luna, veduta in luogo dov'essi non si vedano e
non si scopra la sorgente della luce; un luogo solamente in parte illuminato da
essa luce; il riflesso di detta luce, e i vari effetti materiali che ne derivano; il
penetrare di detta luce in luoghi dov'ella divenga incerta e impedita, e non
bene si distingua, come attraverso un canneto, in una selva, per li balconi
socchiusi ec.".
2. *lo balcone*: la finestra.
3. *cieca*: buia.
7. *Il simulacro*: l'ombra.
7-8. *colei... insegnommi*: cfr. Petrarca, *Rime*, CXL, v. 5: "Quella ch'amare e
sofferir ne 'nsegna".

118

Serbi di noi? Donde, risposi, e come
Vieni, o cara beltà? Quanto, deh quanto
Di te mi dolse e duol: nè mi credea   15
Che risaper tu lo dovessi: e questo
Facea più sconsolato il dolor mio.
Ma sei tu per lasciarmi un'altra volta?
Io n'ho gran tema. Or dimmi, e che t'avvenne?
Sei tu quella di prima? E che ti strugge   20
Internamente? Obblivione ingombra
I tuoi pensieri, e gli avviluppa il sonno;
Disse colei. Son morta, e mi vedesti
L'ultima volta, or son più lune. Immensa
Doglia m'oppresse a queste voci il petto.   25
Ella seguì: nel fior degli anni estinta,
Quand'è il viver più dolce, e pria che il core
Certo si renda com'è tutta indarno
L'umana speme. A desiar colei
Che d'ogni affanno il tragge, ha poco andare   30
L'egro mortal; ma sconsolata arriva
La morte ai giovanetti, e duro è il fato
Di quella speme che sotterra è spenta.
Vano è saper quel che natura asconde
Agl'inesperti della vita, e molto   35
All'immatura sapienza il cieco
Dolor prevale. Oh sfortunata, oh cara,
Taci, taci, diss'io, che tu mi schianti
Con questi detti il cor. Dunque sei morta,
O mia diletta, ed io son vivo, ed era   40
Pur fisso in ciel che quei sudori estremi
Cotesta cara e tenerella salma

13-14. *Donde... beltà?*: cfr. Petrarca, *Rime*, CCCLIX, v. 6: "Onde vien tu ora, o felice alma?".
25. *voci*: parole.
29. *colei*: la morte.
30. *ha poco andare*: cfr. Petrarca, *Rime*, LXXVI, v. 14: "questi avea poco andare ad esser morto".
31. *sconsolata*: senza consolazione.

Provar dovesse, a me restasse intera
Questa misera spoglia? Oh quante volte
In ripensar che più non vivi, e mai   45
Non avverrà ch'io ti ritrovi al mondo,
Creder nol posso. Ahi ahi, che cosa è questa
Che morte s'addimanda? Oggi per prova
Intenderlo potessi, e il capo inerme
Agli atroci del fato odii sottrarre.   50
Giovane son, ma si consuma e perde
La giovanezza mia come vecchiezza;
La qual pavento, e pur m'è lunge assai.
Ma poco da vecchiezza si discorda
Il fior dell'età mia. Nascemmo al pianto,   55
Disse, ambedue; felicità non rise
Al viver nostro; e dilettossi il cielo
De' nostri affanni. Or se di pianto il ciglio,
Soggiunsi, e di pallor velato il viso
Per la tua dipartita, e se d'angoscia   60
Porto gravido il cor; dimmi: d'amore
Favilla alcuna, o di pietà, giammai
Verso il misero amante il cor t'assalse
Mentre vivesti? Io disperando allora
E sperando traea le notti e i giorni;   65

48. *s'addimanda*: si chiama.
51-52. *si consuma... vecchiezza*: cfr. lettera al Brighenti, 21 aprile 1820: "In 21
anno, avendo cominciato a pensare e soffrire da fanciullo, ho compito il corso
delle disgrazie di una lunga vita, e sono moralmente vecchio, anzi decrepito,
perchè fino il sentimento e l'entusiasmo ch'era il compagno e l'alimento della
mia vita, è dileguato per me in un modo che mi raccapriccia"; e al Perticari, 30
marzo 1821: "La fortuna ha condannato la mia vita a mancare di gioventù:
perchè dalla fanciullezza io sono passato alla vecchiezza di salto, anzi alla
decrepitezza sì del corpo come dell'animo".
58. *se*: se è vero che.
61-64. *dimmi... vivesti?*: cfr. Petrarca, *Trionfo della morte*, II, vv. 76-84: "'Deh
madonna', diss'io 'per quella fede/ che vi fu, credo, al tempo manifesta,/ or più
nel volto di chi tutto vede,/ creovi Amor pensier mai nella testa/ d'aver pietà
del mio lungo martire,/ non lasciando vostra alta impresa onesta?/ che' vostri
dolci sdegni e le dolci ire,/ le dolci paci ne' belli occhi scritte,/ tenner molti anni
in dubbio il mio desire'".

Oggi nel vano dubitar si stanca
La mente mia. Che se una volta sola
Dolor ti strinse di mia negra vita,
Non mel celar, ti prego, e mi soccorra
La rimembranza or che il futuro è tolto   70
Ai nostri giorni. E quella: ti conforta,
O sventurato. Io di pietade avara
Non ti fui mentre vissi, ed or non sono,
Che fui misera anch'io. Non far querela
Di questa infelicissima fanciulla.   75
Per le sventure nostre, e per l'amore
Che mi strugge, esclamai; per lo diletto
Nome di giovanezza e la perduta
Speme dei nostri dì, concedi, o cara,
Che la tua destra io tocchi. Ed ella, in atto   80
Soave e tristo, la porgeva. Or mentre
Di baci la ricopro, e d'affannosa
Dolcezza palpitando all'anelante
Seno la stringo, di sudore il volto
Ferveva e il petto, nelle fauci stava   85
La voce, al guardo traballava il giorno.
Quando colei teneramente affissi
Gli occhi negli occhi miei, già scordi, o caro,
Disse, che di beltà son fatta ignuda?
E tu d'amore, o sfortunato, indarno   90
Ti scaldi e fremi. Or finalmente addio.

---

68. *negra*: tetra.
81-84. *Or mentre... stringo*: cfr. Monti, *Pensieri d'amore*, II, vv. 6-10: "e nel silenzio della notte/ la cerco [...] e parmi di sederle al fianco,/ e stretta al seno la sua man tenermi,/ ricoprirla di baci, e contro gli occhi/ premerla e contro le mie calde gote".
85-86. *nelle fauci... voce*: cfr. Virgilio, *Eneide*, II, v. 774: "vox faucibus haesit", e la traduzione di Leopardi: "stette/ nelle fauci la voce"; cfr. anche i *Pensieri d'amore* del Monti, VII, vv. 7-9: "Innanzi al ciglio/ una nube si stende: entro la gola/ van soffocate le parole".
89. *di beltà... ignuda*: cfr. Petrarca, *Rime*, CCCLIX, v. 60: "spirito ignudo sono".
91. *Or finalmente addio*: cfr. Virgilio, *Eneide*, II, v. 789: "jamque vale", tradotto "or finalmente addio" da Leopardi.

Nostre misere menti e nostre salme
Son disgiunte in eterno. A me non vivi
E mai più non vivrai: già ruppe il fato
La fe che mi giurasti. Allor d'angoscia   95
Gridar volendo, e spasimando, e pregne
Di sconsolato pianto le pupille,
Dal sonno mi disciolsi. Ella negli occhi
Pur mi restava, e nell'incerto raggio
Del Sol vederla io mi credeva ancora.   100

93. *A me*: per me.

XVI
La vita solitaria

La mattutina pioggia, allor che l'ale
Battendo esulta nella chiusa stanza
La gallinella, ed al balcon s'affaccia
L'abitator de' campi, e il Sol che nasce
I suoi tremuli rai fra le cadenti   5
Stille saetta, alla capanna mia
Dolcemente picchiando, mi risveglia;
E sorgo, e i lievi nugoletti, e il primo
Degli augelli susurro, e l'aura fresca,
E le ridenti piagge benedico: 10
Poichè voi, cittadine infauste mura,
Vidi e conobbi assai, là dove segue
Odio al dolor compagno; e doloroso
Io vivo, e tal morrò, deh tosto! Alcuna
Benchè scarsa pietà pur mi dimostra   15
Natura in questi lochi, un giorno oh quanto

Scritto fra estate e autunno del 1821, fu stampato dapprima nel "Nuovo Ricoglitore" milanese (1826), poi nell'edizione bolognese dei *Versi*. *Metro:* endecasillabi sciolti.

---

2. *esulta*: saltella. – *chiusa stanza*: il pollaio.
6. *saetta*: cfr. Dante, *Purgatorio*, II, vv. 55-57: "Da tutte parti saettava il giorno/ lo sol, ch'avea con le saette conte/ di mezzo il ciel cacciato Capricorno". – *capanna*: casa di campagna (è la villa a San Leopardo dove la famiglia del poeta trascorreva l'estate).
11-12. *cittadine... conobbi assai*: cfr. Fantoni, *La noia della vita*, v. 67: "Conobbi allor le cittadine mura".
16-17. *un giorno... cortese*: cfr. il passo contemporaneo dello *Zibaldone*, 23 Agosto 1821, [1550]: "pur nella solitudine, in mezzo alle delizie della

Verso me più cortese! E tu pur volgi
Dai miseri lo sguardo; e tu, sdegnando
Le sciagure e gli affanni, alla reina
Felicità servi, o natura. In cielo,   20
In terra amico agl'infelici alcuno
E rifugio non resta altro che il ferro.

Talor m'assido in solitaria parte,
Sovra un rialto, al margine d'un lago
Di taciturne piante incoronato.   25
Ivi, quando il meriggio in ciel si volve,
La sua tranquilla imago il Sol dipinge,
Ed erba o foglia non si crolla al vento,
E non onda incresparsi, e non cicala
Strider, nè batter penna augello in ramo,   30
Nè farfalla ronzar, nè voce o moto
Da presso nè da lunge odi nè vedi.
Tien quelle rive altissima quiete;
Ond'io quasi me stesso e il mondo obblio
Sedendo immoto; e già mi par che sciolte   35
Giaccian le membra mie, nè spirto o senso
Più le commova, e lor quiete antica
Co' silenzi del loco si confonda.

Amore, amore, assai lungi volasti
Dal petto mio, che fu sì caldo un giorno,   40

---

campagna, l'uomo stanco del mondo, dopo un certo tempo, può tornare in
relazione con loro [con la natura e le cose inanimate], benchè assai meno
stretta e costante e sicura; può tornare in qualche modo fanciullo, e rientrare in
amicizia con esseri che non l'hanno offeso, che non hanno altra colpa se non di
essere stati esaminati, e sviscerati troppo minutamente".
19-20. *alla reina... servi*: favorisci gli uomini felici, sovrani del mondo.
22. *il ferro*: il suicidio.
24-25. *al margine... incoronato*: cfr. Orazio, *Odi*, III, 29, vv. 23-24: "caretque/
ripa vagis taciturna ventis".
33. *Tien*: domina.
35. *sciolte*: libere, separate dall'anima (come nella morte).
37. *le commova*: le anime. – *antica*: prolungata.
38. *silenzi*: plurale virgiliano: cfr. *Eneide*, II, v. 255: "amica silentia Lunae".

Anzi rovente. Con sua fredda mano
Lo strinse la sciaura, e in ghiaccio è volto
Nel fior degli anni. Mi sovvien del tempo
Che mi scendesti in seno. Era quel dolce
E irrevocabil tempo, allor che s'apre   45
Al guardo giovanil questa infelice
Scena del mondo, e gli sorride in vista
Di paradiso. Al garzoncello il core
Di vergine speranza e di desio
Balza nel petto; e già s'accinge all'opra   50
Di questa vita come a danza o gioco
Il misero mortal. Ma non sì tosto,
Amor, di te m'accorsi, e il viver mio
Fortuna avea già rotto, ed a questi occhi
Non altro convenia che il pianger sempre.   55
Pur se talvolta per le piagge apriche,
Su la tacita aurora o quando al sole
Brillano i tetti e i poggi e le campagne,
Scontro di vaga donzelletta il viso;
O qualor nella placida quiete   60
D'estiva notte, il vagabondo passo
Di rincontro alle ville soffermando,
L'erma terra contemplo, e di fanciulla
Che all'opre di sua man la notte aggiunge
Odo sonar nelle romite stanze   65
L'arguto canto; a palpitar si move
Questo mio cor di sasso: ahi, ma ritorna
Tosto al ferreo sopor; ch'è fatto estrano

41-42. *Con sua... strinse:* cfr. Ariosto, *Orlando furioso*, XXIII, 111, v. 6:
"stringersi il cor sentia con fredda mano".
47. *in vista*: con l'apparenza.
56. *piagge apriche*: campagne assolate.
62. *ville*: casolari in campagna.
63-66. *di fanciulla... canto*: contaminazione di due passi dell'*Eneide*: VII, vv.
11-14 ("inaccesso ubi Solis filia lucos/ adsiduo resonat cantu tectisque
superbis/ urit odoratam nocturna in lumina cedrum,/ arguto tenuis percurrens
pectine telas"); e VIII, v. 411 ("noctem addens operi").
68. *al ferreo sopor*: al mortale torpore.

Ogni moto soave al petto mio.

O cara luna, al cui tranquillo raggio   70
Danzan le lepri nelle selve; e duolsi
Alla mattina il cacciator, che trova
L'orme intricate e false, e dai covili
Error vario lo svia; salve, o benigna
Delle notti reina. Infesto scende   75
Il raggio tuo fra macchie e balze o dentro
A deserti edifici, in su l'acciaro
Del pallido ladron ch'a teso orecchio
Il fragor delle rote e de' cavalli
Da lungi osserva o il calpestio de' piedi   80
Su la tacita via; poscia improvviso
Col suon dell'armi e con la rauca voce
E col funereo ceffo il core agghiaccia
Al passegger, cui semivivo e nudo
Lascia in breve tra' sassi. Infesto occorre   85
Per le contrade cittadine il bianco
Tuo lume al drudo vil, che degli alberghi
Va radendo le mura e la secreta
Ombra seguendo, e resta, e si spaura
Delle ardenti lucerne e degli aperti   90
Balconi. Infesto alle malvage menti,
A me sempre benigno il tuo cospetto

71-74. *Danzan... lo svia*: cfr. l'*Elogio degli uccelli*: "delle lepri si dice che la notte, ai tempi della luna, e massime della luna piena, saltano e giuocano insieme, compiacendosi di quel chiaro, secondo che scrive Senofonte"; e l'abbozzo dell'*Erminia*: "Lepri che saltano fuor dei loro covili nelle selve ec. e ballano al lume della luna, onde ingannano il cacciatore co' loro vestigi, e i cani".
74. *Error vario*: l'errare qua e là.
79. *Il fragor... cavalli*: cfr. Parini, *Mattino*, vv. 68-70: "col fragor di calde/ precipitose rote e il capelstio/ di volanti corsier".
84. *cui*: che.
87. *drudo vil*: vile adultero; cfr. Parini, *Notte*, vv. 21-23: "sospettoso adultero, che lento/ col cappel su le ciglia e tutto avvolto/ entro al manto se 'n gia con l'armi ascose".
88-89. *la secreta Ombra*: l'ombra che lo nasconde.

126

Sarà per queste piagge, ove non altro
Che lieti colli e spaziosi campi
M'apri alla vista. Ed ancor io soleva,   95
Bench'innocente io fossi, il tuo vezzoso
Raggio accusar negli abitati lochi,
Quand'ei m'offriva al guardo umano, e quando
Scopriva umani aspetti al guardo mio.
Or sempre loderollo, o ch'io ti miri   100
Veleggiar tra le nubi, o che serena
Dominatrice dell'etereo campo,
Questa flebil riguardi umana sede.
Me spesso rivedrai solingo e muto
Errar pe' boschi e per le verdi rive,   105
O seder sovra l'erbe, assai contento
Se core e lena a sospirar m'avanza.

96-97. *il tuo... accusar*: cfr. Petrarca, *Rime*, XXIII, v. 112: "accusando il
fugitivo raggio"; e Foscolo, *Sepolcri*, vv. 84-85: "e l'immonda accusar col
luttüoso/ singulto i rai di che son pie le stelle".
103. *flebil*: piangente, infelice.
106. *assai*: abbastanza.
107. *a sospirar m'avanza*: cfr. Petrarca, *Rime*, CCXCIV, v. 11: "ch'altro che
sospirar nulla m'avanza".

XVII
Consalvo

Presso alla fin di sua dimora in terra,
Giacea Consalvo; disdegnoso un tempo
Del suo destino; or già non più, che a mezzo
Il quinto lustro, gli pendea sul capo
Il sospirato obblio. Qual da gran tempo,   5
Così giacea nel funeral suo giorno
Dai più diletti amici abbandonato:
Ch'amico in terra al lungo andar nessuno
Resta a colui che della terra è schivo.
Pur gli era al fianco, da pietà condotta   10
A consolare il suo deserto stato,
Quella che sola e sempre eragli a mente,
Per divina beltà famosa Elvira;
Conscia del suo poter, conscia che un guardo
Suo lieto, un detto d'alcun dolce asperso,   15
Ben mille volte ripetuto e mille

Scritto forse nella primavera del 1833, fu pubblicato per la prima volta
nell'edizione napoletana dei *Canti* (Starita, 1835).
Metro: endecasillabi sciolti.

2. *Consalvo*: il nome di Consalvo, come quello di Elvira, sono tratti dal poema
di Girolamo Graziani, *Il conquisto di Granata* (1650).
3-4. *a mezzo... lustro*: a ventidue anni e mezzo.
5. *Il sospirato obblio*: la morte.
8. *al lungo andar*: cfr. Petrarca, *Rime*, CIV, vv. 12-14: "Pandolfo mio,
quest'opere son frali/ al lungo andar, ma 'l nostro studio è quello/ che fa per
fama gli uomini immortali".
15. *d'alcun... asperso*: pervaso da una qualche dolcezza.

Nel costante pensier, sostegno e cibo
Esser solea dell'infelice amante:
Benchè nulla d'amor parola udita
Avess'ella da lui. Sempre in quell'alma   20
Era del gran desio stato più forte
Un sovrano timor. Così l'avea
Fatto schiavo e fanciullo il troppo amore.

Ma ruppe alfin la morte il nodo antico
Alla sua lingua. Poichè certi i segni   25
Sentendo di quel dì che l'uom discioglie,
Lei, già mossa a partir, presa per mano,
E quella man bianchissima stringendo,
Disse: tu parti, e l'ora omai ti sforza:
Elvira, addio. Non ti vedrò, ch'io creda,   30
Un'altra volta. Or dunque addio. Ti rendo
Qual maggior grazia mai delle tue cure
Dar possa il labbro mio. Premio daratti
Chi può, se premio ai pii dal ciel si rende.

Impallidia la bella, e il petto anelo   35
Udendo le si fea: che sempre stringe
All'uomo il cor dogliosamente, ancora
Ch'estranio sia, chi si diparte e dice,
Addio per sempre. E contraddir voleva,

22-23. *Così... amore*: cfr. Petrarca, *Rime*, CLXX, v. 11: "così m'ha fatto Amor tremante e fioco!".
24-25. *ruppe... lingua*: cfr. Petrarca, *Rime*, CXIX, vv. 76-77: "Ruppesi intanto di vergogna il nodo/ ch'a la mia lingua era distretto intorno"; e LXXIII, vv. 79-80: "quel nodo/ ch'Amor cerconda a la mia lingua".
29. *ti sforza*: ti costringe a partire; cfr. Petrarca, *Rime*, CCL, v. 11: "e sforzata dal tempo me n'andai".
33-34. *Premio... rende*: cfr. Virgilio, *Eneide*, I, vv. 603-5: "Di tibi, si qua pios respectant numina, si quid/ usquam iustitia est et mens sibi conscia recti,/ praemia digna ferant".
36-39. *che sempre... per sempre*: cfr. *Zibaldone*, [644-46], 11 Febbraio 1821: "Io dunque da fanciullo aveva questo costume. Vedendo partire una persona, quantunque a me indifferentissima, consideravo se era possibile o probabile ch'io la rivedessi mai. Se io giudicava di no, me le poneva intorno a riguardarla,

Dissimulando l'appressar del fato,   40
Al moribondo. Ma il suo dir prevenne
Quegli, e soggiunse: desiata, e molto,
Come sai, ripregata a me discende,
Non temuta, la morte; e lieto apparmi
Questo feral mio dì. Pesami, è vero,   45
Che te perdo per sempre. Oimè per sempre
Parto da te. Mi si divide il core
In questo dir. Più non vedrò quegli occhi,
Nè la tua voce udrò! Dimmi: ma pria
Di lasciarmi in eterno, Elvira, un bacio   50
Non vorrai tu donarmi? un bacio solo
In tutto il viver mio? Grazia ch'ei chiegga
Non si nega a chi muor. Nè già vantarmi
Potrò del dono, io semispento, a cui
Straniera man le labbra oggi fra poco   55
Eternamente chiuderà. Ciò detto
Con un sospiro, all'adorata destra
Le fredde labbra supplicando affisse.

Stette sospesa e pensierosa in atto
La bellissima donna; e fiso il guardo,   60
Di mille vezzi sfavillante, in quello
Tenea dell'infelice, ove l'estrema
Lacrima rilucea. Nè dielle il core
Di sprezzar la dimanda, e il mesto addio

ascoltarla, e simili cose, e la seguiva o cogli occhi o cogli orecchi quanto più
poteva, rivolgendo sempre fra me stesso, e addentrandomi nell'animo, e
sviluppandomi alla mente questo pensiero: *ecco l'ultima volta, non lo vedrò mai
più, o, forse mai più*. E così la morte di qualcuno ch'io conoscessi, e non mi
avesse mai interessato in vita; mi dava una certa pena, non tanto per lui, o
perch'egli m'interessasse allora dopo morte, ma per questa considerazione
ch'io ruminava profondamente: *è partito per sempre – per sempre? sì: tutto è
finito rispetto a lui: non lo vedrò mai più: e nessuna cosa sua avrà più niente di
comune colla mia vita*. E mi poneva a riandare, s'io poteva, l'ultima volta ch'io
l'aveva o veduto, o ascoltato ec. e mi doleva di non avere allora saputo che fosse
l'ultima volta, e di non essermi regolato secondo questo pensiero".
47. *Mi si divide il core*: tra il desiderio di morire e quello di non separarsi da
Elvira.
55. *Straniera*: estranea.

Rinacerbir col niego; anzi la vinse   65
Misericordia dei ben noti ardori.
E quel volto celeste, e quella bocca,
Già tanto desiata, e per molt'anni
Argomento di sogno e di sospiro,
Dolcemente appressando al volto afflitto   70
E scolorato dal mortale affanno,
Più baci e più, tutta benigna e in vista
D'alta pietà, su le convulse labbra
Del trepido, rapito amante impresse.

    Che divenisti allor? quali appariro   75
Vita, morte, sventura agli occhi tuoi,
Fuggitivo Consalvo? Egli la mano,
Ch'ancor tenea, della diletta Elvira
Postasi al cor, che gli ultimi battea
Palpiti della morte e dell'amore,   80
Oh, disse, Elvira, Elvira mia! ben sono
In su la terra ancor; ben quelle labbra
Fur le tue labbra, e la tua mano io stringo!
Ahi vision d'estinto, o sogno, o cosa
Incredibil mi par. Deh quanto, Elvira,   85
Quanto debbo alla morte! Ascoso innanzi
Non ti fu l'amor mio per alcun tempo;
Non a te, non altrui; che non si cela
Vero amore alla terra. Assai palese
Agli atti, al volto sbigottito, agli occhi,   90
Ti fu: ma non ai detti. Ancora e sempre
Muto sarebbe l'infinito affetto
Che governa il cor mio, se non l'avesse
Fatto ardito il morir. Morrò contento

---

65. *Rinacerbir*: inasprire, rendere più doloroso.
67-68. *quella bocca... desiata*: cfr. Dante, *Inferno*, V, vv. 133-34: "Quando leggemmo il desiato riso/ esser baciato da cotanto amante"; e Petrarca, *Trionfo della morte*, II, vv. 10-11: "e quella man già tanto desiata/ a me, parlando e sospirando, porse".
84. *d'estinto*: ultraterrena.

Del mio destino omai, nè più mi dolgo   95
Ch'aprii le luci al dì. Non vissi indarno,
Poscia che quella bocca alla mia bocca
Premer fu dato. Anzi felice estimo
La sorte mia. Due cose belle ha il mondo:
Amore e morte. All'una il ciel mi guida   100
In sul fior dell'età; nell'altro, assai
Fortunato mi tengo. Ah, se una volta,
Solo una volta il lungo amor quieto
E pago avessi tu, fora la terra
Fatta quindi per sempre un paradiso   105
Ai cangiati occhi miei. Fin la vecchiezza,
L'abborrita vecchiezza, avrei sofferto
Con riposato cor: che a sostentarla
Bastato sempre il rimembrar sarebbe
D'un solo istante, e il dir: felice io fui   110
Sovra tutti i felici. Ahi, ma cotanto
Esser beato non consente il cielo
A natura terrena. Amar tant'oltre
Non è dato con gioia. E ben per patto
In poter del carnefice ai flagelli,   115
Alle ruote, alle faci ito volando
Sarei dalle tue braccia; e ben disceso
Nel paventato sempiterno scempio.

O Elvira, Elvira, oh lui felice, oh sovra

105. *quindi*: da allora.
108. *riposato*: tranquillo, appagato.
111-13. *cotanto... terrena*: cfr. la *Storia del genere umano*: "Rarissimamente
[l'Amore] congiunge due cuori insieme, abbracciando l'uno e l'altro a un
medesimo tempo, e inducendo scambievole ardore e desiderio in ambedue;
benchè pregatone con grandissima instanza da tutti coloro che egli occupa: ma
Giove non gli consente di compiacerli, trattone alcuni pochi; perchè la felicità
che nasce da tale beneficio, è di troppo breve intervallo superata dalla
divina".
114-17. *ben per patto... braccia*: in cambio del tuo amore mi sarei sottoposto alla
flagellazione, alla tortura, al fuoco.
118. *Nel paventato... scempio*: nell'inferno.
119-20. *sovra... beato*: forse un richiamo al frammento di Saffo tradotto da

Gl'immortali beato, a cui tu schiuda   120
Il sorriso d'amor! felice appresso
Chi per te sparga con la vita il sangue!
Lice, lice al mortal, non è già sogno
Come stimai gran tempo, ahi lice in terra
Provar felicità. Ciò seppi il giorno   125
Che fiso io ti mirai. Ben per mia morte
Questo m'accadde. E non però quel giorno
Con certo cor giammai, fra tante ambasce,
Quel fiero giorno biasimar sostenni.

    Or tu vivi beata, e il mondo abbella,   130
Elvira mia, col tuo sembiante. Alcuno
Non l'amerà quant'io l'amai. Non nasce
Un altrettale amor. Quanto, deh quanto
Dal misero Consalvo in sì gran tempo
Chiamata fosti, e lamentata, e pianta!   135
Come al nome d'Elvira, in cor gelando,
Impallidir; come tremar son uso
All'amaro calcar della tua soglia,
A quella voce angelica, all'aspetto
Di quella fronte, io ch'al morir non tremo!   140
Ma la lena e la vita or vengon meno
Agli accenti d'amor. Passato è il tempo,
Nè questo dì rimemorar m'è dato.
Elvira, addio. Con la vital favilla
La tua diletta immagine si parte   145
Dal mio cor finalmente. Addio. Se grave
Non ti fu quest'affetto, al mio feretro
Dimani all'annottar manda un sospiro.

    Tacque: nè molto andò, che a lui col suono
Mancò lo spirto; e innanzi sera il primo   150
Suo dì felice gli fuggia dal guardo.

Catullo, *Carmi*, LI, vv. 1-4: "Ille mi par esse deo videtur,/ ille si fas est superare divos,/ qui sedens adversus identidem te/ spectat et audit".

XVIII
Alla sua donna

Cara beltà che amore
Lunge m'inspiri o nascondendo il viso,
Fuor se nel sonno il core
Ombra diva mi scuoti,
O ne' campi ove splenda   5
Più vago il giorno e di natura il riso;
Forse tu l'innocente
Secol beasti che dall'oro ha nome,
Or leve intra la gente
Anima voli? o te la sorte avara   10

Scritta nel settembre del 1823, fu pubblicata per la prima volta nell'edizione bolognese delle *Canzoni* (Nobili, 1824), poi nell'edizione Piatti (1831), dopo *La vita solitaria*.
Metro: canzone con schema diverso per ciascuna strofa. I: aBacdBeFeGG; II: abCBDECFEGG; III: aBCDbDEFEGG; IV: aBcACDEFEGG; V: aBCdCEDFEGG.

2. *nascondendo il viso*: cfr. Petrarca, *Rime*, CXIX, vv. 16-21: "Questa mia donna mi menò molt'anni/ pien di vaghezza giovenile ardendo,/ sì come ora io comprendo,/ sol per aver di me più certa prova,/ mostrandomi pur l'ombra o 'l velo o 'panni/ talor di sé, ma 'l viso nascondendo".
3. *Fuor*: tranne.
4. *Ombra diva*: divino simulacro; nel manoscritto Leopardi annotava: "divina larva, ombra, Celeste. Diva larva, imago".
7-8. *l'innocente... nome*: rendesti beata con la tua presenza (abitasti) l'età d'oro dell'umanità, epoca della fanciullezza e dell'innocenza del genere umano.

Ch'a noi t'asconde, agli avvenir prepara?

Viva mirarti omai
Nulla spene m'avanza;
S'allor non fosse, allor che ignudo e solo
Per novo calle a peregrina stanza   15
Verrà lo spirto mio. Già sul novello
Aprir di mia giornata incerta e bruna,
Te viatrice in questo arido suolo
Io mi pensai. Ma non è cosa in terra
Che ti somigli; e s'anco pari alcuna   20
Ti fosse al volto, agil atti, alla favella,
Saria, così conforme, assai men bella.

Fra cotanto dolore
Quanto all'umana età propose il fato,
Se vera e quale il mio pensier ti pinge,   25
Alcun t'amasse in terra, a lui pur fora
Questo viver beato:
E ben chiaro vegg'io siccome ancora
Seguir loda e virtù qual ne' prim'anni
L'amor tuo mi farebbe. Or non aggiunse   30

11. *agli avvenir*: agli uomini del futuro.
13. *spene*: speme; cfr. Petrarca, *Rime*, XXIII, v. 103: "e questa spene m'aveva
fatto ardito"; la forma più rara "spene" è scelta per evitare la cacofonia con la
parola che segue.
14-15. *ignudo... calle*: cfr. Petrarca, *Rime*, CXXIII, vv. 101-2: "che l'alma
ignuda e sola/ conven ch'arrive a quel dubbioso calle".
15. *peregrina stanza*: nella dimora sconosciuta dell'oltretomba; Leopardi
annota in margine, per *peregrina*: "non usata, disusata, sconosciuta", e cita
Petrarca (*Rime*, LXIX, v. 11: "m'andava sconosciuto e pellegrino").
18. *viatrice*: compagna e guida.
19. *Io mi pensai*: "Tasso, Gerus. 20, st. 20 e 80", annota Leopardi in un foglio
allegato al manoscritto: la citazione giustifica l'uso insolito del verbo "pensare"
come "ritenere", "immaginare"; cfr. infatti *Gerusalemme liberata*, XX, 20, vv.
7-8: "segno/ alcun pensollo di futuro regno"; e 80, vv. 7-8: "o che se 'l creda/
morto del tutto, o 'l pensi agevol preda".
24. *età*: "esistenza" (Sanguineti). – *propose*: prescrisse.
25. *ti pinge*: ti raffigura.
29. *loda*: gloria.

Il ciel nullo conforto ai nostri affanni;
E teco la mortal vita saria
Simile a quella che nel cielo india.

Per le valli, ove suona
Del faticoso agricoltore il canto,   35
Ed io seggo e mi lagno
Del giovanile error che m'abbandona;
E per li poggi, ov'io rimembro e piagno
I perduti desiri, e la perduta
Speme de' giorni miei; di te pensando,   40
A palpitar mi sveglio. E potess'io,
Nel secol tetro e in questo aer nefando,
L'alta specie serbar; che dell'imago,
Poi che del ver m'è tolto, assai m'appago.

Se dell'eterne idee   45
L'una sei tu, cui di sensibil forma
Sdegni l'eterno senno esser vestita,
E fra caduche spoglie
Provar gli affanni di funerea vita;

---

33. *Simile... india*: cfr. Petrarca, *Rime*, LXXIII, vv. 67-68: "Pace tranquilla
senza alcuno affanno,/ simile a quella ch'è nel ciel eterna" (nota a margine di
Leopardi). – *india*: rende beati; cfr. Dante, *Paradiso*, IV, v. 28: "de' Serafin
colui che più s'india".
35. *faticoso*: stanco.
37. *giovanile error*: le illusioni; cfr. Petrarca, *Rime*, I, v. 3: "in sul mio primo
giovenile errore".
43. *specie*: idea.
44. *m'appago*: cfr. Petrarca, *ivi*, CXXIX, v. 37: "che del suo proprio error
l'alma s'appaga"; e CXXV, vv. 64-65: "ma come pò s'appaga/ l'alma dubbiosa
e vaga".
45. *eterne idee*: riferimento alla dottrina platonica delle idee; cfr. Petrarca,
Rime, CLIX, vv. 1-3: "In qual parte del ciel, in quale idea/ era l'essempio onde
natura tolse/ quel bel viso leggiadro".
46. *L'una*: "la nostra lingua usa di preporre l'articolo al pronome *uno*, eziandio
parlando di più soggetti, e non solamente, come sono molti che lo credono,
quando parla di soli due" (*Annotazioni*).
47. *l'eterno senno*: la sapienza divina. – *esser vestita*: riferito a *di sensibil forma*
del verso precedente.
49. *funerea*: mortale.

O s'altra terra ne' superni giri   50
Fra' mondi innumerabili t'accoglie,
E più vaga del Sol prossima stella
T'irraggia, e più benigno etere spiri;
Di qua dove son gli anni infausti e brevi,
Questo d'ignoto amante inno ricevi.   55

50. *ne' superni giri*: cfr. Dante, *Purgatorio*, XXX, v. 93: "dietro a le note de li etterni giri".
52. *prossima*: vicina.
53. *più benigno etere*: contrapposto all'*aer nefando* del v. 42. – *spiri*: respiri.

XIX
Al Conte
Carlo Pepoli

Questo affannoso e travagliato sonno
Che noi vita nomiam, come sopporti,
Pepoli mio? di che speranze il core
Vai sostentando? in che pensieri, in quanto
O gioconde o moleste opre dispensi   5
L'ozio che ti lasciàr gli avi remoti,
Grave retaggio e faticoso? È tutta,
In ogni umano stato, ozio la vita,
Se quell'oprar, quel procurar che a degno
Obbietto non intende, o che all'intento   10
Giunger mai non potria, ben si conviene
Ozioso nomar. La schiera industre
Cui franger glebe o curar piante e greggi
Vede l'alba tranquilla e vede il vespro,
Se oziosa dirai, da che sua vita   15
È per campar la vita, e per se sola
La vita all'uom non ha pregio nessuno,
Dritto e vero dirai. Le notti e i giorni
Tragge in ozio il nocchiero; ozio il perenne

Composto a Bologna nel marzo 1826, pubblicato per la prima volta nell'edizione bolognese dei *Versi* con il titolo *Epistola al Conte Carlo Pepoli*.
Metro: endecasillabi sciolti.

1-2. *Questo... nomiam*: come ha notato Binni, ricorda un verso di Alfieri, *Congiura de' Pazzi*, atto V, 74: "in questa morte che nomiam noi vita".
5. *dispensi*: spendi, impieghi.
13. *franger glebe*: cfr. Tasso, *Gerusalemme liberata*, I, 63, v. 5: "il ferro uso a far solchi, a franger glebe".

Sudar nelle officine, ozio le vegghie   20
Son de' guerrieri e il perigliar nell'armi;
E il mercatante avaro in ozio vive:
Che non a se, non ad altrui, la bella
Felicità, cui solo agogna e cerca
La natura mortal, veruno acquista   25
Per cura o per sudor, vegghia o periglio.
Pure all'aspro desire onde i mortali
Già sempre infin dal dì che il mondo nacque
D'esser beati sospiraro indarno,
Di medicina in loco apparecchiate   30
Nella vita infelice avea natura
Necessità diverse, a cui non senza
Opra e pensier si provvedesse, e pieno,
Poi che lieto non può, corresse il giorno
All'umana famiglia; onde agitato   35
E confuso il desio, men loco avesse
Al travagliarne il cor. Così de' bruti
La progenie infinita, a cui pur solo,
Nè men vano che a noi, vive nel petto
Desio d'esser beati; a quello intenta   40
Che a lor vita è mestier, di noi men tristo
Condur si scopre e men gravoso il tempo,
Nè la lentezza accagionar dell'ore.

20. *vegghie*: veglie.
22. *avaro*: avido.
30-35. *Di medicina... famiglia*: concetto chiaramente espresso nella *Storia del genere umano*, dove Leopardi spiega come Giove, per guarire gli uomini dall'infelicità, risolse di dare ad essi "mille negozi e fatiche", al fine di "divertirli quanto più si potesse dal conversare col proprio animo, o almeno col desiderio di quella loro incognita e vana felicità"; cfr. anche l'appunto dello *Zibaldone* scritto poco dopo questo canto, [418], 13 Luglio 1826: contro l'infelicità esiste "un solo rimedio: la distrazione. Questa consiste nella maggior somma possibile di attività, di azione, che occupi e riempia le sviluppate facoltà e la vita dell'animo. Per tal modo il sentimento della detta tendenza sarà o interrotto, o quasi oscurato, confuso, coperta e soffocata la sua voce, eclissato".
36. *il desio*: il desiderio *D'esser beati*, come è detto al v. 29 e ripetuto al v. 40.
43. *accagionar*: accusare.

Ma noi, che il viver nostro all'altrui mano
Provveder commettiamo, una più grave   45
Necessità, cui provveder non puote
Altri che noi, già senza tedio e pena
Non adempiam: necessitate, io dico,
Di consumar la vita: improba, invitta
Necessità, cui non tesoro accolto,   50
Non di greggi dovizia, o pingui campi,
Non aula puote e non purpureo manto
Sottrar l'umana prole. Or s'altri, a sdegno
I vóti anni prendendo, e la superna
Luce odiando, l'omicida mano,   55
I tardi fati a prevenir condotto,
In se stesso non torce; al duro morso
Della brama insanabile che invano
Felicità richiede, esso da tutti
Lati cercando, mille inefficaci   60
Medicine procaccia, onde quell'una
Cui natura apprestò, mal si compensa.

   Lui delle vesti e delle chiome il culto
E degli atti e dei passi, e i vani studi
Di cocchi e di cavalli, e le frequenti   65
Sale, e le piazze romorose, e gli orti,

44-45. *Ma noi... commettiamo*: cfr. *Zibaldone*, [4075-76], 20 Aprile 1824:
"Quelli che non hanno necessità di provvedere essi medesimi ai propri bisogni,
e però ne lasciano la cura agli altri, non possono per l'ordinario provvedere, o
in guisa alcuna, o solo con grandissima difficoltà, e meno sufficientemente che
gli altri, a un bisogno principalissimo che in ogni modo hanno. Dico quello di
occupare la vita: il quale è maggiore assai di tutti i bisogni particolari ai quali,
occupandola, si provvede; e maggiore eziandio che il bisogno di vivere. Anzi il
vivere, per se stesso, non è bisogno; perchè disgiunto dalla felicità, non è
bene".
54-55. *la superna Luce*: la vita.
56. *I tardi fati*: la morte che tarda a venire.
60-62. *mille... si compensa*: si procura (il soggetto è colui che "non torce l'omicida mano in se stesso", non si uccide, e tuttavia è straziato dal desiderio di felicità)
infinite ma inutili medicine, che mal compensano quell'unica apprestata dalla
natura, cioè la vita attiva (la *medicina* di cui si parla ai vv. 30-35).
66. *orti*: giardini.

Lui giochi e cene e invidiate danze
Tengon la notte e il giorno; a lui dal labbro
Mai non si parte il riso; ahi, ma nel petto,
Nell'imo petto, grave, salda, immota   70
Come colonna adamantina, siede
Noia immortale, incontro a cui non puote
Vigor di giovanezza, e non la crolla
Dolce parola di rosato labbro,
E non lo sguardo tenero, tremante,   75
Di due nere pupille, il caro sguardo,
La più degna del ciel cosa mortale.

    Altri, quasi a fuggir volto la trista
Umana sorte, in cangiar terre e climi
L'età spendendo, e mari e poggi errando,   80
Tutto l'orbe trascorre, ogni confine
Degli spazi che all'uom negl'infiniti
Campi del tutto la natura aperse,
Peregrinando aggiunge. Ahi ahi, s'asside
Su l'alte prue la negra cura, e sotto   85
Ogni clima, ogni ciel, si chiama indarno
Felicità, vive tristezza e regna.

    Havvi chi le crudeli opre di marte
Si elegge a passar l'ore, e nel fraterno
Sangue la man tinge per ozio; ed havvi   90
Chi d'altrui danni si conforta, e pensa
Con far misero altrui far se men tristo,
Sì che nocendo usar procaccia il tempo.

73. *non la crolla*: non la smuove.
80. *errando*: percorrendo desolatamente e vanamente.
84. *aggiunge*: raggiunge.
85. *la negra cura*: la noia; personificata da Orazio, *Odi*, II, 16, vv. 21-22, e III, 1, vv. 37-40.
89-90. *nel fraterno... per ozio*: cfr. Virgilio, *Georgiche*, II, v. 510: "gaudent perfusi sanguine fratrum"; "per ozio" sostituisce *gaudent* in osservanza alla tesi centrale del canto, per cui ogni attività umana (inclusa la guerra) è destinata a distogliere l'uomo dall'infelicità e dalla noia.

E chi virtute o sapienza ed arti
Perseguitando; e chi la propria gente   95
Conculcando e l'estrane, o di remoti
Lidi turbando la quiete antica
Col mercatar, con l'armi, e con le frodi,
La destinata sua vita consuma.

Te più mite desio, cura più dolce   100
Regge nel fior di gioventù, nel bello
April degli anni, altrui giocondo e primo
Dono del ciel, ma grave, amaro, infesto
A chi patria non ha. Te punge e move
Studio de' carmi e di ritrar parlando   105
Il bel che raro e scarso e fuggitivo
Appar nel mondo, e quel che più benigna
Di natura e del ciel, fecondamente
A noi la vaga fantasia produce
E il nostro proprio error. Ben mille volte   110
Fortunato colui che la caduca
Virtù del caro immaginar non perde
Per volger d'anni; a cui serbare eterna
La gioventù del cor diedero i fati;
Che nella ferma e nella stanca etade,   115
Così come solea nell'età verde,
In suo chiuso pensier natura abbella,
Morte, deserto avviva. A te conceda
Tanta ventura il ciel; ti faccia un tempo
La favilla che il petto oggi ti scalda,   120
Di poesia canuto amante. Io tutti

94-95. *E chi... perseguitando*: allusione ai tiranni, che avversano il progresso e contrastano la libertà della scienza e delle arti.
96-97. *di remoti... antica*: è il concetto espresso negli ultimi versi dell'*Inno ai Patriarchi*.
102. *altrui*: per alcuni (contrapposto a *chi patria non ha* del v. 104).
117. *natura abbella*: abbellisce la natura.
118. *Morte... avviva*: ridà vita alla realtà, che è solo morte e desolazione.
119. *un tempo*: anche in futuro.

Della prima stagione i dolci inganni
Mancar già sento, e dileguar dagli occhi
Le dilettose immagini, che tanto
Amai, che sempre infino all'ora estrema   125
Mi fieno, a ricordar, bramate e piante.
Or quando al tutto irrigidito e freddo
Questo petto sarà, nè degli aprichi
Campi il sereno e solitario riso,
Nè degli augelli mattutini il canto   130
Di primavera, nè per colli e piagge
Sotto limpido ciel tacita luna
Commoverammi il cor; quando mi fia
Ogni beltate o di natura o d'arte,
Fatta inanime e muta; ogni alto senso,   135
Ogni tenero affetto, ignoto e strano;
Del mio solo conforto allor mendico,
Altri studi men dolci, in ch'io riponga
L'ingrato avanzo della ferrea vita,
Eleggerò. L'acerbo vero, i ciechi   140
Destini investigar delle mortali
E dell'eterne cose; a che prodotta,
A che d'affanni e di miserie carca
L'umana stirpe; a quale ultimo intento
Lei spinga il fato e la natura; a cui   145
Tanto nostro dolor diletti o giovi:
Con quali ordini e leggi a che si volva

126. *Mi fieno... piante*: saranno per me, nel ricordo, desiderate e rimpiante.
138. *Altri... men dolci*: dal 1825, venutagli meno l'ispirazione poetica (come spiega qui ai vv. 122-26: *i dolci inganni Mancar già sento, e dileguar dagli occhi...*), Leopardi progettava di dedicarsi alla filosofia, e metteva a punto un "disegno" di opere (precisato nei *Disegni letterari* del 1829) che comprendeva, tra l'altro, un grande trattato sulla natura degli uomini e delle cose ("Conterrebbe la mia metafisica, o filosofia trascendente, ma intelligibile a tutti. Dovrebbe essere l'opera della mia vita"), un saggio "delle passioni e dei sentimenti", un manuale di filosofia pratica, vari scritti di argomento etico-morale, e un'"arte di essere infelice" ("Quella di esser felice, è cosa rancida; insegnata da mille, conosciuta da tutti, praticata da pochissimi, e da nessuno poi con effetto"); le domande teoriche che animavano tale speculazione sono precisate nei versi seguenti (140-49).

Questo arcano universo; il qual di lode
Colmano i saggi, io d'ammirar son pago.

   In questo specolar gli ozi traendo   150
Verrò: che conosciuto, ancor che tristo,
Ha suoi diletti il vero. E se del vero
Ragionando talor, fieno alle genti
O mal grati i miei detti o non intesi,
Non mi dorrò, che già del tutto il vago   155
Desio di gloria antico in me fia spento:
Vana Diva non pur, ma di fortuna
E del fato e d'amor, Diva più cieca.

---

149. *d'ammirar*: di contemplare, ma anche, ironicamente, ammirare per la sua assoluta "pravità e deformità" (come scriverà nello *Zibaldone*, [4258], all'incirca un anno dopo la stesura di questo canto).
150. *specolar*: riflettere, meditare.
157. *Vana Diva*: inutile divinità (si riferisce alla gloria).
157-58. *di fortuna... più cieca*: ancora più ingiusta di altre divinità, che con me furono particolarmente avare di grazie e doni: la buona sorte, il destino, l'amore.

XX
Il risorgimento

Credei ch'al tutto fossero
In me, sul fior degli anni,
Mancati i dolci affanni
Della mia prima età:
    I dolci affanni, i teneri   5
Moti del cor profondo,
Qualunque cosa al mondo
Grato il sentir ci fa.

Quante querele e lacrime
Sparsi nel novo stato,   10
Quando al mio cor gelato
Prima il dolor mancò!
    Mancàr gli usati palpiti,
L'amor mi venne meno,

Scritto a Pisa dal 7 al 13 aprile del 1828 e pubblicato per la prima volta nell'edizione fiorentina dei *Canti* (Piatti, 1831).
Metro: strofe di otto settenari, di cui il primo e il quinto sdruccioli, il quarto e l'ottavo tronchi e rimati, il secondo in rima con il terzo, il sesto con il settimo.

3. *dolci affanni*: cfr. Petrarca, *Rime*, LXI, vv. 5-6: "benedetto il primo dolce affanno/ ch'i' ebbi ad esser con Amor congiunto".
6. *cor profondo*: cfr. Petrarca, *Rime*, XCIV, vv. 1-2: "Quando giugne per gli occhi al cor profondo/ l'imagin donna".
12. *Prima... mancò*: per la prima volta venne meno la capacità di provare dolore; cfr. *Zibaldone*, [528], 20 Gennaio 1821: "Come i piaceri così anche i dolori sono molto più grandi nello stato primitivo e nella fanciullezza, che nella nostra età e condizione".

E irrigidito il seno   15
Di sospirar cessò!

    Piansi spogliata, esanime
Fatta per me la vita;
La terra inaridita,
Chiusa in eterno gel;   20
    Deserto il dì; la tacita
Notte più sola e bruna;
Spenta per me la luna,
Spente le stelle in ciel.

    Pur di quel pianto origine   25
Era l'antico affetto:
Nell'intimo del petto
Ancor viveva il cor.
    Chiedea l'usate immagini
La stanca fantasia;   30
E la tristezza mia
Era dolore ancor.

    Fra poco in me quell'ultimo
Dolore anco fu spento,
E di più far lamento   35
Valor non mi restò.
    Giacqui: insensato, attonito,
Non dimandai conforto:
Quasi perduto e morto,
Il cor s'abbandonò.   40

    Qual fui! quanto dissimile
Da quel che tanto ardore,

---

17. *spogliata, esanime*: priva di bellezza e di vigore.
22. *Notte più sola*: cfr. Virgilio, *Eneide*, VI, v. 268: "sola sub nocte".
33. *Fra poco*: poco dopo.
36. *Valor*: forza.

Che sì beato errore
Nutrii nell'alma un dì!
   La rondinella vigile,   45
Alle finestre intorno
Cantando al novo giorno,
Il cor non mi ferì:

   Non all'autunno pallido
In solitaria villa,   50
La vespertina squilla,
Il fuggitivo Sol.
   Invan brillare il vespero
Vidi per muto calle,
Invan sonò la valle   55
Del flebile usignol.

   E voi, pupille tenere,
Sguardi furtivi, erranti,
Voi de' gentili amanti
Primo, immortale amor,   60
   Ed alla mano offertami
Candida ignuda mano,
Foste voi pure invano
Al duro mio sopor.

   D'ogni dolcezza vedovo,   65
Tristo; ma non turbato,
Ma placido il mio stato,
Il volto era seren.
   Desiderato il termine
Avrei del viver mio;   70

---

57. *pupille tenere*: è lo sguardo della donna suscitatrice d'amore, come nei vv. 75-76 di *Al Conte Carlo Pepoli*, e qui, più avanti, ai vv. 133 e segg.
62. *ignuda mano*: cfr. Petrarca, *Rime*, CC, v. 1: "Non pur quell'una bella ignuda mano".
63. *Foste... invano:* traduzione di *frustra esse*: essere inutili, non avere effetto.

Ma spento era il desio
Nello spossato sen.

   Qual dell'età decrepita
L'avanzo ignudo e vile,
Io conducea l'aprile   75
Degli anni miei così:
     Così quegl'ineffabili
Giorni, o mio cor, traevi,
Che sì fugaci e brevi
Il cielo a noi sortì.   80

   Chi dalla grave, immemore
Quiete or mi ridesta?
Che virtù nova è questa,
Questa che sento in me?
     Moti soavi, immagini,   85
Palpiti, error beato,
Per sempre a voi negato
Questo mio cor non è?

   Siete pur voi quell'unica
Luce de' giorni miei?   90
Gli affetti ch'io perdei
Nella novella età?
     Se al ciel, s'ai verdi margini,
Ovunque il guardo mira,
Tutto un dolor mi spira,   95
Tutto un piacer mi dà.

74. *L'avanzo*: il residuo.
77-78. *quegl'ineffabili Giorni*: i giorni della giovinezza, che nelle *Ricordanze* dirà *inenarrabili* (v. 121).
80. *sortì*: diede in sorte.
83. *virtù*: vigore.
94. *Ovunque... mira*: cfr. Metastasio, *La Passione di Gesù Cristo*, II, v. 95: "dovunque il guardo giro".
95. *spira*: ispira.

Meco ritorna a vivere
La piaggia, il bosco, il monte;
Parla al mio core il fonte,
Meco favella il mar.   100

Chi ridona il piangere
Dopo cotanto obblio?
E come al guardo mio
Cangiato il mondo appar?

Forse la sperme, o povero   105
Mio cor, ti volse un riso?
Ahi della sperme il viso
Io non vedrò mai più.

Proprii mi diede i palpiti,
Natura, e i dolci inganni.   110
Sopiro in me gli affanni
L'ingenita virtù;

Non l'annullàr: non vinsela
Il fato e la sventura;
Non con la vista impura   115
L'infausta verità.

Dalle mie vaghe immagini
So ben ch'ella discorda:
So che natura è sorda,
Che miserar non sa.   120

105-6. *o povero Mio cor*: espressione frequente nel Metastasio (per esempio, nella *Nitteti*, atto II, sc. 1: "Povero cor, tu palpiti;/ né a torto in questo dì/ tu palpiti così,/ povero core!"), ma di antica e diffusa tradizione (Omero, Petrarca).

106. *volse un riso*: sorrise.

109. *Proprii*: caratteristici, costitutivi della mia natura.

112. *L'ingenita virtù*: cioè i *palpiti* e gli *inganni* dei vv. 109-10; nel manoscritto, infatti: "l'innata mia virtù", "virtù del caro immaginar".

113. *l'annullàr*: l'annullarono (il soggetto è *gli affanni* del v. 111).

115. *la vista impura*: il "turpe aspetto" (Sanguineti) della Verità; cfr. la personificazione della Verità nella *Storia del genere umano*.

120. *miserar*: compatire, provare pietà.

Che non del ben sollecita
Fu, ma dell'esser solo:
Purchè ci serbi al duolo,
Or d'altro a lei non cal.
So che pietà fra gli uomini   125
Il misero non trova;
Che lui, fuggendo, a prova
Schernisce ogni mortal.

Che ignora il tristo secolo
Gl'ingegni e le virtudi;   130
Che manca ai degni studi
L'ignuda gloria ancor.
E voi, pupille tremule,
Voi, raggio sovrumano,
So che splendete invano,   135
Che in voi non brilla amor.

Nessuno ignoto ed intimo
Affetto in voi non brilla:
Non chiude una favilla
Quel bianco petto in se.   140
Anzi d'altrui le tenere
Cure suol porre in gioco;
E d'un celeste foco
Disprezzo è la mercè.

Pur sento in me rivivere   145
Gl'inganni aperti e noti;

127. *a prova*: a gara.
132. *L'ignuda... ancor*: anche la pura e semplice gloria; *ignuda*, secondo
Sanguineti, che "non dà concreti vantaggi".
137. *ignoto ed intimo*: segreto e profondo.
141. *d'altrui*: degli altri, gli innamorati.
143. *celeste foco*: sublime, puro amore.
144. *la mercè*: la ricompensa.
146. *aperti*: svelati.

E de' suoi proprii moti
Si maraviglia il sen.
    Da te, mio cor, quest'ultimo
Spirto, e l'ardor natio,   150
Ogni conforto mio
Solo da te mi vien.

    Mancano, il sento, all'anima
Alta, gentile e pura,
La sorte, la natura,   155
Il mondo e la beltà.
    Ma se tu vivi, o misero,
Se non concedi al fato,
Non chiamerò spietato
Chi lo spirar mi dà.   160

---

158. *Se... fato*: "se resisti al destino" (Fubini); traduzione del latino *concedere fato*.
160. *Chi... mi dà*: "Ma perir mi *dà* il Ciel per questa luce. Petr." (nota a margine di Leopardi). – *lo spirar*: la vita.

XXI

A Silvia

Silvia, rimembri ancora
Quel tempo della tua vita mortale,
Quando beltà splendea
Negli occhi tuoi ridenti e fuggitivi,
E tu, lieta e pensosa, il limitare   5
Di gioventù salivi?

Sonavan le quiete
Stanze, e le vie dintorno,
Al tuo perpetuo canto,
Allor che all'opre femminili intenta   10
Sedevi, assai contenta
Di quel vago avvenir che in mente avevi.

Scritto a Pisa tra il 19 e il 20 aprile del 1828. Stampato per la prima volta
nell'edizione fiorentina dei *Canti* (Piatti, 1831).
Metro: strofe libere di endecasillabi e settenari.

---

1. *Silvia:* forse Teresa Fattorini, figlia del cocchiere di casa Leopardi, di cui
abbiamo notizia nei *Ricordi d'infanzia e di adolescenza:* morì di tisi il 30
settembre del 1818; Silvia si chiamava fra l'altro la protagonista dell'*Aminta* del
Tasso.
5. *lieta e pensosa:* cfr. Tasso, *Incontra Amor:* "Incontra Amor già crebbe/
questa nobil Vittoria in umil cella;/ lieta e pensosa vinse/ pensier vani ed
affetti/ e desiri e diletti" (vv. 1-5).
7-11. *Sonavan... Sedevi:* evoca il passo virgiliano sul canto di Circe, già citato
nella nota ai vv. 63-66 della *Vita solitaria;* passo richiamato frequentemente da
Leopardi perché (come dichiara nel *Discorso di un italiano intorno alla poesia
romantica*) "pregno di fanciullesco mirabile".

Era il maggio odoroso: e tu solevi
Così menare il giorno.

Io gli studi leggiadri   15
Talor lasciando e le sudate carte,
Ove il tempo mio primo
E di me si spendea la miglior parte,
D'in su i veroni del paterno ostello
Porgea gli orecchi al suon della tua voce,   20
Ed alla man veloce
Che percorrea la faticosa tela.
Mirava il ciel sereno,
Le vie dorate e gli orti,
E quinci il mar da lungi, e quindi il monte.   25
Lingua mortal non dice
Quel ch'io sentiva in seno.

Che pensieri soavi,
Che speranze, che cori, o Silvia mia!
Quale allor ci apparia   30
La vita umana e il fato!
Quando sovviemmi di cotanta speme,
Un affetto mi preme
Acerbo e sconsolato,
E tornami a doler di mia sventura.   35

14. *menare*: trascorrere.
15-16. *gli studi... carte*: alcuni commentatori interpretano: la poesia (*studi leggiadri*) e gli studi filologici (*sudate carte*); le variazioni successive del testo non permettono però di adottare senz'altro questa soluzione: nella prima versione, "studi miei dolci" (con variazione a margine "lunghi") e "dilette carte"; dunque nell'edizione definitiva gli studi divengono da "dolci" e "lunghi" "leggiadri", e le carte da "dilette" "sudate": è evidente che Leopardi intende riferirsi alla poesia e al lavoro filologico, ma non è chiaro con quali termini denoti rispettivamente l'una e l'altro; con tutta probabilità non si tratta di una semplice indecisione formale, ma di un problema più ampio, che va progressivamente maturando nella poetica leopardiana: sull'argomento cfr. Contini, *Implicazioni leopardiane*, "Letteratura", XXXIII, 1947.
19. *D'in su... ostello*: cfr. Monti, *Basvilliana*, I, v. 234: "In su la soglia del deserto ostello".

O natura, o natura,
Perchè non rendi poi
Quel che prometti allor? perchè di tanto
Inganni i figli tuoi?

Tu pria che l'erbe inaridisse il verno,   40
Da chiuso morbo combattuta e vinta,
Perivi, o tenerella. E non vedevi
Il fior degli anni tuoi;
Non ti molceva il core
La dolce lode or delle negre chiome,   45
Or degli sguardi innamorati e schivi;
Nè teco le compagne ai dì festivi
Ragionavan d'amore.

Anche peria fra poco
La speranza mia dolce: agli anni miei   50
Anche negaro i fati
La giovanezza. Ahi come,
Come passata sei,
Cara compagna dell'età mia nova,
Mia lacrimata speme!   55
Questo è quel mondo? questi
I diletti, l'amor, l'opre, gli eventi
Onde cotanto ragionammo insieme?
Questa la sorte dell'umane genti?
All'apparir del vero   60

---

37. *rendi*: dai ciò che è dovuto (latinismo).
41. *chiuso*: segreto; in margine Leopardi annota "occulto". – *combattuta e vinta*: cfr. Petrarca, *Rime*, XXVI, v. 2: "nave da l'onde combattuta e vinta".
44. *molceva*: inteneriva.
46. *innamorati*: con significato attivo: che suscitano amore; cfr. *Zibaldone*, [4140], Settembre 1825: "*Spasimato* per *spasimante*. Crusca. *Entendu* per *intendente. Innamorato* per *che innamora*. Petrarca, Son. *Ma poi che 'l dolce riso*, verso penultimo ["disperse dal bel viso inamorato"], e Canz. *Poi che per mio destino*, stanza 5, verso 9 ["move dal lor inamorato riso"]".
49. *fra poco*: poco dopo, o proprio in quel tempo.
54. *Cara compagna*: "il poeta si rivolge alla speranza, non a Silvia, come sarebbero indotti a credere i lettori, e come alcuni studiosi del L., il Negri e il

Tu, misera, cadesti: e con la mano
La fredda morte ed una tomba ignuda
Mostravi di lontano.

Momigliano, sostengono. Vero è che la speranza si atteggia nella fantasia del poeta come una creatura femminile, come Silvia stessa" (Fubini).
63. *di lontano*: come ultimo esito della vita (la morte, una tomba); oppure, secondo l'interpretazione di Solmi, "dalle lontananze del ricordo".

XXII
Le ricordanze

Vaghe stelle dell'Orsa, io non credea
Tornare ancor per uso a contemplarvi
Sul paterno giardino scintillanti,
E ragionar con voi dalle finestre
Di questo albergo ove abitai fanciullo,   5
E delle gioie mie vidi la fine.
Quante immagini un tempo, e quante fole
Creommi nel pensier l'aspetto vostro
E delle luci a voi compagne! allora
Che, tacito, seduto in verde zolla,   10
Delle sere io solea passar gran parte
Mirando il cielo, ed ascoltando il canto
Della rana rimota alla campagna!

Composto a Recanati tra il 26 agosto e il 12 settembre 1829, fu pubblicato per
la prima volta nell'edizione fiorentina dei *Canti* (Piatti, 1831).
Metro: endecasillabi sciolti.

1. *Vaghe stelle*: cfr. Petrarca, *Rime*, CCLXXXVII, v. 6: "le stelle vaghe e lor
viaggio torto"; nel *Commento* al verso, Leopardi interpreta "vaghe: erranti";
ma qui usa il termine nel senso di "dolci", "belle", in modo non dissimile dal
Monti che nei *Pensieri d'Amore* scrive "Oh vaghe stelle!" (VIII, v. 9), o dal
Tasso che inizia la sua *Corona di madrigali* con il verso: "Vaghe Ninfe del Po,
Ninfe sorelle".
2. *per uso*: come sempre facevo; cfr. Petrarca, *Rime*, CCCI, v. 8: "ov' ancor per
usanza Amor mi mena" (nel *Commento*, Leopardi scrive: "usanza: assuefazione, consuetudine, abito fatto").
7. *fole*: fantasie.
8. *l'aspetto vostro*: la vostra vista, il vedervi.
13. *rimota alla campagna*: lontano, nei campi.

E la lucciola errava appo le siepi
E in su l'aiuole, susurrando al vento   15
I viali odorati, ed i cipressi
Là nella selva; e sotto al patrio tetto
Sonavan voci alterne, e le tranquille
Opre de' servi. E che pensieri immensi,
Che dolci sogni mi spirò la vista   20
Di quel lontano mar, quei monti azzurri,
Che di qua scopro, e che varcare un giorno
Io mi pensava, arcani mondi, arcana
Felicità fingendo al viver mio!
Ignaro del mio fato, e quante volte   25
Questa mia vita dolorosa e nuda
Volentier con la morte avrei cangiato.

    Nè mi diceva il cor che l'età verde
Sarei dannato a consumare in questo
Natio borgo selvaggio, intra una gente   30
Zotica, vil; cui nomi strani, e spesso
Argomento di riso e di trastullo,
Son dottrina e saper; che m'odia e fugge,
Per invidia non già, che non mi tiene
Maggior di se, ma perchè tale estima   35
Ch'io mi tenga in cor mio, sebben di fuori

14. *appo*: presso (latinismo).
15. *susurrando*: mentre sussurravano.
16. *odorati*: participio passato con valore attivo: odorosi.
18. *alterne*: che si alternavano dialogando.
31-33. *cui nomi... saper*: cfr. la lettera a Pietro Giordani, da Recanati, 30 aprile 1817: "Qui, amabilissimo Signore mio, tutto è morte, tutto è insensataggine e stupidità. Si meravigliano i forestieri di questo silenzio, di questo sonno universale. Letteratura è vocabolo inudito. I nomi del Parini dell'Alfieri del Monti, e del Tasso, e dell'Ariosto e di tutti gli altri han bisogno di commento. Non c'è uno che si curi d'essere qualche cosa, non c'è uno a cui il nome d'ignorante paia strano. Se lo danno da loro sinceramente e sanno di dire il vero. Crede Ella che un grande ingegno qui sarebbe apprezzato? Come la gemma nel letamaio".
34. *tiene*: ritiene.
35. *Maggior*: superiore.

A persona giammai non ne fo segno.
Qui passo gli anni, abbandonato, occulto,
Senz'amor, senza vita; ed aspro a forza
Tra lo stuol de' malevoli divengo: 40
Qui di pietà mi spoglio e di virtudi,
E sprezzator degli uomini mi rendo,
Per la greggia ch'ho appresso: e intanto vola
Il caro tempo giovanil; più caro
Che la fama e l'allor, più che la pura   45
Luce del giorno, e lo spirar: ti perdo
Senza un diletto, inutilmente, in questo
Soggiorno disumano, intra gli affanni,
O dell'arida vita unico fiore.

   Viene il vento recando il suon dell'ora   50
Dalla torre del borgo. Era conforto
Questo suon, mi rimembra, alle mie notti,
Quando fanciullo, nella buia stanza,
Per assidui terrori io vigilava,
Sospirando il mattin. Qui non è cosa   55
Ch'io vegga o senta, onde un'immagin dentro
Non torni, e un dolce rimembrar non sorga.
Dolce per se; ma con dolor sottentra
Il pensier del presente, un van desio
Del passato, ancor tristo, e il dire: io fui.   60
Quella loggia colà, volta agli estremi

45-46. *più che... giorno*: cfr. Virgilio, *Eneide*, IV, v. 31: "luce magis dilecta sorori".
46. *lo spirar*: il respirare, cioè il vivere stesso.
51. *torre del borgo*: è la torre nella piazza centrale di Recanati.
51-52. *Era conforto Questo suon*: cfr. *Zibaldone*, [36]: "Sento dal mio letto suonare (battere) l'orologio della torre. Rimembranza di quelle notti estive nelle quali essendo fanciullo e lasciato in letto in camera oscura, chiuse le sole persiane, tra la paura e il coraggio sentiva battere un tale orologio. O pure situazione trasportata alla profondità della notte o al mattino ancora silenzioso e all'età consistente".
60. *il dire: io fui*: cfr. Dante, *Inferno*, XVI, v. 84: "Quando ti gioverà dicere: 'I' fui'".

Raggi del dì; queste dipinte mura,
Quei figurati armenti, e il Sol che nasce
Su romita campagna, agli ozi miei
Porser mille diletti allor che al fianco   65
M'era, parlando, il mio possente errore
Sempre, ov'io fossi. In queste sale antiche,
Al chiaror delle nevi, intorno a queste
Ampie finestre sibilando il vento,
Rimbombaro i sollazzi e le festose   70
Mie voci al tempo che l'acerbo, indegno
Mistero delle cose a noi si mostra
Pien di dolcezza; indelibata, intera
Il garzoncel, come inesperto amante,
La sua vita ingannevole vagheggia,   75
E celeste beltà fingendo ammira.

    O speranze, speranze; ameni inganni
Della mia prima età! sempre, parlando,
Ritorno a voi; che per andar di tempo,
Per variar d'affetti e di pensieri,   80
Obbliarvi non so. Fantasmi, intendo,
Son la gloria e l'onor; diletti e beni
Mero desio; non ha la vita un frutto,
Inutile miseria. E sebben vóti
Son gli anni miei, sebben deserto, oscuro   85
Il mio stato mortal, poco mi toglie
La fortuna, ben veggo. Ahi, ma qualvolta
A voi ripenso, o mie speranze antiche,
Ed a quel caro immaginar mio primo;

62-63. *queste... armenti*: sono gli affreschi di casa Leopardi; cfr. *Discorso di un italiano intorno alla poesia romantica*: "Io mi ricordo d'essermi figurate nella fantasia, guardando alcuni pastori e pecorelle dipinte sul cielo d'una mia stanza, tali bellezze di vita pastorale che se fosse conceduta a noi così fatta vita, questa già non sarebbe terra ma paradiso, e albergo non d'uomini ma d'immortali".
66. *il mio possente errore*: l'immaginazione.
73. *indelibata*: non provata.
83. *un frutto*: un solo frutto.

Indi riguardo il viver mio sì vile   90
E sì dolente, e che la morte è quello
Che di cotanta speme oggi m'avanza;
Sento serrarmi il cor, sento ch'al tutto
Consolarmi non so del mio destino.

E quando pur questa invocata morte   95
Sarammi allato, e sarà giunto il fine
Della sventura mia; quando la terra
Mi fia straniera valle, e dal mio sguardo
Fuggirà l'avvenir; di voi per certo
Risovverrammi; e quell'imago ancora   100
Sospirar mi farà, farammi acerbo
L'esser vissuto indarno, e la dolcezza
Del dì fatal tempererà d'affanno.

E già nel primo giovanil tumulto
Di contenti, d'angosce e di desio,   105
Morte chiamai più volte, e lungamente
Mi sedetti colà su la fontana
Pensoso di cessar dentro quell'acque
La speme e il dolor mio. Poscia, per cieco
Malor, condotto della vita in forse,   110
Piansi la bella giovanezza, e il fiore
De' miei poveri dì, che sì per tempo
Cadeva: e spesso all'ore tarde, assiso
Sul conscio letto, dolorosamente

91-92. *è quello... m'avanza*: cfr. Petrarca, *Rime*, CCLXVIII, v. 32: "questo m'avanza di cotanta spene", e Foscolo, *Un dì*, X, v. 12: "Questo di tanta speme oggi mi resta!".
101. *farammi acerbo*: mi renderà doloroso.
106. *Morte... più volte*: cfr. Petrarca, *Rime*, LXXI, v. 39: "quante volte m'udiste chiamar morte".
107-9. *Mi sedetti... dolor mio*: cfr. *Zibaldone*, [82]: "Io era oltremodo annoiato della vita, sull'orlo della vasca del mio giardino, e guardando l'acqua e curvandomici sopra con un certo fremito, pensava: 'S'io mi gittassi qui dentro [...]'".
109. *cieco*: oscuro.
114. *conscio*: consapevole, testimone; cfr. Virgilio, *Eneide*, IV, vv. 519-20: "conscia fati/ sidera".

Alla fioca lucerna poetando,   115
Lamentai co' silenzi e con la notte
Il fuggitivo spirto, ed a me stesso
In sul languir cantai funereo canto.

    Chi rimembrar vi può senza sospiri,
O primo entrar di giovinezza, o giorni   120
Vezzosi, inenarrabili, allor quando
Al rapito mortal primieramente
Sorridon le donzelle; a gara intorno
Ogni cosa sorride; invidia tace,
Non desta ancora ovver benigna; e quasi   125
(Inusitata maraviglia!) il mondo
La destra soccorrevole gli porge,
Scusa gli errori suoi, festeggia il novo
Suo venir nella vita, ed inchinando
Mostra che per signor l'accolga e chiami?   130
Fugaci giorni! a somigliar d'un lampo
Son dileguati. E qual mortale ignaro
Di sventura esser può, se a lui già scorsa
Quella vaga stagion, se il suo buon tempo,
Se giovanezza, ahi giovanezza, è spenta?   135

    O Nerina! e di te forse non odo
Questi luoghi parlar? caduta forse
Dal mio pensier sei tu? Dove sei gita,

---

117. *Il fuggitivo spirto*: cfr. Monti, *Al principe Sigismondo Chigi*, v. 13: "questo
di vita fuggitivo spirto".
118. *funereo canto*: allusione all'*Appressamento della morte*, composta nel
novembre-dicembre 1816.
132-35. *ignaro... spenta*: cfr. *Zibaldone*, [4287], 23 Luglio 1827: "lo stesso
declinar della gioventù è una sventura per ciascun uomo, la quale tanto più si
sente, quanto uno è d'altronde meno sventurato. Passati i venticinque anni,
ogni uomo è conscio a se stesso di una sventura amarissima: della decadenza
del suo corpo, dell'appassimento del fiore dei giorni suoi, della fuga e della
perdita irrecuperabile della sua cara gioventù"; la stessa idea è ripresa e
sviluppata nei *Pensieri* (XLII).
136. *Nerina*: come Silvia, è una immaginaria figura di fanciulla, forse modellata
su Teresa Fattorini (cfr. la nota al v. 1 di *A Silvia*) o su un'altra amica di

Che qui sola di te la ricordanza
Trovo, dolcezza mia? Più non ti vede   140
Questa Terra natal: quella finestra,
Ond'eri usata favellarmi, ed onde
Mesto riluce delle stelle il raggio,
È deserta. Ove sei, che più non odo
La tua voce sonar, siccome un giorno,   145
Quando soleva ogni lontano accento
Del labbro tuo, ch'a me giungesse, il volto
Scolorarmi? Altro tempo. I giorni tuoi
Furo, mio dolce amor. Passasti. Ad altri
Il passar per la terra oggi è sortito,   150
E l'abitar questi odorati colli.
Ma rapida passasti; e come un sogno
Fu la tua vita. Ivi danzando; in fronte
La gioia ti splendea, splendea negli occhi
Quel confidente immaginar, quel lume   155
Di gioventù, quando spegneali il fato,
E giacevi. Ahi Nerina! In cor mi regna
L'antico amor. Se a feste anco talvolta,
Se a radunanze io movo, infra me stesso
Dico: o Nerina, a radunanze, a feste   160
Tu non ti acconci più, tu più non movi.
Se torna maggio, e ramoscelli e suoni
Van gli amanti recando alle fanciulle,
Dico: Nerina mia, per te non torna
Primavera giammai, non torna amore.   165

infanzia del poeta, anch'essa morta in giovane età, Maria Belardinelli. Il nome, come quello di Silvia, è tratto dall'*Aminta* del Tasso.
148. *Scolorarmi*: cfr. Dante, *Inferno*, V, vv. 130-31: "Per più fiate li occhi ci sospinse/ quella lettura, e scolorocci il viso".
153-54. *Ivi... splendea*: cfr. Pindemonte, *Epistola a Elisabetta Mosconi*, vv. 75-78: "Pel sentier della vita il pie' Clarina/ move danzando: innanzi a lei stan sempre/ alte su l'ali d'or lieti fantasmi/ e tutte innanzi a lei ridon le cose".
162-63. *ramoscelli... fanciulle*: allude alla festa di Calendimaggio, durante la quale un tempo (e ancora oggi in alcuni paesi d'Italia) i giovani erano soliti appendere ramoscelli fioriti sulla porta delle ragazze.
164-65. *per te... giammai*: cfr. Petrarca, *Rime*, IX, v. 14: "primavera per me pur non è mai".

Ogni giorno sereno, ogni fiorita
Piaggia ch'io miro, ogni goder ch'io sento,
Dico: Nerina or più non gode; i campi,
L'aria non mira. Ahi tu passasti, eterno
Sospiro mio: passasti: e fia compagna   170
D'ogni mio vago immaginar, di tutti
I miei teneri sensi, i tristi e cari
Moti del cor, la rimembranza acerba.

XXIII

Canto notturno
di un pastore errante dell'Asia

Che fai tu, luna, in ciel? dimmi, che fai,
Silenziosa luna?
Sorgi la sera, e vai,
Contemplando i deserti; indi ti posi.
Ancor non sei tu paga   5
Di riandare i sempiterni calli?
Ancor non prendi a schivo, ancor sei vaga
Di mirar queste valli?
Somiglia alla tua vita
La vita del pastore.   10
Sorge in sul primo albore
Move la greggia oltre pel campo, e vede
Greggi, fontane ed erbe;
Poi stanco si riposa in su la sera:

Scritto a Recanati tra il 22 ottobre 1829 e il 9 aprile 1830, fu pubblicato per la
prima volta nell'edizione fiorentina dei *Canti* (Piatti, 1931). L'idea di questo
canto fu suggerita a Leopardi dalla lettura del *Voyage d'Orembourg à Boukhara,
fait en 1820*, Parigi, 1826, dove il viaggiatore russo barone di Meyendorff
narrava, tra l'altro, di certi nomadi dell'Asia centrale che improvvisavano canti
contemplando la luna (cfr. *Zibaldone*, [4399-400]).
Metro: strofe libere di endecasillabi e settenari, concluse tutte con una rima in
-ale, e talune provviste di rima al mezzo.

───────────

4. *ti posi*: tramonti.
6. *i sempiterni calli*: le eterne vie del cielo.
7. *schivo*: noia. – *vaga*: desiderosa.
12-13. *Move... erbe*: cfr. Petrarca, *Rime*, L, vv. 33-34: "lassando l'erba e le
fontane e i faggi, / move la schiera sua soavemente".
12. *oltre*: avanti; cfr. Virgilio, *Bucoliche*, I, v. 13: "protinus aeger ago".

Altro mai non ispera. 15
Dimmi, o luna: a che vale
Al pastor la sua vita,
La vostra vita a voi? dimmi: ove tende
Questo vagar mio breve,
Il tuo corso immortale? 20

   Vecchierel bianco, infermo,
Mezzo vestito e scalzo,
Con gravissimo fascio in su le spalle,
Per montagna e per valle,
Per sassi acuti, ed alta rena, e fratte, 25
Al vento, alla tempesta, e quando avvampa
L'ora, e quando poi gela,
Corre via, corre, anela,
Varca torrenti e stagni,
Cade, risorge, e più e più s'affretta, 30
Senza posa o ristoro,
Lacero, sanguinoso; infin ch'arriva
Colà dove la via
E dove il tanto affaticar fu volto:
Abisso orrido, immenso, 35
Ov'ei precipitando, il tutto obblia.
Vergine luna, tale
È la vita mortale.

---

21. e segg. *Vecchierel...*: riprende un passo dello *Zibaldone*, [4162-63], 17
Gennaio 1826: "Che cosa è la vita? il viaggio di un zoppo e infermo che con
gravissimo carico in sul dosso per montagne ertissime e luoghi sommamente
aspri, faticosi e difficili, alla neve, al gelo, alla pioggia, al vento, all'ardore del
sole, cammina senza mai riposarsi dì e notte uno spazio di molte giornate per
arrivare a un cotal precipizio o un fosso, e quivi inevitabilmente cadere". Il v.
21 riecheggia Petrarca, *Rime*, XVI, v. 1: "Movesi il vecchierel canuto e
bianco".
23. *fascio*: qui vale genericamente per "peso", "carico"; cfr. il "gravissimo
carico" del passo dallo *Zibaldone* citato nella nota precedente.
25. *alta*: profonda. – *fratte*: macchie di sterpi e pruni.
30. *e più e più s'affretta*: espressione identica in Petrarca, *Rime*, L, v. 6.
34. *il tanto affaticar*: cfr. Petrarca, *Trionfo della morte*, I, v. 88: "O ciechi, el
tanto affaticar che giova?".
37. *Vergine*: non toccata dal dolore umano.

Nasce l'uomo a fatica,
Ed è rischio di morte il nascimento. 40
Prova pena e tormento
Per prima cosa; e in sul principio stesso
La madre e il genitore
Il prende a consolar dell'esser nato.
Poi che crescendo viene, 45
L'uno e l'altro il sostiene, e via pur sempre
Con atti e con parole
Studiasi fargli core,
E consolarlo dell'umano stato:
Altro ufficio più grato 50
Non si fa da parenti alla lor prole.
Ma perchè dare al sole,
Perchè reggere in vita
Chi poi di quella consolar convenga?
Se la vita è sventura, 55
Perchè da noi si dura?
Intatta luna, tale
È lo stato mortale.
Ma tu mortal non sei,
E forse del mio dir poco ti cale. 60

39-40. *Nasce... nascimento*: cfr. *Zibaldone*, [68], 1819: "Il nascere istesso dell'uomo cioè il cominciamento della sua vita, è un pericolo per la vita, come apparisce dal gran numero di coloro per cui la nascita è cagione di morte, non reggendo al travaglio e ai disagi che il bambino prova nel nascere".

43-44. *La madre... nato*: cfr. *Zibaldone*, [2607], 13 Agosto 1822: "Così tosto come il bambino è nato, convien che la madre che in quel punto lo mette al mondo, lo consoli, accheti il suo pianto, e gli alleggerisca il peso di quell'esistenza che gli dà. E l'uno de' principali uffizi de' buoni genitori nella fanciullezza e nella prima gioventù de' loro figliuoli, si è quello di consolarli, d'incoraggiarli alla vita".

51. *parenti*: genitori (latinismo).

52-54. *perchè... convenga*: cfr. *Zibaldone*, [2607], 13 Agosto 1822: "E in verità conviene che il buon padre e la buona madre studiandosi di racconsolare i loro figliuoli, emendino alla meglio, ed alleggeriscano il danno che loro hanno fatto procreandoli. Per Dio! perchè dunque nasce l'uomo? e perchè genera? per poi racconsolar quelli che ha generati del medesimo essere stati generati?".

56. *si dura*: si sopporta.

57. *Intatta*: ha lo stesso significato di *Vergine* al v. 37.

    Pur tu, solinga, eterna peregrina,
Che sì pensosa sei, tu forse intendi,
Questo viver terreno,
Il patir nostro, il sospirar, che sia;
Che sia questo morir, questo supremo   65
Scolorar del sembiante,
E perir dalla terra, e venir meno
Ad ogni usata, amante compagnia.
E tu certo comprendi
Il perchè delle cose, e vedi il frutto   70
Del mattin, della sera,
Del tacito, infinito andar del tempo.
Tu sai, tu certo, a qual suo dolce amore
Rida la primavera,
A chi giovi l'ardore, e che procacci   75
Il verno co' suoi ghiacci.
Mille cose sai tu, mille discopri,
Che son celate al semplice pastore.
Spesso quand'io ti miro
Star così muta in sul deserto piano,   80
Che, in suo giro lontano, al ciel confina;
Ovver con la mia greggia
Seguirmi viaggiando a mano a mano;
E quando miro in cielo arder le stelle;
Dico fra me pensando: 85
A che tante facelle?
Che fa l'aria infinita, e quel profondo
Infinito seren? che vuol dir questa

66. *Scolorar del sembiante*: impallidire del volto, nella morte.
67. *perir*: scomparire.
75. *l'ardore*: il caldo dell'estate. – *che procacci*: quale scopo e utilità abbia.
81. *in suo giro lontano*: nell'orizzonte.
84-89. *E quando... sono?*: cfr. E. Young (nella versione del Loschi, Venezia
1726), *Notte* IX: "Gli astri nascono e tramontano, né per altro si nascondono
sotto l'orizzonte ché per incominciare da capo i loro errori"; e *Notte* XX: "O
voi stelle, e voi pianeti, e voi che li abitate [...], qual è lo scopo di questo
aggregato di meraviglie?".
87. *Che fa*: a che giova.

Solitudine immensa? ed io che sono?
Così meco ragiono: e della stanza   90
Smisurata e superba,
E dell'innumerabile famiglia;
Poi di tanto adoprar, di tanti moti
D'ogni celeste, ogni terrena cosa,
Girando senza posa,   95
Per tornar sempre là donde son mosse;
Uso alcuno, alcun frutto
Indovinar non so. Ma tu per certo,
Giovinetta immortal, conosci il tutto.
Questo io conosco e sento,   100
Che degli eterni giri,
Che dell'esser mio frale,
Qualche bene o contento
Avrà fors'altri; a me la vita è male.

    O greggia mia che posi, oh te beata,   105
Che la miseria tua, credo, non sai!
Quanta invidia ti porto!
Non sol perchè d'affanno
Quasi libera vai;
Ch'ogni stento, ogni danno,   110
Ogni estremo timor subito scordi;
Ma più perchè giammai tedio non provi.

---

90. *stanza*: l'universo.
92. *dell'innumerabile famiglia*: degli esseri viventi; cfr. Foscolo, *Sepolcri*, v. 5:
"d'erbe famiglia e d'animali".
95. *Girando*: che girano (soggetto sono le cose "celesti" e quelle "terrene").
101. *eterni giri*: cfr. il passo di Dante, *Purgatorio*, XXX, v. 93, già citato nella
nota al v. 50 di *Alla sua donna*; qui l'espressione è ripetuta testualmente.
102. *dell'esser mio frale*: della mia fragile esistenza.
105-6. *te beata... non sai*: cfr. *Zibaldone*, [69], 1819: "*Beati voi se le miserie
vostre/ non sapete*. Detto, per esempio, a qualche animale, alle api ec.".
107. *Quanta invidia ti porto!*: cfr. Petrarca, *Rime*, CCC, v. 1: "Quanta invidia io
ti porto, avara terra".
111. *estremo*: più grande.
112. *giammai tedio non provi*: cfr. *Zibaldone*, [4306], 15 Maggio 1828: "[gli

Quando tu siedi all'ombra, sovra l'erbe,
Tu se' queta e contenta;
E gran parte dell'anno   115
Senza noia consumi in quello stato.
Ed io pur seggo sovra l'erbe, all'ombra,
E un fastidio m'ingombra
La mente, ed uno spron quasi mi punge
Sì che, sedendo, più che mai son lunge   120
Da trovar pace o loco.
E pur nulla non bramo,
E non ho fino a qui cagion di pianto.
Quel che tu goda o quanto,
Non so già dir; ma fortunata sei.   125
Ed io godo ancor poco,
O greggia mia, nè di ciò sol mi lagno.
Se tu parlar sapessi, io chiederei:
Dimmi: perchè giacendo
A bell'agio, ozioso,   130
S'appaga ogni animale;
Me, s'io giaccio in riposo, il tedio assale?

   Forse s'avess'io l'ale
Da volar su le nubi,

---

animali] a non far nulla non si annoiano; come i cani, i quali ho invidiati e
ammirati più volte, vedendoli passar le ore sdraiati, con un occhio sereno e
tranquillo, che annunzia l'assenza della noia non meno che dei desideri";
concetto anticipato in un passo delle *Notti* di Young: "la pace di cui godono
esse [le pecore del gregge] è negata ai loro padroni. Un tedio, una scontentezza
che non dà mai tregua rode l'uomo e lo tormenta da mane a sera".
120-22. *più che mai... bramo*: cfr. Alfieri, *Mirra*, atto III, sc. 2, vv. 89-91: "io non
trovo mai pace,/ né riposo, né loco. Eppur sollievo/ nessuno io bramo".
126-32. *Ed io... assale*: "Il signor Bothe, traducendo in bei versi tedeschi questo
componimento, accusa gli ultimi sette versi della presente stanza di tautologia,
cioè ripetizione delle cose dette avanti. Segue il pastore: ancor io provo pochi
piaceri (godo ancor poco); nè mi lagno di questo solo, cioè che il piacere mi
manchi; mi lagno dei patimenti che provo, cioè della noia. Questo non era
detto avanti. Poi, conchiudendo, riduce in termini brevi la quistione trattata in
tutta la stanza; perchè gli animali non s'annoino, e l'uomo sì: la quale se fosse
tautologia, tutte quelle conchiusioni dove per evidenza si riepiloga il discorso,
sarebbero tautologie" (*Nota* di Leopardi); cfr. il passo dello *Zibaldone* ([4498],

E noverar le stelle ad una ad una,   135
O come il tuono errar di giogo in giogo,
Più felice sarei, dolce mia greggia,
Più felice sarei, candida luna.
O forse erra dal vero,
Mirando all'altrui sorte, il mio pensiero: 140
Forse in qual forma, in quale
Stato che sia, dentro covile o cuna,
È funesto a chi nasce il dì natale.

4 Maggio 1829) in cui Leopardi espone la sua teoria della noia, e che costituisce
il migliore commento a questi versi così come all'intera stanza: "L'assenza di
ogni special sentimento di male e di bene, ch'è lo stato più ordinario della vita,
non è nè indifferente, nè bene, nè piacere, ma dolore e male. Ciò solo, quando
d'altronde i mali non fossero più che i beni, nè maggiori di essi, basterebbe a
piegare incomparabilmente la bilancia della vita e della sorte umana dal lato
della infelicità. Quando l'uomo non ha sentimento di alcun bene o male
particolare, sente in generale l'infelicità nativa dell'uomo, e questo è quel
sentimento nativo che si chiama noia".
135. *noverar... una*: cfr. Petrarca, *Rime*, CXXVII, v. 85: "Ad una ad una
annoverar le stelle".

XXIV
La quiete
dopo la tempesta

Passata è la tempesta:
Odo augelli far festa, e la gallina,
Tornata in su la via,
Che ripete il suo verso. Ecco il sereno
Rompe là da ponente, alla montagna;   5
Sgombrasi la campagna,
E chiaro nella valle il fiume appare.
Ogni cor si rallegra, in ogni lato
Risorge il romorio
Torna il lavoro usato.   10
L'artigiano a mirar l'umido cielo,

Scritto a Recanati fra il 17 e il 20 settembre 1829 e pubblicato per la prima volta
nell'edizione fiorentina dei *Canti* (Piatti, 1831).
Metro: strofe libere di endecasillabi e settenari.

---

2. *Odo... festa:* cfr. *Zibaldone*, [21]: "Sì come dopo la procella oscura/
Canticchiando gli augelli escon del loco/ Dove cacciogli il vento (nembo) e la
paura"; cfr. anche l'*Elogio degli uccelli*: "nella tempesta si tacciono, come
anche fanno in ciascuno altro timore che provano; e passata quella, tornano
fuori cantando e giocolando gli uni cogli altri".
4-7. *Ecco... appare:* cfr. Ossian, *Canti di Selma* (traduzione di Cesarotti), vv.
165-69: "cessò la pioggia, diradate e sparse/ erran le nubi; per le verdi cime/
lucido in sua volubile carriera/ si spazia il sole, e giù trascorre il rivo/ rapido via
per la sassosa valle"; cfr. anche Foscolo, *Ortis*, 20 novembre: "Il sole squarcia
finalmente le nubi, e consola la mesta Natura, diffondendo su la faccia di lei un
suo raggio. [...] L'aria torna tranquilla, e la campagna, benché allagata, e
coronata soltanto d'alberi già sfrondati e cosparsa di piante atterrate pare più
allegra che la non era prima della tempesta".
5. *Rompe:* erompe (o appare, rompendo le nubi); nel manoscritto, in una prima
stesura, si legge "spunta".
6. *Sgombrasi:* dalle nubi.

Con l'opra in man, cantando,
Fassi in su l'uscio; a prova
Vien fuor la femminetta a còr dell'acqua
Della novella piova;   15
E l'erbaiuol rinnova
Di sentiero in sentiero
Il grido giornaliero.
Ecco il Sol che ritorna, ecco sorride
Per li poggi e le ville. Apre i balconi,   20
Apre terrazzi e logge la famiglia:
E, dalla via corrente, odi lontano
Tintinnio di sonagli; il carro stride
Del passegger che il suo cammin ripiglia.

    Si rallegra ogni core.   25
Sì dolce, sì gradita
Quand'è, com'or, la vita?
Quando con tanto amore
L'uomo a' suoi studi intende?
O torna all'opre? o cosa nova imprende?   30
Quando de' mali suoi men si ricorda?
Piacer figlio d'affanno;
Gioia vana, ch'è frutto
Del passato timore, onde si scosse
E paventò la morte   35
Chi la vita abborria;
Onde in lungo tormento,

13. *a prova*: a gara.
14. *a còr*: a raccogliere.
16. *l'erbaiuol*: il venditore ambulante di verdure.
20. *balconi*: finestre.
21. *la famiglia*: la servitù.
22-24. *dalla via... passegger*: cfr. *Zibaldone*, [1]: "Nella (dalla) maestra via
s'udiva il carro/ Del passegger, che stritolando i sassi/ Mandava un suon, cui
precedea da lungi/ Il tintinnìo de' mobili sonagli".
22. *via corrente*: nel manoscritto, in margine: "via maestra, via maggiore"; cfr.
Ariosto, *Orlando furioso*, XVI, 5, v. 6: "prese la via più piana e più
corrente".
29. *studi*: occupazioni (latinismo).

Fredde, tacite, smorte,
Sudàr le genti e palpitàr, vedendo
Mossi alle nostre offese   40
Folgori, nembi e vento.

O natura cortese,
Son questi i doni tuoi,
Questi i diletti sono
Che tu porgi ai mortali. Uscir di pena   45
È diletto fra noi.
Pene tu spargi a larga mano; il duolo
Spontaneo sorge: e di piacer, quel tanto
Che per mostro e miracolo talvolta
Nasce d'affanno, è gran guadagno. Umana   50
Prole cara agli eterni! assai felice
Se respirar ti lice
D'alcun dolor: beata
Se te d'ogni dolor morte risana.

40. *Mossi... offese*: "scatenati contro di noi" (Sanguineti).
41. *Folgori... vento*: per il concetto espresso in tutto il passo, cfr. *Zibaldone*, [2601-2], 7 Agosto 1822: "Le convulsioni degli elementi e altre tali cose che cagionano l'affanno e il male del timore all'uomo naturale o civile, e parimenti agli animali ec. [...] si riconoscono per conducenti, e in certo modo necessarii alla felicità dei viventi, e quindi con ragione contenuti e collocati e ricevuti nell'ordine naturale, il qual mira in tutti i modi alla predetta felicità. E ciò non solo perch'essi mali danno risalto ai beni, e perchè più si gusta la sanità dopo la malattia e la calma dopo la tempesta: ma perchè senza essi mali, i beni non sarebbero neppur beni a poco andare, venendo a noia, e non essendo gustati nè sentiti come beni e piaceri"; cfr. anche la *Storia del genere umano*: "Appresso creò [Giove] le tempeste dei venti e dei nembi, si armò del tuono e del fulmine, diede a Nettuno il tridente, spinse le comete in giro e ordinò le eclissi; colle quali cose e con altri segni ed effetti terribili, instituì di spaventare i mortali di tempo in tempo: sapendo che il timore e i presenti pericoli riconcilierebbero alla vita, almeno per breve ora, non tanto gl'infelici, ma quelli eziandio che l'avessero in maggiore abbominio, e che fossero più disposti a fuggirla".
49. *mostro*: prodigio (latinismo).
51. *cara agli eterni*: nella prima edizione: "degna di pianto"; nella nuova versione è da cogliersi una sfumatura di ironia.
52. *respirar*: aver sollievo.

XXV

Il sabato
del villaggio

La donzelletta vien dalla campagna,
In sul calar del sole,
Col suo fascio dell'erba; e reca in mano
Un mazzolin di rose e di viole,
Onde, siccome suole,   5
Ornare ella si appresta
Dimani, al dì di festa, il petto e il crine.
Siede con le vicine
Su la scala a filar la vecchierella,
Incontro là dove si perde il giorno;   10
E novellando vien del suo buon tempo,
Quando ai dì della festa ella si ornava,
Ed ancor sana e snella

Scritto a Recanati tra il 20 e il 29 settembre 1829 e pubblicato per la prima volta nell'edizione fiorentina dei *Canti* (Piatti, 1831).
Metro: strofe libere di endecasillabi e settenari.

4. *di rose e di viole*: celebre la perplessità del Pascoli riguardo a questa composizione di fiori: le rose e le viole, ricordava, non fioriscono nella stessa stagione; il verso, e l'immagine, furono probabilmente suggeriti al Leopardi da *La poesia* di Filicaia: "Così di rose e viole/ ogni donzella il vago crin s'adorna".
5. *Onde*: con cui.
9. *Su la scala*: nel manoscritto, in margine: "su la soglia, fuor de l'uscio". – *a filar la vecchierella*: cfr. Petrarca, *Rime*, XXXIII, v. 5: "levata era a filar la vecchiarella".
10. *Incontro... giorno*: rivolta a occidente, dove sta tramontando il sole; cfr. Forteguerri, *Ricciardetto*, XIV, v. 109: "Volta colà dove si muore il giorno" (riportato da Leopardi nella *Crestomazia*).

Solea danzar la sera intra di quei
Ch'ebbe compagni dell'età più bella.   15
Già tutta l'aria imbruna,
Torna azzurro il sereno, e tornan l'ombre
Giù da' colli e da' tetti,
Al biancheggiar della recente luna.
Or la squilla dà segno   20
Della festa che viene;
Ed a quel suon diresti
Che il cor si riconforta.
I fanciulli gridando
Su la piazzuola in frotta,   25
E qua e là saltando,
Fanno un lieto romore:
E intanto riede alla sua parca mensa,
Fischiando, il zappatore,
E seco pensa al dì del suo riposo.   30

Poi quando intorno è spenta ogni altra face,
E tutto l'altro tace,
Odi il martel picchiare, odi la sega
Del legnaiuol, che veglia
Nella chiusa bottega alla lucerna,   35
E s'affretta, e s'adopra
Di fornir l'opra anzi il chiarir dell'alba.

Questo di sette è il più gradito giorno,

14. *intra di quei*: nel manoscritto, in margine: "con quei".
17. *il sereno*: il cielo. – *tornan l'ombre*: scomparse al tramonto, ricompaiono
con la luce della luna.
20. *la squilla*: cfr. la nota al v. 29 del *Passero solitario*.
28. *riede*: ritorna.
28-30. *riede... riposo*: cfr. Petrarca, *Rime*, L, vv. 18-22: "l'avaro zappador
l'arme riprende,/ e con parole e con alpestri note/ ogni graveza del suo petto
sgombra:/ e poi la mensa ingombra / di povere vivande".
32. *tutto l'altro*: ogni altra cosa.
37. *fornir l'opra*: finire il lavoro; cfr. Petrarca, *ivi*, XL, v. 9: "Ma però che mi
manca a fornir l'opra". – *anzi*: prima (lat. *ante*).

Pien di speme e di gioia:
Diman tristezza e noia   40
Recheran l'ore, ed al travaglio usato
Ciascuno in suo pensier farà ritorno.

  Garzoncello scherzoso,
Cotesta età fiorita
È come un giorno d'allegrezza pieno,   45
Giorno chiaro, sereno,
Che precorre alla festa di tua vita.
Godi, fanciullo mio; stato soave,
Stagion lieta è cotesta.
Altro dirti non vo'; ma la tua festa   50
Ch'anco tardi a venir non ti sia grave.

41. *travaglio*: fatica.
44. *età fiorita*: espressione tipica del Petrarca (per es. CCLXXVIII, v. 1;
CCCXV, v. 1; CCCXXXVI, v. 3); ma cfr. anche l'*Invito a Galatea* di Baldassar
Castiglione (riportato nella *Crestomazia*), v. 64: "se non goder l'età fiorita in
festa".
47. *precorre*: nel manoscritto, a margine: "precede".
48-49. *Godi... cotesta*: cfr. *Zibaldone*, [532], 20 Gennaio 1821: "Il piacere
umano (così probabilmente quello di ogni essere vivente, in quell'ordine di
cose che noi conosciamo) si può dire ch'è sempre futuro, non è se non futuro,
consiste solamente nel futuro. L'atto proprio del piacere non si dà. Io spero un
piacere; e questa speranza in moltissimi casi si chiama piacere"; e [85]: "Prima
di provare la felicità, o vogliam dire un'apparenza di felicità viva e presente, noi
possiamo alimentarci delle speranze, e se queste son forti e costanti, il tempo
loro è veramente il tempo felice dell'uomo, come nella età fra la fanciullezza e la
giovanezza. Ma provata quella felicità che ho detto, e perduta, le speranze non
bastano più a contentarci, e la infelicità dell'uomo è stabilita".

XXVI

Il pensiero dominante

Dolcissimo, possente
Dominator di mia profonda mente;
Terribile, ma caro
Dono del ciel; consorte
Ai lúgubri miei giorni,   5
Pensier che innanzi a me si spesso torni.

Di tua natura arcana
Chi non favella? il suo poter fra noi
Chi non sentì? Pur sempre
Che in dir gli effetti suoi   10
Le umane lingue il sentir propio sprona,
Par novo ad ascoltar ciò ch'ei ragiona.

Come solinga è fatta

Scritto forse a Firenze, nel 1831, e pubblicato per la prima volta nell'edizione Starita dei *Canti* (Napoli, 1835). Fu ispirato a Leopardi dall'amore per Fanny Targioni Tozzetti.
Metro: strofe di endecasillabi e settenari a schema libero con rime al mezzo e assonanze.

---

4. *consorte*: compagno.
8. *suo*: secondo il Flora, non si tratta qui di un passaggio dalla seconda alla terza persona: *suo* sarebbe infatti riferito alla *natura arcana* del verso precedente; *il suo poter* significa quindi: il potere della tua natura arcana.
9-10. *sempre Che*: ogni volta che.
11. *il sentir propio*: la propria specifica esperienza, il proprio esclusivo sentire.
12. *ei*: cioè *il sentir propio*.
13-18. *Come... dileguàr*: cfr. *Zibaldone*, [59], 1819: "Quando l'uomo concepi-

La mente mia d'allora
Che tu quivi prendesti a far dimora!   15
Ratto d'intorno intorno al par del lampo
Gli altri pensieri miei
Tutti si dileguàr. Siccome torre
In solitario campo,
Tu stai solo, gigante, in mezzo a lei.   20

    Che divenute son, fuor di te solo,
Tutte l'opre terrene,
Tutta intera la vita al guardo mio!
Che intollerabil noia
Gli ozi, i commerci usati,   25
E di vano piacer la vana spene,
Allato a quella gioia,
Gioia celeste che da te mi viene!

    Come da' nudi sassi
Dello scabro Apennino   30
A un campo verde che lontan sorrida
Volge gli occhi bramoso il pellegrino;
Tal io dal secco ed aspro
Mondano conversar vogliosamente,
Quasi in lieto giardino, a te ritorno,   35
E ristora i miei sensi il tuo soggiorno.

sce amore tutto il mondo si dilegua dagli occhi suoi, non si vede più se non
l'oggetto amato [...] Non ho mai provato pensiero che astragga l'animo così
potentemente da tutte le cose circostanti, come l'amore".
16-18. *Ratto... dileguàr*: cfr. Petrarca, *Rime*, LXXI, vv. 77-81: "i' sento in
mezzo l'alma/ una dolcezza inusitata e nova;/ la qual ogni altra salma/ di noiosi
pensier' disgombra allora,/ sì che di mille un sol vi si ritrova"; e LXXII, vv.
40-45: "come sparisce e fugge/ ogni altro lume dove 'l vostro splende,/ così de
lo mio core,/ quando tanta dolcezza in lui discende,/ ogni altra cosa, ogni
penser va fore,/ e solo ivi con voi rimanse Amore".
20. *a lei*: alla *mente mia* (v. 14).
25. *commerci*: incontri, amicizie.
33. *secco ed aspro*: arido e fastidioso.
36. *il tuo soggiorno*: lo stare accanto a te.

    Quasi incredibil parmi
Che la vita infelice e il mondo sciocco
Già per gran tempo assai
Senza te sopportai;   40
Quasi intender non posso
Come d'altri desiri,
Fuor ch'a te somiglianti, altri sospiri.

    Giammai d'allor che in pria
Questa vita che sia per prova intesi,   45
Timor di morte non mi strinse il petto.
Oggi mi pare un gioco
Quella che il mondo inetto,
Talor lodando, ognora abborre e trema,
Necessitade estrema;   50
E se periglio appar, con un sorriso
Le sue minacce a contemplar m'affiso.

    Sempre i codardi e l'alme
Ingenerose abbiette
Ebbi in dispregio. Or punge ogni atto indegno   55
Subito i sensi miei;
Move l'alma ogni esempio

43. *altri sospiri*: qualcun altro possa sospirare (per *altri desiri*: v. 42).
44. *d'allor che in pria*: da allora, quando per la prima volta.
45. *che sia*: che (povera) cosa sia, quanto sia irrilevante. – *per prova*: per
esperienza diretta.
50. *Necessitade estrema*: la morte.
51-52. *se periglio... m'affiso*: cfr. lettera al padre, 3 Luglio 1832: "ad ogni
leggera speranza di pericolo vicino o lontano, mi brilla il cuore dall'allegrezza".
53-58. *Sempre... sdegno*: cfr. *Zibaldone*, [59], 1819: "Io soglio sempre
stomacare delle sciocchezze degli uomini e di tante piccolezze e viltà e
ridicolezze ch'io vedo fare e sento dire massime a questi coi quali vivo che ne
abbondano. Ma io non ho mai provato un tal senso di schifo orribile e
propriamente tormentoso (come chi è mosso al vomito) per queste cose,
quanto allora ch'io mi sentiva o amore o qualche aura di amore, dove mi
bisognava rannicchiarmi ogni momento in me stesso, fatto sensibilissimo oltre
ogni mio costume, a qualunque piccolezza e bassezza e rozzezza sia di fatti sia
di parole, sia morale sia fisica sia anche solamente filologica".

Dell'umana viltà subito a sdegno.
Di questa età superba,
Che di vote speranze si nutrica,   60
Vaga di ciance, e di virtù nemica;
Stolta, che l'util chiede,
E inutile la vita
Quindi più sempre divenir non vede;
Maggior mi sento. A scherno   65
Ho gli umani giudizi; e il vario volgo
A' bei pensieri infesto,
E degno tuo disprezzator, calpesto.

    A quello onde tu movi,
Quale affetto non cede?   70
Anzi qual altro affetto
Se non quell'uno intra i mortali ha sede?
Avarizia, superbia, odio, disdegno,
Studio d'onor, di regno,
Che sono altro che voglie   75
Al paragon di lui? Solo un affetto
Vive tra noi: quest'uno,
Prepotente signore,
Dieder l'eterne leggi all'uman core.

    Pregio non ha, non ha ragion la vita   80
Se non per lui, per lui ch'all'uomo è tutto;

59-60. *questa età... si nutrica*: si avverte qui la critica leopardiana allo spiritualismo dell'epoca, già anticipata in diversi passi dello *Zibaldone*, e particolarmente nel *Dialogo di Timandro e Eleandro*.
66. *vario*: multiforme.
67. *infesto*: ostile.
68. *E degno tuo disprezzator*: e che non può non disprezzarti (non comprendendoti).
69. *A quello onde tu movi*: a quell'affetto da cui tu nasci.
72. *quell'uno*: cioè l'amore.
74. *Studio*: ricerca (latinismo).
75. *voglie*: desideri volgari.
81. *per lui*: grazie a lui, e in sua funzione.

Sola discolpa al fato,
Che noi mortali in terra
Pose a tanto patir senz'altro frutto;
Solo per cui talvolta,   85
Non alla gente stolta, al cor non vile
La vita della morte è più gentile.

    Per còr le gioie tue, dolce pensiero,
Provar gli umani affanni,
E sostener molt'anni   90
Questa vita mortal, fu non indegno;
Ed ancor tornerei,
Così qual son de' nostri mali esperto,
Verso un tal segno a incominciare il corso:
Che tra le sabbie e tra il vipereo morso,   95
Giammai finor sì stanco
Per lo mortal deserto
Non venni a te, che queste nostre pene
Vincer non mi paresse un tanto bene.

    Che mondo mai, che nova   100
Immensità, che paradiso è quello
Là dove spesso il tuo stupendo incanto
Parmi innalzar! dov'io,
Sott'altra luce che l'usata errando,
Il mio terreno stato   105
E tutto quanto il ver pongo in obblio!
Tali son, credo, i sogni
Degl'immortali. Ahi finalmente un sogno

82. *Sola discolpa*: unica scusante.
85. *Solo per cui*: unica ragione per cui.
87. *gentile*: gradita.
94. *Verso un tal segno*: con una simile mèta.
95. *le sabbie*: le difficoltà (riferite al *deserto* del v. 97). – *il vipereo morso*: la malvagità umana.
103. *Parmi innalzar*: sembra innalzarmi.
106. *il ver*: la verità (dolorosa) della vita.
108. *finalmente*: in definitiva.

In molta parte onde s'abbella il vero
Sei tu, dolce pensiero;   110
Sogno e palese error. Ma di natura,
Infra i leggiadri errori,
Divina sei; perchè sì viva e forte,
Che incontro al ver tenacemente dura,
E spesso al ver s'adegua,   115
Nè si dilegua pria, che in grembo a morte.

   E tu per certo, o mio pensier, tu solo
Vitale ai giorni miei,
Cagion diletta d'infiniti affanni,
Meco sarai per morte a un tempo spento: 120
Ch'a vivi segni dentro l'alma io sento
Che in perpetuo signor dato mi sei.
Altri gentili inganni
Soleami il vero aspetto
Più sempre infievolir. Quanto più torno   125
A riveder colei
Della qual teco ragionando io vivo,
Cresce quel gran diletto,
Cresce quel gran delirio, ond'io respiro.
Angelica beltade!   130
Parmi ogni più bel volto, ovunque io miro,
Quasi una finta imago
Il tuo volto imitar. Tu sola fonte
D'ogni altra leggiadria,
Sola vera beltà parmi che sia.   135

109. *In molta parte*: in gran parte. – *onde*: grazie al quale.
114. *incontro... dura*: ostinatamente contrasta la verità.
116. *Nè si dilegua... morte*: non svanisce che con la morte.
118. *Vitale*: capace di dar vita.
120. *per morte*: con la morte.
123. *Altri gentili inganni*: altre dolci illusioni (suscitate da altre donne).
124. *il vero aspetto*: la vista vera e propria.
125. *Più sempre infievolir*: attenuare sempre di più.
132. *una finta imago*: una copia scadente.

    Da che ti vidi pria,
Di qual mia seria cura ultimo obbietto
Non fosti tu? quanto del giorno è scorso,
Ch'io di te non pensassi? ai sogni miei
La tua sovrana imago   140
Quante volte mancò? Bella qual sogno,
Angelica sembianza,
Nella terrena stanza,
Nell'alte vie dell'universo intero,
Che chiedo io mai, che spero   145
Altro che gli occhi tuoi veder più vago?
Altro più dolce aver che il tuo pensiero?

---

137. *seria cura*: autentica passione. – *ultimo*: supremo.
143. *Nella terrena stanza*: nel mondo.
145-47. *Che chiedo... pensiero?*: che cosa chiedo di più desiderabile che vedere i
tuoi occhi? che cosa spero, di più dolce, che pensare a te?

XXVII
Amore e Morte

"Ον οἱ θεοὶ φιλοῦσιν, ἀποθνήσκει νέος.
Muor giovane colui ch'al cielo è caro.

MENANDRO

Fratelli, a un tempo stesso, Amore e Morte
Ingenerò la sorte.
Cose quaggiù sì belle
Altre il mondo non ha, non han le stelle.
Nasce dall'uno il bene,   5
Nasce il piacer maggiore
Che per lo mar dell'essere si trova;
L'altra ogni gran dolore,
Ogni gran male annulla.
Bellissima fanciulla,   10
Dolce a veder, non quale
La si dipinge la codarda gente,
Gode il fanciullo Amore
Accompagnar sovente;
E sorvolano insiem la via mortale,   15
Primi conforti d'ogni saggio core.
Nè cor fu mai più saggio
Che percosso d'amor, nè mai più forte
Sprezzò l'infausta vita,

Scritto tra il 1831 e il 1835 e pubblicato per la prima volta nell'edizione
napoletana dei *Canti* (Starita, 1835).
Metro: strofe libere di endecasillabi e settenari con rime al mezzo.
_____

7. *per lo mar dell'essere*: nella vastità delle cose esistenti; cfr. Dante, *Paradiso*, I,
vv. 112-13: "onde si muovono a diversi porti/ per lo gran mar de l'essere".
16. *Primi*: principali.

Nè per altro signore   20
Come per questo a perigliar fu pronto:
Ch'ove tu porgi aita,
Amor, nasce il coraggio,
O si ridesta, e sapiente in opre,
Non in pensiero invan, siccome suole,   25
Divien l'umana prole.

   Quando novellamente
Nasce nel cor profondo
Un amoroso affetto,
Languido e stanco insiem con esso in petto   30
Un desiderio di morir si sente:
Come, non so: ma tale
D'amor vero e possente è il primo effetto.
Forse gli occhi spaura
Allor questo deserto: a se la terra   35
Forse il mortale inabitabil fatta
Vede omai senza quella
Nova, sola, infinita
Felicità che il suo pensier figura:
Ma per cagion di lei grave procella   40
Presentendo in suo cor, brama quiete,
Brama raccorsi in porto
Dinanzi al fier disio,

21. *per questo*: ossia per l'amore. – *perigliar*: rischiare.
22. *ove... aita*: in coloro ai quali dai sostegno.
24. *in opre*: nell'agire.
25. *in pensiero invan*: nell'inutile pensiero.
27. *Quando novellamente*: non appena.
30. *Languido e stanco*: che suscita languore e stanchezza.
34. *spaura*: spaventa (il soggetto è *questo deserto* del verso successivo, ossia la desolazione della vita; oggetto sono *gli occhi*).
35. *a se*: per lui (*il mortale* del v. successivo).
36. *fatta*: resa.
39. *figura*: immagina.
40. *grave procella*: terribile tempesta (cioè gli affanni dell'amore).

Che già, rugghiando, intorno intorno oscura.

Poi, quando tutto avvolge 45
La formidabil possa,
E fulmina nel cor l'invitta cura,
Quante volte implorata
Con desiderio intenso,
Morte, sei tu dall'affannoso amante! 50
Quante la sera, e quante
Abbandonando all'alba il corpo stanco,
Se beato chiamò s'indi giammai
Non rilevasse il fianco,
Nè tornasse a veder l'amara luce[1] 55
E spesso al suon della funebre squilla,
Al canto che conduce
La gente morta al sempiterno obblio,
Con più sospiri ardenti
Dall'imo petto invidiò colui 60
Che tra gli spenti ad abitar sen giva.
Fin la negletta plebe,
L'uom della villa, ignaro
D'ogni virtù che da saper deriva,
Fin la donzella timidetta e schiva, 65
Che già di morte al nome
Sentì rizzar le chiome,
Osa alla tomba, alle funeree bende
Fermar lo sguardo di costanza pieno,

44. *rugghiando*: come il tuono (continua l'immagine della tempesta evocata al v. 40).
47. *l'invitta cura*: l'invincibile passione.
52. *all'alba*: dopo una notte insonne, tormentata dalle pene d'amore.
53. *indi*: di qui.
54. *Non... fianco*: potesse non svegliarsi.
56. *della funebre squilla*: della campana a morto.
63. *L'uomo della villa*: il contadino (cfr. Dante, *Purgatorio*, IV, v. 23).
64. *D'ogni... deriva*: dunque anche ignaro del disprezzo per la vita (virtù propria, invece, dei "sapienti", di coloro che della vita conoscono la costitutiva infelicità).
69. *Fermar lo sguardo*: contemplare con fermezza.

Osa ferro e veleno 70
Meditar lungamente,
E nell'indotta mente
La gentilezza del morir comprende.
Tanto alla morte inclina
D'amor la disciplina. Anco sovente, 75
A tal venuto il gran travaglio interno
Che sostener nol può forza mortale,
O cede il corpo frale
Ai terribili moti, e in questa forma
Pel fraterno poter Morte prevale; 80
O così sprona Amor là nel profondo,
Che da se stessi il villanello ignaro,
La tenera donzella
Con la man violenta
Pongon le membra giovanili in terra. 85
Ride ai lor casi il mondo,
A cui pace e vecchiezza il ciel consenta.

   Ai fervidi, ai felici,
Agli animosi ingegni
L'uno o l'altro di voi conceda il fato, 90
Dolci signori, amici
All'umana famiglia,

---

72. *indotta*: priva di dottrina; ma ha un significato analogo a *ignaro D'ogni virtù che da saper deriva* (vv. 63-64).
73. *gentilezza*: nobile dolcezza.
74. *inclina*: rende inclini.
75. *la disciplina*: l'insegnamento.
76. *A tal venuto*: giunto a tal punto.
79. *Ai terribili moti*: alle passioni.
80. *Pel fraterno poter*: per il potere del fratello (Amore).
84. *Con la man violenta*: suicidandosi; cfr. Dante, *Inferno*, XI, v. 40: "Puote omo avere in sé man violenta".
85. *Pongon... in terra*: cfr. Petrarca, *Rime*, XXXVI, vv. 3-4: "colle mie mani avrei già posto in terra/ queste membra noiose".
88. *Ai fervidi*: agli uomini dotati di forti sentimenti.
89. *ingegni*: animi.
90. *voi*: Amore e Morte.

Al cui poter nessun poter somiglia
Nell'immenso universo, e non l'avanza,
Se non quella del fato, altra possanza.   95
E tu, cui già dal cominciar degli anni
Sempre onorata invoco
Bella Morte, pietosa
Tu sola al mondo dei terreni affanni,
Se celebrata mai   100
Fosti da me, s'al tuo divino stato
L'onte del volgo ingrato
Ricompensar tentai,
Non tardar più, t'inchina
A disusati preghi,   105
Chiudi alla luce omai
Questi occhi tristi, o dell'età reina.
Me certo troverai, qual si sia l'ora
Che tu le penne al mio pregar dispieghi,
Erta la fronte, armato,   110
E renitente al fato,
La man che flagellando si colora
Nel mio sangue innocente
Non ricolmar di lode,

93. *Al cui*: riferito a *Dolci signori*.
94. *l'avanza*: lo supera.
97. *Sempre... invoco*: cfr. Alfieri, *Mirra,* atto V, sc. 2, vv. 131-32: "O Morte, Morte,/ cui tanto invoco".
101. *divino stato*: divina natura.
104-5. *Non tardar più... preghi*: cfr. Petrarca, *Rime*, CCCLXVI, v. 11: "al mio prego t'inchina" (la supplica di Petrarca è però rivolta alla Madonna).
105. *disusati preghi*: insolite suppliche.
107. *dell'età*: del tempo.
109. *le penne*: le ali.
111. *renitente*: risoluto a non sottomettermi.
112-16. *La man... gente*: il concetto è espresso più estesamente nel *Dialogo di Tristano e di un amico*: "vi dico francamente, ch'io non mi sottometto alla mia infelicità, nè piego il capo al destino, o vengo seco a patti, come fanno gli altri uomini".
112. *La man*: del fato.
114. *Non ricolmar*: come *Non benedir* del verso successivo, è retto da *Me certo troverai* (v. 108); oggetto di entrambi i verbi è *La man* del verso 112.

Non benedir, com'usa 115
Per antica viltà l'umana gente;
Ogni vana speranza onde consola
Se coi fanciulli il mondo,
Ogni conforto stolto
Gittar da me; null'altro in alcun tempo 120
Sperar, se non te sola;
Solo aspettar sereno
Quel dì ch'io pieghi addormentato il volto
Nel tuo virgineo seno.

118. *coi fanciulli*: come i fanciulli.
120. *Gittar da me*: allontanare (dipende sempre da *me troverai*)

XXVIII

A se stesso

Or poserai per sempre,
Stanco mio cor. Perì l'inganno estremo,
Ch'eterno io mi credei. Perì. Ben sento,
In noi di cari inganni,
Non che la speme, il desiderio è spento.   5
Posa per sempre. Assai
Palpitasti. Non val cosa nessuna
I moti tuoi, nè di sospiri è degna
La terra. Amaro e noia
La vita, altro mai nulla; e fango è il mondo.   10
T'acqueta omai. Dispera
L'ultima volta. Al gener nostro il fato
Non donò che il morire. Omai disprezza

Scritto nella primavera del 1835 secondo il Bosco, che data a quell'epoca la fine
dell'amore di Leopardi per Fanny Targioni Tozzetti. Fu pubblicato per la
prima volta nell'edizione napoletana dei *Canti* (Starita, 1835).
Metro: strofe libere di endecasillabi e settenari.

---

2. *l'inganno estremo*: l'ultima illusione (cfr. *Ad Angelo Mai*, v. 129: "Amor, di
nostra vita ultimo inganno", e *Il pensiero dominante*, v. 116: "Nè si dilegua
pria, che in grembo a morte" e segg.).
6-7. *Assai Palpitasti*: cfr. Metastasio, *Attilio Regolo*, atto III, sc. 7: "Assai si
pianse; assai/ si palpitò".
7-8. *Non val... tuoi*: nessuna cosa è degna dei tuoi palpiti.
13. *disprezza*: è imperativo, come *T'acqueta* e *Dispera* (v. 11).

Te, la natura, il brutto
Poter che, ascoso, a comun danno impera,   15
E l'infinita vanità del tutto.

14-15. *il brutto... impera*: "l'arcana potenza del male che regge l'universo" (Sanguineti); cfr. l'abbozzo *Ad Arimane*: "Re delle cose, autor del mondo, arcana/ Malvagità, sommo potere e somma/ Intelligenza, eterno/ Dottor de' mali e reggitor del moto".
16. *l'infinita... tutto*: cfr. *Zibaldone*, [69]: "Oh infinita vanità del vero".

XXIX
Aspasia

Torna dinanzi al mio pensier talora
Il tuo sembiante, Aspasia. O fuggitivo
Per abitati lochi a me lampeggia
In altri volti; o per deserti campi,
Al dì sereno, alle tacenti stelle,   5
Da soave armonia quasi ridesta,
Nell'alma a sgomentarsi ancor vicina
Quella superba vision risorge.
Quanto adorata, o numi, e quale un giorno
Mia delizia ed erinni! E mai non sento   10
Mover profumo di fiorita piaggia,
Nè di fiori olezzar vie cittadine,
Ch'io non ti vegga ancor qual eri il giorno
Che ne' vezzosi appartamenti accolta,
Tutti odorati de' novelli fiori   15
Di primavera, del color vestita
Della bruna viola, a me si offerse

Ultimo del ciclo che comprende *Consalvo, Il pensiero dominante, Amore e Morte, A se stesso*. Fu scritto verosimilmente a Napoli tra il 1833 e il 1835, e stampato per la prima volta nell'edizione Starita (1835).
Metro: endecasillabi sciolti.

3. *lampeggia*: appare e poi scompare.
7. *a sgomentarsi ancor vicina*: che ancora adesso per poco non si strugge d'amore.
10. *erinni*: tormento.
14. *ne' vezzosi... accolta*: nell'intimità della tua bella casa.

L'angelica tua forma, inchino il fianco
Sovra nitide pelli, e circonfusa
D'arcana voluttà; quando tu, dotta   20
Allettatrice, fervidi, sonanti
Baci scoccavi nelle curve labbra
De' tuoi bambini, il niveo collo intanto
Porgendo, e lor di tue cagioni ignari
Con la man leggiadrissima stringevi   25
Al seno ascoso e desiato. Apparve
Novo ciel, nova terra, e quasi un raggio
Divino al pensier mio. Così nel fianco
Non punto inerme a viva forza impresse
Il tuo braccio lo stral, che poscia fitto   30
Ululando portai finch'a quel giorno
Si fu due volte ricondotto il sole.

Raggio divino al mio pensiero apparve,

---

18. *L'angelica tua forma*: l'espressione riecheggia Petrarca (*Rime*, XC, vv. 9-10: "Non 'era l'andar suo cosa mortale/ ma d'angelica forma") ma il senso è diverso: in Petrarca "forma" ha il significato scolastico di "natura", o "essenza"; qui invece ha il valore di "aspetto", o "bellezza". – *inchino il fianco*: abbandonata.

19. *nitide*: lucide.

20. *dotta*: esperta.

22-24. *Baci... Porgendo*: l'immagine del bacio ai bambini con effetti o intenti di seduzione, come osserva Bandini, ha un precedente nella canzonetta di un poeta veneziano del sec. XVI, Leonardo Giustinian: "Talor tieni la man sotto la gola/ tanto pietosamente;/ poi prendi un putto in brazzo qualche volta/ bàsilo dolcemente;/ e poi vezzosamente/ tu me riguardi e ridi,/ che tu m'alcidi e struzi de dolcezza".

24. *di tue cagioni*: dei tuoi segreti intenti di seduzione.

29. *Non punto inerme*: per nulla indifeso (perché già conosceva le ferite d'amore).

30-31. *lo stral... portai*: cfr. Petrarca, *Rime*, CCIX, vv. 9-11: "E qual cervo ferito di saetta/ col ferro avvelenato dentr'al fianco/ fugge, e più duolsi quanto più s'affretta, [...]", e la fonte virgiliana di Petrarca: "Uritur infelix Dido totaque vagatur/ urbe furens, qualis coniecta cerva sagitta,/ quam procul incautam nemora inter Cresia fixit/ pastor agens telis liquitque volatile ferrum/ nescius: illa fuga silvas saltusque peragrat/ Dictaeos, haeret lateri letalis harundo" (*Eneide*, IV, vv. 68-73).

31-32. *finch'a quel giorno... il sole*: finché trascorsero due anni.

Donna, la tua beltà. Simile effetto
Fan la bellezza e i musicali accordi,   35
Ch'alto mistero d'ignorati Elisi
Paion sovente rivelar. Vagheggia
Il piagato mortal quindi la figlia
Della sua mente, l'amorosa idea,
Che gran parte d'Olimpo in se racchiude,   40
Tutta al volto, ai costumi, alla favella,
Pari alla donna che il rapito amante
Vagheggiare ed amar confuso estima.
Or questa egli non già, ma quella, ancora
Nei corporali amplessi, inchina ed ama.   45
Alfin l'errore e gli scambiati oggetti
Conoscendo, s'adira; e spesso incolpa
La donna a torto. A quella eccelsa imago
Sorge di rado il femminile ingegno;
E ciò che inspira ai generosi amanti   50
La sua stessa beltà, donna non pensa,
Nè comprender potria. Non cape in quelle
Anguste fronti ugual concetto. E male
Al vivo sfolgorar di quegli sguardi
Spera l'uomo ingannato, e mal richiede   55
Sensi profondi, sconosciuti, e molto

34-35. *Simile... accordi*: sull'analogia tra gli effetti della "beltà umana o femminina" e quelli della musica, cfr. *Zibaldone*, [1785-86], 24 Settembre 1821; già allora Leopardi dichiarava di ritenere tali effetti assolutamente estranei alla vera natura del bello: "quanto vi ha d'innato, naturale, e universale, nell'effetto della bellezza musicale e umana, non appartiene alla bellezza, ma al puro piacere, o all'inclinazione e natura dell'uomo che produce questo, come cento altri maggiori o minori piaceri, generali o individuali, che nessuno confonde col bello".
36. *ignorati Elisi*: paradisi mai visti.
38. *piagato*: ferito dallo *stral* d'amore.
40. *gran parte d'Olimpo*: quasi tutte le perfezioni celesti.
43. *confuso*: confondendo l'idea e la realtà.
44. *quella*: l'idea.
45. *inchina*: riverisce.
52-53. *Non cape... concetto*: non c'è posto, in quelle piccole menti, per un pensiero così vasto e alto quale è quello concepito dall'amante.
53. *male*: a torto.

Più che virili, in chi dell'uomo al tutto
Da natura è minor. Che se più molli
E più tenui le membra, essa la mente
Men capace e men forte anco riceve.   60

    Nè tu finor giammai quel che tu stessa
Inspirasti alcun tempo al mio pensiero,
Potesti, Aspasia, immaginar. Non sai
Che smisurato amor, che affanni intensi,
Che indicibili moti e che deliri   65
Movesti in me; nè verrà tempo alcuno
Che tu l'intenda. In simil guisa ignora
Esecutor di musici concenti
Quel ch'ei con mano o con la voce adopra
In chi l'ascolta. Or quell'Aspasia è morta   70
Che tanto amai. Giace per sempre, oggetto
Della mia vita un dì: se non se quanto,
Pur come cara larva ad ora ad ora
Tornar costuma e disparir. Tu vivi,
Bella non solo ancor, ma bella tanto,   75
Al parer mio, che tutte l'altre avanzi.
Pur quell'ardor che da te nacque è spento:
Perch'io te non amai, ma quella Diva
Che già vita, o sepolcro, ha nel mio core.
Quella adorai gran tempo; e sì mi piacque   80

58. *Da natura*: per natura.
58-60. *se più molli... riceve*: cfr. Ovidio, *Eroidi*, XIX, v. 7: "ut corpus, teneris ita mens infirma puellis".
62. *alcun tempo*: un tempo; cfr. Petrarca, *Rime*, CXIX, vv. 95-96: "Amate, belle, gioveni e leggiadre/ fummo alcun tempo"; nel *Commento*, Leopardi spiega: "già un tempo, già per alcun tempo".
67. *In simil guisa*: riprende la similitudine tra musica e bellezza.
69. *Quel*: quale impressione. – *adopra*: opera.
70. *quell'Aspasia*: l'Aspasia immaginata.
72. *se quanto*: in quanto.
73. *larva*: ombra, "spettro" (Spitzer).
73-74. *ad ora... disparir*: di quando in quando è solita riapparire, e poi dileguarsi.
79. *già vita*: un tempo ebbe vita.

Sua celeste beltà, ch'io, per insino
Già dal principio conoscente e chiaro
Dell'esser tuo, dell'arti e delle frodi,
Pur nei tuoi contemplando i suoi begli occhi,
Cupido ti seguii finch'ella visse,   85
Ingannato non già, ma dal piacere
Di quella dolce somiglianza, un lungo
Servaggio ed aspro a tollerar condotto.

   Or ti vanta, che il puoi. Narra che sola
Sei del tuo sesso a cui piegar sostenni   90
L'altero capo, a cui spontaneo porsi
L'indomito mio cor. Narra che prima,
E spero ultima certo, il ciglio mio
Supplichevol vedesti, a te dinanzi
Me timido, tremante (ardo in ridirlo   95
Di sdegno e di rossor), me di me privo,
Ogni tua voglia, ogni parola, ogni atto
Spiar sommessamente, a' tuoi superbi
Fastidi impallidir, brillare in volto
Ad un segno cortese, ad ogni sguardo   100
Mutar forma e color. Cadde l'incanto,
E spezzato con esso, a terra sparso
Il giogo: onde m'allegro. E sebben pieni
Di tedio, alfin dopo il servire e dopo
Un lungo vaneggiar, contento abbraccio   105
Senno con libertà. Che se d'affetti
Orba la vita, e di gentili errori,

81-82. *per insino... principio*: per quanto già fin dal principio.
82. *conoscente e chiaro*: perfettamente consapevole.
87-88. *un lungo... aspro*: una lunga e dolorosa servitù.
90. *sostenni*: sopportai.
98. *sommessamente*: umilmente.
98-99. *superbi Fastidi*: "orgogliosi sdegni" (Sanguineti); cfr. Virgilio, *Bucoliche*,
II, vv. 14-15: "Nonne fuit satius, tristis Amaryllidis iras/ atque superba pati
fastidia?".
101. *forma*: espressione del volto.
103-4. *pieni Di tedio*: riferito a *Senno con libertà* del v. 106.

È notte senza stelle a mezzo il verno,
Già del fato mortale a me bastante
E conforto e vendetta è che su l'erba   110
Qui neghittoso immobile giacendo,
Il mar la terra e il ciel miro e sorrido.

108. *È*: è come. – *a mezzo il verno*: in pieno inverno.
111-12. *neghittoso... sorrido*: "trovo molto ragionevole" scriveva Leopardi in
una lettera del 5 dicembre 1831 a Fanny Targioni Tozzetti "l'usanza dei Turchi
e degli altri Orientali, che si contentano di sedere sulle loro gambe tutto il
giorno, e guardare stupidamente in viso questa ridicola esistenza".

XXX

Sopra
un basso rilievo antico sepolcrale,
dove una giovane morta
è rappresentata in atto di partire,
accommiatandosi dai suoi

Dove vai? chi ti chiama
Lunge dai cari tuoi,
Bellissima donzella?
Sola, peregrinando, il patrio tetto
Sì per tempo abbandoni? a queste soglie   5
Tornerai tu? farai tu lieti un giorno
Questi ch'oggi ti son piangendo intorno?

  Asciutto il ciglio ed animosa in atto,
Ma pur mesta sei tu. Grata la via
O dispiacevol sia, tristo il ricetto   10
A cui movi o giocondo,
Da quel tuo grave aspetto
Mal s'indovina. Ahi ahi, nè già potria
Fermare io stesso in me, nè forse al mondo
S'intese ancor, se in disfavore al cielo   15
Se cara esser nomata,
Se misera tu debbi o fortunata.

Scritta tra il 1831 e il 1835. Pubblicata nell'edizione Starita (Napoli, 1835).
Leopardi si ispirò forse a bozzetti e prove di studio dello scultore Pietro
Tenerani.
Metro: canzone libera, con rime al mezzo e assonanze.

---

8. *in atto*: nel gesto.
10. *il ricetto*: il luogo che ti accoglierà.
14. *Fermare*: stabilire.
15. *S'intese ancor*: si seppe mai.

Morte ti chiama; al cominciar del giorno
L'ultimo istante. Al nido onde ti parti
Non tornerai. L'aspetto   20
De' tuoi dolci parenti
Lasci per sempre. Il loco
A cui movi è sotterra:
Ivi fia d'ogni tempo il tuo soggiorno.
Forse beata sei; ma pur chi mira,   25
Seco pensando, al tuo destin sospira.

    Mai non veder la luce
Era, credo, il miglior. Ma nata, al tempo
Che reina bellezza si dispiega
Nelle membra e nel volto,   30
Ed incomincia il mondo
Verso lei di lontano ad atterrarsi;
In sul fiorir d'ogni speranza, e molto
Prima che incontro alla festosa fronte
I lúgubri suoi lampi il ver baleni;   35
Come vapore in nuvoletta accolto
Sotto forme fugaci all'orizzonte,
Dileguarsi così quasi non sorta,
E cangiar con gli oscuri
Silenzi della tomba i dì futuri,   40
Questo se all'intelletto

18. *del giorno*: della tua vita.
24. *Ivi... soggiorno*: cfr. Ossian, *Temora*, VIII, v. 311, nella versione di Cesarotti: "qui fia nel buio il mio soggiorno".
32. *atterrarsi*: inchinarsi, assecondando i suoi desideri (come sempre fa il mondo con chi comincia a vivere).
35. *il ver*: la verità cruda della vita. – *baleni*: faccia balenare.
36-37. *Come vapore... orizzonte*: paragone di ascendenza biblica: "Si dissipa la nube e si dilegua, così chi discende allo Sheol non ne risale" (*Giobbe*, 7, 9); "l'alito che spira nelle nostre narici è vapore e il pensiero è una scintilla nel palpito del nostro cuore. Se questa si spegne, il corpo si riduce a cenere e lo spirito si disfa come aura tenue" (*Sapienza*, 2, 2-3).
41. *Questo*: tutto quanto è detto ai vv. 28-40.

Appar felice, invade
D'alta pietade ai più costanti il petto.

    Madre temuta e pianta
Dal nascer già dell'animal famiglia,   45
Natura, illaudabil maraviglia,
Che per uccider partorisci e nutri,
Se danno è del mortale
Immaturo perir, come il consenti
In quei capi innocenti?   50
Se ben, perchè funesta,
Perchè sovra ogni male,
A chi si parte, a chi rimane in vita,
Inconsolabil fai tal dipartita?

    Misera ovunque miri,   55
Misera onde si volga, ove ricorra,
Questa sensibil prole!
Piacqueti che delusa
Fosse ancor dalla vita
La speme giovanil; piena d'affanni   60

---

42. *felice*: augurabile.
43. *ai più costanti*: anche a coloro che sono più rigorosi e coerenti nel ragionare.
45. *Dal nascer... famiglia*: sin da quando ebbero vita gli esseri animati.
46. *illaudabil maraviglia*: meraviglia al di là di ogni lode; sulla necessità di mantenere ben distinte ammirazione e lode nei riguardi della natura, cfr. *Zibaldone*, [4258], 21 Marzo 1827: "Ammiriamo dunque quest'ordine, questo universo: io l'ammiro più degli altri: lo ammiro per la sua pravità e deformità, che a me paiono estreme. Ma per lodarlo, aspettiamo di sapere almeno, con certezza, che egli non sia il pessimo dei possibili".
47. *per uccider... nutri*: su questo tema, tipico e ricorrente nella metafisica leopardiana, cfr. in particolare l'abbozzo dell'*Inno ad Arimane*: "produzione e distruzione ec. per uccider partorisce ec.".
49. *il consenti*: lo permetti.
51. *Se ben*: se invece è un bene.
55-57. *Misera... prole*: "traduzione quasi letterale di un passo della *Imitatio Christi*: 'Miser es, ubicumque fueris et quocumque te vertas'" (Levi).
58. *Piacqueti*: decretasti (corrisponde al *placuit* latino).
59. *ancor dalla vita*: anche dalla vita (non solo dalla morte).

L'onda degli anni; ai mali unico schermo
La morte; e questa inevitabil segno,
Questa, immutata legge
Ponesti all'uman corso. Ahi perchè dopo
Le travagliose strade, almen la meta   65
Non ci prescriver lieta? Anzi colei
Che per certo futura
Portiam sempre, vivendo, innanzi all'alma,
Colei che i nostri danni
Ebber solo conforto,   70
Velar di neri panni,
Cinger d'ombra sì trista,
E spaventoso in vista
Più d'ogni flutto dimostrarci il porto?

   Già se sventura è questo   75
Morir che tu destini
A tutti noi che senza colpa, ignari,
Nè volontari al vivere abbandoni,
Certo ha chi more invidiabil sorte
A colui che la morte   80

61. *L'onda*: il susseguirsi.
62. *segno*: mèta.
66. *colei*: la morte.
69-70. *che... conforto*: che ricevemmo come unico conforto alle nostre sventure.
71. *Velar... panni*: presentare come immagine paurosa.
73-74. *spaventoso... porto*: lo stesso concetto è espresso distesamente nel *Dialogo di Plotino e Porfirio*: "la natura ci destinò per medicina di tutti i mali la morte: la quale da coloro che non molto usassero il discorso dell'intelletto, saria poco temuta; dagli altri desiderata. E sarebbe un conforto dolcissimo nella vita nostra, piena di tanti dolori, l'aspettazione e il pensiero del nostro fine. Tu [nel parlare, Porfirio si rivolge idealmente a Platone, e confuta la condanna platonica del suicidio] con questo dubbio terribile, suscitato da te nelle menti degli uomini, hai tolta da questo pensiero ogni dolcezza, e fattolo il più amaro di tutti gli altri. Tu sei cagione che si veggano gl'infelicissimi mortali temere più il porto che la tempesta, e rifuggire coll'animo da quel solo rimedio e riposo loro, alle angosce presenti e agli spasimi della vita".
78. *Nè volontari*: e non viventi per nostra volontà.
80. *A colui*: da colui (complemento di agente retto da *invidiabil*); oppure più semplicemente "rispetto a colui".

Sente de' cari suoi. Che se nel vero,
Com'io per fermo estimo,
Il vivere è sventura,
Grazia il morir, chi però mai potrebbe,
Quel che pur si dovrebbe,   85
Desiar de' suoi cari il giorno estremo,
Per dover egli scemo
Rimaner di se stesso,
Veder d'in su la soglia levar via
La diletta persona   90
Con chi passato avrà molt'anni insieme,
E dire a quella addio senz'altra speme
Di riscontrarla ancora
Per la mondana via;
Poi solitario abbandonato in terra,   95
Guardando attorno, all'ore ai lochi usati
Rimemorar la scorsa compagnia?
Come, ahi come, o natura, il cor ti soffre
Di strappar dalle braccia
All'amico l'amico,   100
Al fratello il fratello,
La prole al genitore,
All'amante l'amore: e l'uno estinto,
L'altro in vita serbar? Come potesti
Far necessario in noi   105
Tanto dolor, che sopravviva amando
Al mortale il mortal? Ma da natura
Altro negli atti suoi
Che nostro male o nostro ben si cura.

81. *nel vero*: in verità.
87. *scemo*: privo.
91. *Con chi*: con cui.
97. *scorsa*: di un tempo.
98. *il cor ti soffre*: hai il coraggio.
103. *l'amore*: l'amato.
107-9. *Ma da natura... si cura*: ma la natura, nel suo operare, si occupa di altro: non del nostro bene o del nostro male.

XXXI

Sopra il ritratto
di una bella donna
scolpito nel monumento sepolcrale
della medesima

Tal fosti: or qui sotterra
Polve e scheletro sei. Su l'ossa e il fango
Immobilmente collocato invano,
Muto, mirando dell'etadi il volo,
Sta, di memoria solo   5
E di dolor custode, il simulacro
Della scorsa beltà. Quel dolce sguardo,
Che tremar fe, se, come or sembra, immoto
In altrui s'affisò; quel labbro, ond'alto
Par, come d'urna piena,   10
Traboccare il piacer; quel collo, cinto
Già di desio; quell'amorosa mano,
Che spesso, ove fu porta,
Sentì gelida far la man che strinse;
E il seno, onde la gente   15

Scritta tra il 1831 e il 1835. Pubblicata nell'edizione Starita (Napoli, 1835).
Metro: canzone libera, con rime al mezzo e assonanze.

---

1. *Tal:* così, come appari nell'immagine sepolcrale.
3. *Immobilmente... invano:* posto come inutile tentativo di rendere eterna (immobile) la tua bellezza (il soggetto è *il simulacro* del v. 6).
4. *dell'etadi il volo:* il veloce scorrere del tempo.
6. *il simulacro:* la vuota immagine, la sola apparenza.
9-11. *quel labbro... piacer:* cfr. il sonetto *Quando costei* di Parini, v. 12: "Volo al bel labbro onde il piacer trabocca".
9. *alto:* dall'alto.
11-12. *cinto... desio:* che il desiderio, un tempo, sognava di cingere.
14. *gelida:* per l'emozione.

Visibilmente di pallor si tinse,
Furo alcun tempo: or fango
Ed ossa sei: la vista
Vituperosa e trista un sasso asconde.

    Così riduce il fato   20
Qual sembianza fra noi parve più viva
Immagine del ciel. Misterio eterno
Dell'esser nostro. Oggi d'eccelsi, immensi
Pensieri e sensi inenarrabil fonte,
Beltà grandeggia, e pare,   25
Quale splendor vibrato
Da natura immortal su queste arene,
Di sovrumani fati,
Di fortunati regni e d'aurei mondi
Segno e sicura spene   30
Dare al mortale stato:
Diman, per lieve forza,
Sozzo a vedere, abominoso, abbietto
Divien quel che fu dianzi
Quasi angelico aspetto,   35
E dalle menti insieme
Quel che da lui moveva
Ammirabil concetto, si dilegua.

    Desiderii infiniti
E visioni altere   40
Crea nel vago pensiere,
Per natural virtù, dotto concento;
Onde per mar delizioso, arcano

17. *alcun tempo*: cfr. *Aspasia*, nota al v. 62.
26-27. *splendor vibrato... arene*: luce inviata da un dio sull'arida terra.
31. *Dare*: infinito retto da *pare* del v. 25. – *al mortale stato*: alla condizione
umana.
37. *moveva*: nasceva.
42. *dotto concento*: sapiente armonia; ritorna il paragone tra musica e bellezza
femminile già svolto nei vv. 34-37 di *Aspasia*.

Erra lo spirto umano,
Quasi come a diporto   45
Ardito notator per l'Oceano:
Ma se un discorde accento
Fere l'orecchio, in nulla
Torna quel paradiso in un momento.

   Natura umana, or come,   50
Se frale in tutto e vile,
Se polve ed ombra sei, tant'alto senti?
Se in parte anco gentile,
Come i più degni tuoi moti e pensieri
Son così di leggeri   55
Da sì basse cagioni e desti e spenti?

52. *polve ed ombra*: celebre citazione da Orazio, *Odi*, IV, 7, v. 16: "pulvis et umbra sumus"; cfr. anche Petrarca, *Rime*, CCXCIV, v. 12: "veramente siam noi polvere et ombra".
53. *Se in parte anco*: se sei anche, in parte.
55. *così di leggeri*: così facilmente.

XXXII

Palinodia
al Marchese Gino Capponi

> Il sempre sospirar nulla rileva.
> PETRARCA

Errai, candido Gino; assai gran tempo,
E di gran lunga errai. Misera e vana
Stimai la vita, e sovra l'altre insulsa
L'età ch'or si rivolge. Intolleranda
Parve, e fu, la mia lingua alla beata   5
Prole mortal, se dir si dee mortale
L'uomo, o si può. Fra maraviglia e sdegno,
Dall'Eden odorato in cui soggiorna,
Rise l'alta progenie, e me negletto
Disse, o mal venturoso, e di piaceri   10
O incapace o inesperto, il proprio fato
Creder comune, e del mio mal consorte
L'umana specie. Alfin per entro il fumo
De' sígari onorato, al romorio
De' crepitanti pasticcini, al grido   15
Militar, di gelati e di bevande

Composta tra il 1831 e il 1835. Pubblicata per la prima volta nell'edizione
napoletana dei *Canti* (Starita, 1835).
Metro: endecasillabi sciolti.

1. *candido*: sincero, ingenuo, non prevenuto; cfr. Orazio, *Epistole*, I, 4: "Albi
nostrorum sermonum candide judex".
4. *L'età ch'or si rivolge*: il tempo presente.
8. *odorato*: profumato.
9-13. *me negletto... specie*: cfr. lettera a De Sinner del 24 maggio 1832: "l'on a
voulu considérer mes opinions philosophiques comme le résultat de mes
souffrances particulières".
13-18. *per entro... cucchiai*: è la descrizione ironica, "in chiave eroicomica"

Ordinator, fra le percosse tazze
E i branditi cucchiai, viva rifulse
Agli occhi miei la giornaliera luce
Delle gazzette. Riconobbi e vidi   20
La pubblica letizia, e le dolcezze
Del destino mortal. Vidi l'eccelso
Stato e il valor delle terrene cose,
E tutto fiori il corso umano, e vidi
Come nulla quaggiù dispiace e dura.   25
Nè men conobbi ancor gli studi e l'opre
Stupende, e il senno, e le virtudi, e l'alto
Saver del secol mio. Nè vidi meno
Da Marrocco al Catai, dal Nilo all'Orse,
E da Boston a Goa, correr dell'alma   30
Felicità su l'orme a gara ansando
Regni, imperi e ducati; e già tenerla
O per le chiome fluttuanti, o certo
Per l'estremo del boa. Così vedendo,
E meditando sovra i larghi fogli   35
Profondamente, del mio grave, antico
Errore, e di me stesso, ebbi vergogna.

(Sanguineti), di una battaglia da caffè, dove "il *fumo de' sigari onorato* è la
polvere e il fumo di una tal battaglia, ove i pasticcini crepitano come moschetti,
i cucchiai son branditi come spade e lance, e le percosse tazze si urtano come
armi micidiali" (Flora).

18-20. *viva... gazzette*: cfr. *Dialogo di Tristano e di un amico*: "Credo ed
abbraccio la profonda filosofia de' giornali, i quali uccidendo ogni altra
letteratura e ogni altro studio, massimamente grave e spiacevole, sono maestri e
luce dell'età presente".

25. *Come nulla... dura*: parodia di Petrarca, *Rime*, CCCXI, v. 14: "Come nulla
qua giù diletta e dura".

29. *Da Marrocco al Catai*: dal Marocco alla Cina (ossia da Ovest ad Est). – *dal
Nilo all'Orse*: dal Nilo all'estremo Nord (da Sud a Nord).

30. *da Boston a Goa*: da Boston, in America, a Goa, in India (dall'uno all'altro
emisfero).

34. *boa*: "pelliccia in figura di serpente, detta dal tremendo rettile di questo
nome, nota alle donne gentili de' tempi nostri. Ma come la cosa è uscita di
moda, potrebbe anche il senso della parola andare fra poco in dimenticanza.
Però non sarà superflua questa noterella" (*Note*).

35. *sovra i larghi fogli*: sulle Gazzette.

Aureo secolo omai volgono, o Gino,
I fusi delle Parche. Ogni giornale,
Gener vario di lingue e di colonne,   40
Da tutti i lidi lo promette al mondo
Concordemente. Universale amore,
Ferrate vie, moltiplici commerci,
Vapor, tipi e *choléra* i più divisi
Popoli e climi stringeranno insieme: 45
Nè maraviglia fia s'anco le querce
Suderan latte e mele, e danzeranno
D'un *valse* all'armonia. Tanto la possa
Infin qui de' lambicchi e delle storte,
E le macchine al cielo emulatrici   50
Crebbero, e tanto cresceranno al tempo
Che seguirà; poichè di meglio in meglio
Senza fin vola e volerà mai sempre
Di Sem, di Cam e di Giapeto il seme.

Ghiande non ciberà certo la terra   55
Però, se fame non la sforza: il duro

38-39. *Aureo... Parche*: traduce un frammento di Simmaco già citato nello *Zibaldone* ([1181], 18 Giugno 1821): "Et vere si fas est praesagio futura conicere, iamdudum aureum saeculum currunt fusa Parcarum"; adattamento di Virgilio, *Egloga IV*, vv. 46-47: "'Talia saecla', suis dixerunt, 'currite' fusis/ concordes stabili fatorum numine Parcae"; della IV Egloga Leopardi riprende nel seguito del canto diversi spunti, per elaborarli in chiave satirica.
40. *vario... colonne*: multiforme per linguaggio e impaginatura.
44. *Vapor... choléra*: le macchine a vapore, i caratteri tipografici (cioè la stampa), il colera (che qualche anno prima era scoppiato in Francia).
47. *mele*: miele (come nella IV Egloga: "et durae quercus sudabunt roscida mella", v. 30).
48. *valse*: il valzer, nato in quegli anni.
49. *de' lambicchi... storte*: della chimica (da intendersi genericamente come "scienza").
50. *al cielo emulatrici*: che aspirano a imitare il cielo; traduce sommariamente "aequataque machina caelo" (Virgilio, *Eneide*, IV, v. 89).
54. *Di Sem... il seme*: la discendenza dei tre figli di Noè.
55. *Ghiande... la terra*: come avveniva ai tempi dell'età dell'oro. – *ciberà*: si ciberà. – *la terra*: l'umanità.
56-57. *il duro... deporrà*: espressione ambigua: non cesserà di lavorare duramente, o di combattere; *il duro Ferro* indica gli strumenti di lavoro, se si

Ferro non deporrà. Ben molte volte
Argento ed or disprezzerà, contenta
A polizze di cambio. E già dal caro
Sangue de' suoi non asterrà la mano   60
La generosa stirpe: anzi coverta
Fia di stragi l'Europa e fien le parti
Che immacolata civiltade illustra
Di là del mar d'Atlante, ove sospinga
Contrarie in campo le fraterne schiere   65
Di pepe o di cannella o d'altro aroma
Fatal cagione, o di melate canne,
O cagion qual si sia ch'ad auro torni.
Valor vero e virtù, modestia e fede
E di giustizia amor, sempre in qualunque   70
Pubblico stato, alieni in tutto e lungi
Da' comuni negozi, ovvero in tutto
Sfortunati saranno, afflitti e vinti;
Perchè diè lor natura, in ogni tempo
Starsene in fondo. Ardir protervo e frode,   75
Con mediocrità, regneran sempre,
A galleggiar sortiti. Imperio e forze,
Quanto più vogli o cumulate o sparse,
Abuserà chiunque avralle, e sotto
Qualunque nome. Questa legge in pria   80

ricorda la IV Egloga di Virgilio ("non rastros patietur humus, non vinea
falcem", v. 40), e se si considera che il riferimento alla guerra è fatto da
Leopardi più oltre, ai vv. 59-68; verosimile, perché conciliante, l'interpretazione di Bandini, che usa come chiave di lettura la parola "ferro": "metallo
inesistente nella prima, felice età del mondo, dove non c'erano armi né
strumenti di lavoro".
63-64. *Che immacolata... d'Atlante*: riferimento ironico all'America, esaltata dai
liberali dell'epoca; nello stesso anno in cui veniva stampata questa poesia,
ricorda Fubini, usciva *De la démocratie* di Tocqueville.
66-68. *Di pepe... torni*: per procacciarsi le merci pregiate delle colonie.
70-71. *in qualunque... stato*: sotto ogni governo.
71. *alieni*: estranei; è retto da *saranno* del v. 73.
72. *Da' comuni negozi*: dagli affari pubblici.
77. *sortiti*: destinati.
78. *cumulate o sparse*: in regimi assoluti, o costituzionali.

Scrisser natura e il fato in adamante;
E co' fulmini suoi Volta nè Davy
Lei non cancellerà, non Anglia tutta
Con le macchine sue, nè con un Gange
Di politici scritti il secol novo.   85
Sempre il buono in tristezza, il vile in festa
Sempre e il ribaldo: incontro all'alme eccelse
In arme tutti congiurati i mondi
Fieno in perpetuo: al vero onor seguaci
Calunnia, odio e livor: cibo de' forti   90
Il debole, cultor de' ricchi e servo
Il digiuno mendico, in ogni forma
Di comun reggimento, o presso o lungi
Sien l'eclittica o i poli, eternamente
Sarà, se al gener nostro il proprio albergo   95
E la face del dì non vengon meno.

    Queste lievi reliquie e questi segni
Delle passate età, forza è che impressi
Porti quella che sorge età dell'oro:
Perchè mille discordi e repugnanti   100
L'umana compagnia principii e parti
Ha per natura; e por quegli odii in pace
Non valser gl'intelletti e le possanze
Degli uomini giammai, dal dì che nacque
L'inclita schiatta, e non varrà, quantunque   105
Saggio sia nè possente, al secol nostro

81. *in adamante*: in tavole di diamante, ossia indistruttibili.
82. *Davy*: Humphry Davy (1778-1829), fisico e chimico inglese, fece importanti
scoperte nel campo dell'elettricità.
83. *Lei*: la legge prescritta dalla natura e dal fato.
84. *un Gange*: un fiume.
93-94. *o presso... i poli*: in ogni luogo o tempo (l'eclittica è la linea tracciata dalla
Terra nel suo percorso intorno al Sole).
95. *il proprio albergo*: cioè la terra.
96. *la face del dì*: la luce del sole (la vita).
100. *repugnanti*: inconciliabili.
101. *parti*: divisioni, schieramenti.

Patto alcuno o giornal. Ma nelle cose
Più gravi, intera, e non veduta innanzi,
Fia la mortal felicità. Più molli
Di giorno in giorno diverran le vesti   110
O di lana o di seta. I rozzi panni
Lasciando a prova agricoltori e fabbri,
Chiuderanno in coton la scabra pelle,
E di castoro copriran le schiene.
Meglio fatti al bisogno, o più leggiadri   115
Certamente a veder, tappeti e coltri,
Seggiole, canapè, sgabelli e mense,
Letti, ed ogni altro arnese, adorneranno
Di lor menstrua beltà gli appartamenti;
E nove forme di paiuoli, e nove   120
Pentole ammirerà l'arsa cucina.
Da Parigi a Calais, di quivi a Londra,
Da Londra a Liverpool, rapido tanto
Sarà, quant'altri immaginar non osa,
Il cammino, anzi il volo: e sotto l'ampie   125
Vie del Tamigi fia dischiuso il varco,
Opra ardita immortal, ch'esser dischiuso
Dovea, già son molt'anni. Illuminate
Meglio ch'or son, benchè sicure al pari,
Nottetempo saran le vie men trite   130
Delle città sovrane, e talor forse
Di suddita città le vie maggiori.
Tali dolcezze e sì beata sorte
Alla prole vegnente il ciel destina.

Fortunati color che mentre io scrivo   135

112. *a prova*: a gara.
114. *castoro*: panno pesante detto "castorino".
119. *menstrua*: mensile (effimera).
126. *il varco*: il tunnel sotto il Tamigi, iniziato nel 1804 e completato dopo la
morte di Leopardi.
130. *men trite*: meno usate.
132. *suddita*: secondaria (contrapposto a *sovrane* del v. precedente).

Miagolanti nelle braccia accoglie
La levatrice! a cui veder s'aspetta
Quei sospirati dì, quando per lunghi
Studi fia noto, e imprenderà col latte
Dalla cara nutrice ogni fanciullo,   140
Quanto peso di sal, quanto di carni,
E quante moggia di farina inghiotta
Il patrio borgo in ciascun mese; e quanti
In ciascun anno partoriti e morti
Scriva il vecchio prior: quando, per opra   145
Di possente vapore, a milioni
Impresse in un secondo, il piano e il poggio,
E credo anco del mar gl'immensi tratti,
Come d'aeree gru stuol che repente
Alle late campagne il giorno involi,   150
Copriran le gazzette, anima e vita
Dell'universo, e di savere a questa
Ed alle età venture unica fonte!

Quale un fanciullo, con assidua cura,
Di sassolini e di fuscelli, in forma   155
O di tempio o di torre o di palazzo,
Un edificio innalza; e come prima
Fornito il mira, ad atterrarlo è volto,

---

139. *imprenderà*: apprenderà.
141-45. *Quanto peso... prior*: ironica descrizione del sapere statistico, di cui Gino Capponi era fiducioso sostenitore.
146. *Di possente vapore*: delle macchine tipografiche a vapore.
147. *Impresse*: si riferisce alle *gazzette* del v. 151.
154-161. *Quale un fanciullo... natura*: il paragone è anticipato nello *Zibaldone*, [4421], 2 Dicembre 1828: "La Natura è come un fanciullo: con grandissima cura ella si affatica a produrre e a condurre il prodotto alla sua perfezione; ma non appena ve l'ha condotto, ch'ella pensa e comincia a distruggerlo, a travagliare alla sua dissoluzione. Così nell'uomo, così negli altri animali, ne' vegetabili, in ogni genere di cose. E l'uomo la tratta appunto com'egli tratta un fanciullo: i mezzi di preservazione impiegati da lui per prolungare la durata dell'esistenza o di un tale stato, o suo proprio o delle cose che gli servono nella vita, non sono altro che quasi un levar di mano al fanciullo il suo lavoro, tosto ch'ei l'ha compiuto, acciò ch'egli non prenda immantinente a disfarlo".
157-58. *come prima Fornito*: non appena finito.

Perchè gli stessi a lui fuscelli e sassi
Per novo lavorio son di mestieri;   160
Così natura ogni opra sua, quantunque
D'alto artificio a contemplar, non prima
Vede perfetta, ch'a disfarla imprende,
Le parti sciolte dispensando altrove.
E indarno a preservar se stesso ed altro   165
Dal gioco reo, la cui ragion gli è chiusa
Eternamente, il mortal seme accorre
Mille virtudi oprando in mille guise
Con dotta man: che, d'ogni sforzo in onta,
La natura crudel, fanciullo invitto,   170
Il suo capriccio adempie, e senza posa
Distruggendo e formando si trastulla.
Indi varia, infinita una famiglia
Di mali immedicabili e di pene
Preme il fragil mortale, a perir fatto   175
Irreparabilmente: indi una forza
Ostil, distruggitrice, e dentro il fere
E di fuor da ogni lato, assidua, intenta
Dal dì che nasce; e l'affatica e stanca,
Essa indefatigata; insin ch'ei giace   180
Alfin dall'empia madre oppresso e spento.
Queste, o spirto gentil, miserie estreme
Dello stato mortal; vecchiezza e morte,
Ch'han principio d'allor che il labbro infante

161-62. *quantunque... contemplar*: per quanto appaia, a chi la contempli, magistralmente costruita.
162-63. *non prima Vede*: prima ancora di vederla.
172. *Distruggendo... si trastulla*: cfr. il *Frammento apocrifo di Stratone di Lampsaco*: "questa forza [la natura] non resta mai di operare e di modificar la materia, però quelle creature che essa continuamente forma, essa altresì le distrugge, formando della materia loro nuove creature".
180. *indefatigata*: infaticabile; cfr. *Zibaldone*, [4167], 6 Marzo 1826: "*Indefessus*, *indefesso* ec. per infaticabile. Vedi anche Forcellini in *indefatigatus*, *infatigatus* ec.".
182. *o spirto gentil*: correlativo al *candido Gino* del v. 1; cfr. Petrarca, *Rime*, LIII, v. 1: "Spirito gentil, che quelle membra reggi".

Preme il tenero sen che vita instilla;   185
Emendar, mi cred'io, non può la lieta
Nonadecima età più che potesse
La decima o la nona, e non potranno
Più di questa giammai l'età future.
Però, se nominar lice talvolta   190
Con proprio nome il ver, non altro in somma
Fuor che infelice, in qualsivoglia tempo,
E non pur ne' civili ordini e modi,
Ma della vita in tutte l'altre parti,
Per essenza insanabile, e per legge   195
Universal che terra e cielo abbraccia,
Ogni nato sarà. Ma novo e quasi
Divin consiglio ritrovàr gli eccelsi
Spirti del secol mio: che, non potendo
Felice in terra far persona alcuna,   200
L'uomo obbliando, a ricercar si diero
Una comun felicitade; e quella
Trovata agevolmente, essi di molti
Tristi e miseri tutti, un popol fanno
Lieto e felice: e tal portento, ancora   205
Da *pamphlets*, da riviste e da gazzette
Non dichiarato, il civil gregge ammira.

Oh menti, oh senno, oh sovrumano acume

187. *Nonadecima età*: il secolo XIX.
193. *ne' civili... modi*: negli ordinamenti e nei costumi civili.
198. *ritrovàr*: escogitarono.
202. *Una comun felicitade*: allusione all'ottimismo politico-sociale degli illuministi (cfr. *Zibaldone*, [4175], 22 Aprile 1826: "[...] difficile si è il comporre, come fanno i filosofi, *Des malheurs de chaque être un bonheur général*. Voltaire, *Epitre sur le désastre de Lisbonne*"); cfr. lettera a Fanny Targioni Tozzetti, da Roma, 5 dicembre 1831: "Sapete ch'io abbomino la politica, perchè credo, anzi vedo che gl'individui sono infelici sotto ogni forma di governo; colpa della natura che ha fatti gli uomini all'infelicità; e rido della felicità delle *masse*, perchè il mio piccolo cervello non concepisce una *massa* felice, composta d'individui non felici".
207. *Non dichiarato*: mantenuto segreto.

Dell'età ch'or si volge! E che sicuro
Filsofar, che sapienza, o Gino,   210
In più sublimi ancora e più riposti
Subbietti insegna ai secoli futuri
Il mio secolo e tuo! Con che costanza
Quel che ier deridea, prosteso adora
Oggi, e domani abbatterà, per girne   215
Raccozzando i rottami, e per riporlo
Tra il fumo degl'incensi il dì vegnente!
Quanto estimar si dee, che fede inspira
Del secol che si volge, anzi dell'anno,
Il concorde sentir! con quanta cura   220
Convienci a quel dell'anno, al qual difforme
Fia quel dell'altro appresso, il sentir nostro
Comparando, fuggir che mai d'un punto
Non sien diversi! E di che tratto innanzi,
Se al moderno si opponga il tempo antico,   225
Filosofando il saper nostro è scorso!

   Un già de' tuoi, lodato Gino; un franco
Di poetar maestro, anzi di tutte
Scienze ed arti e facoltadi umane,
E menti che fur mai, sono e saranno,   230
Dottore, emendator, lascia, mi disse,
I propri affetti tuoi. Di lor non cura
Questa virile età, volta ai severi
Economici studi, e intenta il ciglio

211-12. *In più sublimi... Subbietti*: in argomenti ben più sublimi e segreti (di quelli trattati dalla politica, dall'economia, dalla statistica): allude alle convinzioni filosofiche e religiose che animavano lo spiritualismo ottocentesco, ripetutamente avversato e deriso da Leopardi (cfr. *Il pensiero dominante, Amore e Morte*).
220. *Il concorde sentir*: l'opinione comune.
221. *a quel dell'anno*: al *concorde sentir* dell'anno in corso.
222. *il sentir nostro*: la nostra personale opinione.
225. *si opponga*: si confronti.
226. *è scorso*: è proceduto.
227. *Un già de' tuoi*: uno dei tuoi amici; allusione a Niccolò Tommaseo, noto avversario del Leopardi.

Nelle pubbliche cose. Il proprio petto   235
Esplorar che ti val? Materia al canto
Non cercar dentro te. Canta i bisogni
Del secol nostro, e la matura speme.
Memoranda sentenza! ond'io solenni
Le risa alzai quando sonava il nome   240
Della speranza al mio profano orecchio
Quasi comica voce, o come un suono
Di lingua che dal latte si scompagni.
Or torno addietro, ed al passato un corso
Contrario imprendo, per non dubbi esempi   245
Chiaro oggimai ch'al secol proprio vuolsi,
Non contraddir, non repugnar, se lode
Cerchi e fama appo lui, ma fedelmente
Adulando ubbidir: così per breve
Ed agiato cammin vassi alle stelle.   250
Ond'io degli astri desioso, al canto
I pubblici bisogni omai non penso
Materia far; che a quelli, ognor crescendo,
Provveggono i mercati e le officine
Già largamente; ma la speme io certo   255
Dirò, la speme, onde visibil pegno
Già concedon gli Dei; già, della nova
Felicità principio, ostenta il labbro

238. *la matura speme*: la speranza in un tempo migliore, che sta già concretandosi.
241. *profano*: poco esperto in materia di speranza (politico-sociale).
242-43. *come... scompagni*: come un balbettio infantile; cfr. Petrarca, *Rime*, CCCXXV, vv. 87-88: "con voci ancor non preste/ di lingua che dal latte si scompagne".
244. *Or... addietro*: ora mi ricredo; cfr. Orazio, *Odi*, I, 34, vv. 3-5: "Nunc retrorsum/ vela dare atque iterare cursus/ cogor relictos".
245. *imprendo*: intraprendo.
246. *Chiaro*: persuaso. – *vuolsi*: è necessario.
250. *vassi alle stelle*: cfr. Virgilio, *Eneide*, IX, v. 641: "itur ad astra"; il riferimento (ironico) a Virgilio è confermato nel verso successivo: *degli astri desioso*.
256. *onde*: della quale.

De' giovani, e la guancia, enorme il pelo.

O salve, o segno salutare, o prima   260
Luce della famosa età che sorge.
Mira dinanzi a te come s'allegra
La terra e il ciel, come sfavilla il guardo
Delle donzelle, e per conviti e feste
Qual de' barbati eroi fama già vola.   265
Cresci, cresci alla patria, o maschia certo
Moderna prole. All'ombra de' tuoi velli
Italia crescerà, crescerà tutta
Dalle foci del Tago all'Ellesponto
Europa, e il mondo poserà sicuro.   270
E tu comincia a salutar col riso
Gl'ispidi genitori, o prole infante,
Eletta agli aurei dì: nè ti spauri
L'innocuo nereggiar de' cari aspetti.
Ridi, o tenera prole: a te serbato   275
È di cotanto favellare il frutto;
Veder gioia regnar, cittadi e ville,
Vecchiezza e gioventù del par contente,
E le barbe ondeggiar lunghe due spanne.

259. *enorme il pelo*: allude alla moda di lasciarsi crescere barba e baffi come
segno di liberalismo.
262-63. *Mira... ciel*: prosegue la parodia dell'Egloga IV: "Aspice convexo
nutantem pondere mundum,/ terrasque tractusque maris coelumque profun-
dum:/ aspice venturo laetentur ut omnia saeclo!" (vv. 50-51).
266. *maschia certo*: per via dell'"enorme pelo".
271-72. *E tu... infante*: cfr. Virgilio, *Egloga IV*, v. 60: "Incipe, parve puer, risu
cognoscere matrem".
273. *Eletta... dì*: destinata a vivere nei giorni della nuova età dell'oro.

XXXIII
Il tramonto della luna

Quale in notte solinga,
Sovra campagne inargentate ed acque,
Là 've zefiro aleggia,
E mille vaghi aspetti
E ingannevoli obbietti   5
Fingon l'ombre lontane
Infra l'onde tranquille
E rami e siepi e collinette e ville;
Giunta al confin del cielo,
Dietro Apennino od Alpe, o del Tirreno   10
Nell'infinito seno
Scende la luna; e si scolora il mondo;
Spariscon l'ombre, ed una
Oscurità la valle e il monte imbruna;
Orba la notte resta,   15
E cantando, con mesta melodia,
L'estremo albor della fuggente luce,
Che dianzi gli fu duce,
Saluta il carrettier dalla sua via;

Scritto a Torre del Greco nel 1836. Pubblicato per la prima volta nell'edizione
postuma Le Monnier delle *Opere* (Firenze, 1845).
Metro: strofe libere di endecasillabi e settenari con rime al mezzo.

6. *Fingon*: simulano.
9. *al confin del cielo*: all'orizzonte.
17. *fuggente luce*: cfr. Foscolo, *Sepolcri*, v. 123.
18. *Che... duce*: che fino a poco prima lo guidava.

    Tal si dilegua, e tale   20
Lascia l'età mortale
La giovinezza. In fuga
Van l'ombre e le sembianze
Dei dilettosi inganni; e vengon meno
Le lontane speranze,   25
Ove s'appoggia la mortal natura.
Abbandonata, oscura
Resta la vita. In lei porgendo il guardo,
Cerca il confuso viatore invano
Del cammin lungo che avanzar si sente   30
Meta o ragione; e vede
Che a se l'umana sede,
Esso a lei veramente è fatto estrano.

    Troppo felice e lieta
Nostra misera sorte   35
Parve lassù, se il giovanile stato,
Dove ogni ben di mille pene è frutto,
Durasse tutto della vita il corso.
Troppo mite decreto
Quel che sentenzia ogni animale a morte,   40
S'anco mezza la via
Lor non si desse in pria
Della terribil morte assai più dura.
D'intelletti immortali
Degno trovato, estremo   45
Di tutti i mali, ritrovàr gli eterni

---

28. *In lei*: alla giovinezza, intesa nella metafora come luce della vita; luce
ingannevole però, poiché crea ombre illusorie: cfr. *invano* nel v. successivo.
30. *che avanzar si sente*: che sente di dover ancora percorrere.
31-33. *vede... estrano*: si accorge che il mondo gli è divenuto estraneo, e che lui
stesso è divenuto estraneo al mondo.
36. *lassù*: agli dei.
37. *Dove*: in cui pure.
41-43. *S'anco... più dura*: se non si desse loro, anche a metà della vita, un primo
e più duro anticipo della morte (la perdita della giovinezza).
45. *trovato*: ritrovato, invenzione.

La vecchiezza, ove fosse
Incolume il desio, la speme estinta,
Secche le fonti del piacer, le pene
Maggiori sempre, e non più dato il bene.   50

Voi, collinette e piagge,
Caduto lo splendor che all'occidente
Inargentava della notte il velo,
Orfane ancor gran tempo
Non resterete; che dall'altra parte   55
Tosto vedrete il cielo
Imbiancar novamente, e sorger l'alba:
Alla qual poscia seguitando il sole,
E folgorando intorno
Con sue fiamme possenti,   60
Di lucidi torrenti
Inonderà con voi gli eterei campi.
Ma la vita mortal, poi che la bella
Giovinezza sparì, non si colora
D'altra luce giammai, nè d'altra aurora.   65
Vedova è insino al fine; ed alla notte
Che l'altre etadi oscura,
Segno poser gli Dei la sepoltura.

48. *Incolume... estinta*: cfr. Petrarca, *Rime*, CCLXXVII, v. 4: "che 'l desir vive
e la speranza è morta".
61. *Di lucidi torrenti*: con torrenti di luce.
62. *gli eterei campi*: il cielo.
66. *Vedova*: priva di luce; "voce ben più squallida e triste di *orfane* del v. 54"
(De Robertis).

XXXIV

La ginestra,
o
il fiore del deserto

Καὶ ἠγάπησαν οἱ ἄνθρωποι μᾶλλον τὸ σκότος ἢ τὸ φῶς.
E gli uomini vollero piuttosto le tenebre che la luce.

GIOVANNI, III, 19

Qui su l'arida schiena
Del formidabil monte
Sterminator Vesevo,
La qual null'altro allegra arbor nè fiore,
Tuoi cespi solitari intorno spargi,   5
Odorata ginestra,
Contenta dei deserti. Anco ti vidi
De' tuoi steli abbellir l'erme contrade
Che cingon la cittade
La qual fu donna de' mortali un tempo,   10
E del perduto impero
Par che col grave e taciturno aspetto
Faccian fede e ricordo al passeggero.
Or ti riveggo in questo suol, di tristi

Scritta a Torre del Greco nel 1836. Pubblicata per la prima volta nell'edizione postuma Le Monnier delle *Opere* (Firenze, 1845).
Metro: strofe di endecasillabi e settenari liberi con rime al mezzo.

———

3. *Vesevo*: Vesuvio (lat. *Vesevus*).
7. *Contenta dei deserti*: "che ti appaghi dei luoghi deserti" (De Robertis). – *Anco*: anche altrove.
9. *la cittade*: Roma.
10. *donna de' mortali*: signora del mondo.
13. *Faccian fede*: rendano testimonianza; soggetto è *l'erme contrade* del v. 8 (le solitarie campagne che circondano Roma).

Lochi e dal mondo abbandonati amante,   15
E d'afflitte fortune ognor compagna.
Questi campi cosparsi
Di ceneri infeconde, e ricoperti
Dell'impietrata lava,
Che sotto i passi al peregrin risona;   20
Dove s'annida e si contorce al sole
La serpe, e dove al noto
Cavernoso covil torna il coniglio;
Fur liete ville e colti,
E biondeggiàr di spiche, e risonaro   25
Di muggito d'armenti;
Fur giardini e palagi,
Agli ozi de' potenti
Gradito ospizio, e fur città famose,
Che coi torrenti suoi l'altero monte   30
Dall'ignea bocca fulminando oppresse
Con gli abitanti insieme. Or tutto intorno
Una ruina involve;
Ove tu siedi, o fior gentile, e quasi
I danni altrui commiserando, al cielo   35
Di dolcissimo odor mandi un profumo,
Che il deserto consola. A queste piagge
Venga colui che d'innalzar con lode
Il nostro stato ha in uso, e vegga quanto
È il gener nostro in cura   40
All'amante natura. E la possanza

16. *afflitte fortune*: sorti dolorose; cfr. Petrarca, *Rime*, CXXVIII, v. 59: "le fortune afflitte e sparte".
19. *impietrata*: solidificata, divenuta pietra.
24. *Fur*: il soggetto è *Questi campi* del v. 17.
28-29. *Agli ozi... ospizio*: si riferisce alle ville costruite dagli antichi romani sulle falde del Vesuvio per trascorrervi la villeggiatura.
29. *città famose*: Ercolano, Stabia, Pompei, distrutte dall'eruzione del 79 d.C.
33. *Una ruina involve*: cfr. Petrarca, *Rime*, LIII, v. 35: "e tutto quel ch'una ruina involve".
34. *siedi*: hai sede, dimori.

Qui con giusta misura
Anco estimar potrà dell'uman seme,
Cui la dura nutrice, ov'ei men teme,
Con lieve moto in un momento annulla   45
In parte, e può con moti
Poco men lievi ancor subitamente
Annichilare in tutto.
Dipinte in queste rive
Son dell'umana gente   50
Le magnifiche sorti e progressive.

   Qui mira e qui ti specchia,
Secol superbo e sciocco,
Che il calle insino allora
Dal risorto pensier segnato innanti   55
Abbandonasti, e volti addietro i passi,
Del ritornar ti vanti,
E procedere il chiami.
Al tuo pargoleggiar gl'ingegni tutti
Di cui lor sorte rea padre ti fece   60
Vanno adulando, ancora
Ch'a ludibrio talora
T'abbian fra se. Non io
Con tal vergogna scenderò sotterra:
Ma il disprezzo piuttosto che si serra   65
Di te nel petto mio
Mostrato avrò quanto si possa aperto:
Bench'io sappia che obblio

---

51. *Le magnifiche... progressive*: "Parole di un moderno, al quale è dovuta tutta
la loro eleganza" (nota a margine); si tratta di Terenzio Mamiani (1799-1855),
cugino del poeta; la citazione è tratta dalla *Dedica* ai suoi *Inni sacri* (1832): "le
magnifiche sorti e progressive dell'umanità".
53-58. *Secol... chiami*: è un ulteriore accenno di polemica antispiritualista e
antiromantica, come in *Il pensiero dominante, Amore e Morte, Palinodia*.
55. *risorto pensier*: il pensiero illuministico, che aveva smentito le "sciocche"
superstizioni medievali.
59. *Al tuo pargoleggiar*: al tuo fingere un'infanzia che non possiedi più.
64. *tal vergogna*: la vergogna di averti adulato, pur disprezzandoti.

Preme chi troppo all'età propria increbbe:
Di questo mal, che teco   70
Mi fia comune, assai finor mi rido.
Libertà vai sognando, e servo a un tempo
Vuoi di nuovo il pensiero,
Sol per cui risorgemmo
Dalla barbarie in parte, e per cui solo   75
Si cresce in civiltà, che sola in meglio
Guida i pubblici fati.
Così ti spiacque il vero
Dell'aspra sorte e del depresso loco
Che natura ci diè. Per questo il tergo   80
Vigliaccamente rivolgesti al lume
Che il fe palese; e, fuggitivo, appelli
Vil chi lui segue, e solo
Magnanimo colui,
Che se schernendo o gli altri, astuto o folle,   85
Fin sopra gli astri il mortal grado estolle.

   Uom di povero stato e membra inferme,
Che sia dell'alma generoso ed alto,
Non chiama se nè stima
Ricco d'or nè gagliardo,   90
E di splendida vita o di valente

---

70. *questo mal*: cioè il destino di essere dimenticato.
70-71. *che teco... comune*: perché nulla, del *secol superbo e sciocco*, verrà ricordato.
72. *Libertà vai sognando*: ricalca l'espressione dantesca "Libertà va cercando" (*Purgatorio*, I, v. 71).
74. *Sol*: unica ragione.
78. *ti spiacque il vero*: ti fu sgradito apprendere la verità circa la natura umana (il suo destino di dolore, l'infimo posto assegnatole nell'universo).
81. *al lume*: al pensiero che ti rivelava la verità (verosimile riferimento all'"illuminismo" settecentesco).
82. *fuggitivo*: sfuggendolo vilmente.
86. *il mortal grado*: il posto degli uomini nella gerarchia degli esseri. − *estolle*: esalta, colloca in alto.
87. *Uom... inferme*: cfr. il sonetto di Alfieri "Uom, di sensi, e di cor, libero nato,/ fa di sé tosto indubitabil mostra"; cfr. anche il v. 93: *Non fa risibil mostra*.

Persona infra la gente
Non fa risibil mostra;
Ma se di forza e di tesor mendico
Lascia parer senza vergogna, e noma,   95
Parlando, apertamente, e di sue cose
Fa stima al vero uguale.
Magnanimo animale
Non credo io già, ma stolto
Quel che, nato a perir, nutrito in pene,   100
Dice, a goder son fatto,
E di fetido orgoglio
Empie le carte, eccelsi fati e nove
Felicità, quali il ciel tutto ignora,
Non pur quest'orbe, promettendo in terra   105
A popoli che un'onda
Di mar commosso, un fiato
D'aura marina, un sotterraneo crollo
Distrugge sì, ch'avanza
A gran pena di lor la rimembranza.   110
Nobil natura è quella
Ch'a sollevar s'ardisce
Gli occhi mortali incontra
Al comun fato, e che con franca lingua,
Nulla al ver detraendo,   115
Confessa il mal che ci fu dato in sorte,
E il basso stato e frale;
Quella che grande e forte
Mostra se nel soffrir, ne gli odi e l'ire
Fraterne, ancor più gravi   120

96-97. *di sue... uguale*: giudica la propria condizione in modo corrispondente alla verità.
105. *Non pur quest'orbe*: non soltanto la Terra.
106-8. *un'onda... crollo*: una violenta mareggiata, un'epidemia, un terremoto.
112-14. *a sollevar... fato*: l'espressione è simile a quella usata da Lucrezio (*De rerum natura*, I, vv. 66-67) per descrivere l'atteggiamento di Epicuro nei riguardi della superstizione: "mortales tollere contra/ est oculos ausus, primusque obsistere contra".
119-25. *ne gli odi e l'ire... matrigna*: cfr. *Zibaldone*, [4428], 2 Gennaio 1829:

D'ogni altro danno, accresce
Alle miserie sue, l'uomo incolpando
Del suo dolor, ma dà la colpa a quella
Che veramente è rea, che de' mortali
È madre in parto, ed in voler matrigna.   125
Costei chiama inimica, e incontro a questa
Congiunta esser pensando,
Siccom'è il vero, ed ordinata in pria
L'umana compagnia,
Tutti fra se confederati estima   130
Gli uomini, e tutti abbraccia
Con vero amor, porgendo
Valida e pronta ed aspettando aita
Negli alterni perigli e nelle angosce
Della guerra comune. Ed alle offese   135
Dell'uomo armar la destra, e laccio porre
Al vicino ed inciampo,
Stolto crede così, qual fora in campo
Cinto d'oste contraria, in sul più vivo
Incalzar degli assalti,   140
Gl'inimici obbliando, acerbe gare
Imprender con gli amici,
E sparger fuga, e fulminar col brando
Infra i propri guerrieri.
Così fatti pensieri   145

"La mia filosofia, non solo non è conducente alla misantropia, come può parere a chi la guarda superficialmente, e come molti l'accusano; ma di sua natura esclude la misantropia, di sua natura tende a spegnere quel mal umore, quell'odio, non sistematico, ma pur vero odio, che tanti e tanti, i quali non sono filosofi, portano però cordialmente a' loro simili, sia abitualmente, sia in occasioni particolari, a causa del male che, giustamente o ingiustamente, essi, come tutti gli altri, ricevono dagli altri uomini. La mia filosofia fa rea d'ogni cosa la natura, e discolpando gli uomini totalmente, rivolge l'odio, o se non altro il lamento, a principio più alto, all'origine vera de' mali de' viventi ec. ec.".
128. *ordinata in pria*: originariamente disposta.
136. *Dell'uomo*: contro l'uomo.
136-37. *laccio... inciampo*: frapporre impedimento e ostacolo a chi gli è vicino (a chi lotta al proprio fianco).

Quando fien, come fur, palesi al volgo,
E quell'orror che primo
Contra l'empia natura
Strinse i mortali in social catena
Fia ricondotto in parte   150
Da verace saper, l'onesto e il retto
Conversar cittadino,
E giustizia e pietade altra radice
Avranno allor che non superbe fole,
Ove fondata probità del volgo   155
Così star suole in piede
Quale star può quel ch'ha in error la sede.

  Sovente in queste piagge,
Che, desolate, a bruno
Veste il flutto indurato, e par che ondeggi,   160
Seggo la notte; e sulla mesta landa
In purissimo azzurro
Veggo dall'alto fiammeggiar le stelle,
Cui di lontan fa specchio
Il mare, e tutto di scintille in giro   165
Per lo vóto seren brillare il mondo.
E poi che gli occhi a quelle luci appunto,
Ch'a lor sembrano un punto,
E sono immense in guisa
Che un punto a petto a lor son terra e mare   170
Veracemente; a cui
L'uomo non pur, ma questo
Globo ove l'uomo è nulla,

146. *fien, come fur*: saranno, come furono un tempo.
147. *primo*: originariamente.
154. *superbe fole*: le credenze religiose.
160. *il flutto indurato*: l'onda di lava impietrita.
163. *Veggo... le stelle*: cfr. Petrarca, *Rime*, XXII, v. 11: "poi quand'io veggio fiammeggiar le stelle".
167. *appunto*: concentro.
171. *Veracemente*: in réaltà. – *a cui*: alle quali (riferito alle stelle).

Sconosciuto è del tutto; e quando miro
Quegli ancor più senza alcun fin remoti   175
Nodi quasi di stelle,
Ch'a noi paion qual nebbia, a cui non l'uomo
E non la terra sol, ma tutte in uno,
Del numero infinite e della mole,
Con l'aureo sole insiem, le nostre stelle   180
O sono ignote, o così paion come
Essi alla terra, un punto
Di luce nebulosa; al pensier mio
Che sembri allora, o prole
Dell'uomo? E rimembrando   185
Il tuo stato quaggiù, di cui fa segno
Il suol ch'io premo; e poi dall'altra parte,
Che te signora e fine
Credi tu data al Tutto, e quante volte
Favoleggiar ti piacque, in questo oscuro   190
Granel di sabbia, il qual di terra ha nome,
Per tua cagion, dell'universe cose
Scender gli autori, e conversar sovente
Co' tuoi piacevolmente; e che i derisi
Sogni rinnovellando, ai saggi insulta   195
Fin la presente età, che in conoscenza
Ed in civil costume
Sembra tutte avanzar; qual moto allora,
Mortal prole infelice, o qual pensiero
Verso te finalmente il cor m'assale?   200
Non so se il riso o la pietà prevale.

    Come d'arbor cadendo un picciol pomo,
Cui là nel tardo autunno

---

175. *senza alcun fin*: infinitamente.
178. *tutte in uno*: tutte complessivamente (riferito alle *nostre stelle* del v. 180).
179. *Del numero... della mole*: per numero, per grandezza.
192. *per tua cagione*: per amor tuo.
194-95. *i derisi Sogni*: le false credenze religiose, già schernite da tanti pensatori.

Maturità senz'altra forza atterra,
D'un popol di formiche i dolci alberghi   205
Cavati in molle gleba
Con gran lavoro, e l'opre,
E le ricchezze ch'adunate a prova
Con lungo affaticar l'assidua gente
Avea provvidamente al tempo estivo,   210
Schiaccia, diserta e copre
In un punto; così d'alto piombando,
Dall'utero tonante
Scagliata al ciel, profondo
Di ceneri, di pomici e di sassi   215
Notte e ruina, infusa
Di bollenti ruscelli,
O pel montano fianco
Furiosa tra l'erba
Di liquefatti massi   220
E di metalli e d'infocata arena
Scendendo immensa piena,
Le cittadi che il mar là su l'estremo
Lido aspergea, confuse
E infranse e ricoperse   225
In pochi istanti; onde su quelle or pasce
La capra, e città nove
Sorgon dall'altra banda, a cui sgabello
Son le sepolte, e le prostrate mura

204. *senz'altra forza*: semplicemente, senza che intervenga alcuna altra forza.
211. *diserta*: distrugge.
213. *Dall'utero*: dalle viscere del vulcano.
216. *Notte e ruina*: "tenebrosa rovina" (Fubini). – *infusa*: mescolata e sciolta nei *bollenti ruscelli* – la lava – del v. successivo.
224-25. *confuse E infranse e ricoperse*: il soggetto è l'*immensa piena* del v. 222.
226. *su quelle*: sulle città sepolte dalla lava.
227. *città nove*: Boscotrecase e Boscoreale, che sorgono presso il luogo in cui era Pompei; Resina, che si trova sul territorio di Ercolano.
228. *dall'altra banda*: dall'altra parte, opposta a quella su cui pascola la capra.

L'arduo monte al suo piè quasi calpesta.   230
Non ha natura al seme
Dell'uom più stima o cura
Ch'alla formica: e se più rari in quello
Che nell'altra è la strage,
Non avvien, ciò d'altronde   235
Fuor che l'uom sue prosapie ha men feconde.

    Ben mille ed ottocento
Anni varcàr poi che spariro, oppressi
Dall'ignea forza, i popolati seggi,
E il villanello intento,   240
Ai vigneti che a stento in questi campi
Nutre la morta zolla e incenerita,
Ancor leva lo sguardo
Sospettoso alla vetta
Fatal, che nulla mai fatta più mite,   245
Ancor siede tremenda, ancor minaccia
A lui strage ed ai figli ed agli averi
Lor poverelli. E spesso
Il meschino in sul letto
Dell'ostel villereccio, alla vagante   250
Aura giacendo tutta notte insonne,
E balzando più volte, esplora il corso
Del temuto bollor, che si riversa
Dall'inesausto grembo,
Sull'arenoso dorso, a cui riluce   255
Di Capri la marina
E di Napoli il porto e Mergellina.
E se appressar lo vede, o se nel cupo
Del domestico pozzo ode mai l'acqua

230. *arduo*: alto e terribile.
235-36. *d'altronde Fuor che*: per altra ragione che.
236. *prosapie*: famiglie, generazioni.
239. *seggi*: luoghi, città.
250. *ostel villereccio*: casa contadina.
250-51. *alla vagante Aura*: all'aria aperta.
255. *a cui*: al cui fuoco.

Fervendo gorgogliar, desta i figliuoli, 260
Desta la moglie in fretta, e via, con quanto
Di lor cose rapir posson, fuggendo,
Vede lontan l'usato
Suo nido, e il picciol campo
Che gli fu dalla fame unico schermo, 265
Preda al flutto rovente,
Che crepitando giunge, e inesorato
Durabilmente sopra quei si spiega.
Torna al celeste raggio
Dopo l'antica obblivion, l'estinta 270
Pompei, come sepolto
Scheletro, cui di terra
Avarizia e pietà rende all'aperto;
E dal deserto foro
Diritto infra le file 275
De' mozzi colonnati al peregrino
Lunge contempla il bipartito giogo
E la cresta fumante,
Ch'alla sparsa ruina ancor minaccia.
E nell'orror della secreta notte 280
Per li vacui teatri, per li templi
Deformi e per le rotte
Case, ove i parti il pipistrello asconde,
Come sinistra face
Che per voti palagi atra s'aggiri, 285
Corre il baglior della funerea lava,
Che di lontan per l'ombre
Rosseggia e i lochi intorno intorno tinge.
Così dell'uomo ignara, e dell'etadi
Ch'ei chiama antiche, e del seguir che fanno 290
Dopo gli avi i nepoti,

267. *inesorato*: inesorabile.
268. *si spiega*: si spande.
277. *il bipartito giogo*: le due cime del vulcano (il Vesuvio, e il monte Somma).
283. *i parti*: la prole.

Sta natura ognor verde, anzi procede
Per sì lungo cammino,
Che sembra star. Caggioro i regni intanto,
Passan genti e linguaggi: ella nol vede   295
E l'uom d'eternità s'arroga il vanto.

    E tu, lenta ginestra,
Che di selve odorate
Queste campagne dispogliate adorni,
Anche tu presto alla crudel possanza   300
Soccomberai del sotterraneo foco,
Che ritornando al loco
Già noto, stenderà l'avaro lembo
Su tue molli foreste. E piegherai
Sotto il fascio mortal non renitente   305
Il tuo capo innocente:
Ma non piegato insino allora indarno
Codardamente supplicando innanzi
Al futuro oppressor; ma non eretto
Con forsennato orgoglio inver le stelle,   310
Nè sul deserto, dove
E la sede e i natali
Non per voler ma per fortuna avesti;
Ma più saggia, ma tanto
Men inferma dell'uom, quanto le frali   315
Tue stirpi non credesti
O dal fato o da te fatte immortali.

294. *star*: star ferma.
294-96. *Caggiono... vanto*: cfr. Petrarca, *Trionfo del tempo*, vv. 112-14: "Passan vostre grandezze e vostre pompe,/ passan le signorie, passano i regni:/ ogni cosa mortal Tempo interrompe"; e Tasso, *Gerusalemme liberata*, XV, 20 (vv. 3-5): "Muoiono le città, muoiono i regni,/ copre i fasti e le pompe arena ed erba,/ e l'uom d'esser mortal par che si sdegni".
297. *lenta*: cedevole; cfr. Virgilio, *Georgiche*, II, v. 12: "lentae genistae".
303. *avaro*: avido.
305. *fascio*: peso.
313. *per fortuna*: per caso.
315. *inferma*: malata, insensata.

XXXV
Imitazione

Lungi dal propio ramo,
Povera foglia frale,
Dove vai tu? Dal faggio
Là dov'io nacqui, mi divise il vento.
Esso, tornando, a volo   5
Dal bosco alla campagna,
Dalla valle mi porta alla montagna.
Seco perpetuamente
Vo pellegrina, e tutto l'altro ignoro.
Vo dove ogni altra cosa,   10
Dove naturalmente
Va la foglia di rosa,
E la foglia d'alloro.

Scritta forse intorno al 1828 e accolta da Leopardi nell'edizione napoletana dei
Canti (Starita, 1835). *La Feuille* di A.V. Arnault era stata pubblicata in un
numero dello "Spettatore" del 1818.

---

9. *tutto l'altro ignoro*: traduce, ma in una forma completamente rinnovata, "Je
n'en sais rien".
11. *naturalmente*: per volere della natura; concentra in un solo termine il v. 12
di Arnault "sans me plaindre ou m'effrayer".

XXXVI
Scherzo

Quando fanciullo io venni
A pormi con le Muse in disciplina,
L'una di quelle mi pigliò per mano;
E poi tutto quel giorno
La mi condusse intorno   5
A veder l'officina.
Mostrommi a parte a parte
Gli strumenti dell'arte,
E i servigi diversi
A che ciascun di loro   10
S'adopra nel lavoro
Delle prose e de' versi.
Io mirava, e chiedea:
Musa, la lima ov'è? Disse la Dea:
La lima è consumata; or facciam senza.   15
Ed io, ma di rifarla
Non vi cal, soggiungea, quand'ella è stanca?
Rispose: hassi a rifar, ma il tempo manca.

Questo epigramma fu composto a Pisa il 15 febbraio 1828.
Metro: madrigale-epigramma, nella forma di una stanza libera.

——————

2. *con... disciplina*: alla scuola delle Muse.
7. *a parte a parte*: uno per uno.
10. *A che*: per cui.
17. *stanca*: logora.

FRAMMENTI

XXXVII

ALCETA

Odi, Melisso: io vo' contarti un sogno
Di questa notte, che mi torna a mente
In riveder la luna. Io me ne stava
Alla finestra che risponde al prato,
Guardando in alto: ed ecco all'improvviso   5
Distaccasi la luna; e mi parea
Che quanto nel cader s'approssimava,
Tanto crescesse al guardo; infin che venne
A dar di colpo in mezzo al prato; ed era
Grande quanto una secchia, e di scintille   10
Vomitava una nebbia, che stridea
Sì forte come quando un carbon vivo
Nell'acqua immergi e spegni. Anzi a quel modo
La luna, come ho detto, in mezzo al prato
Si spegneva annerando a poco a poco,   15

Questi versi furono composti nel 1819 e furono pubblicati nel "Nuovo
Ricoglitore" milanese nel 1826 e nell'edizione bolognese dei *Versi* con il titolo
Lo spavento notturno. Riapparvero infine nell'edizione napoletana dei *Canti*
(Starita, 1835).
Metro: endecasillabi sciolti.

1. *Melisso*: come Alceta, nome tratto dal *Filli di Sciro*, commedia pastorale di
Guidobaldo Bonarelli (1536-1608).
4. *che risponde al prato*: che si affaccia sul prato.
9. *dar di colpo*: precipitare.
13. *a quel modo*: ossia nello stesso modo del carbone.
15. *annerando... poco*: cfr. il *Saggio sopra gli errori popolari degli antichi*: "il solo

235

E ne fumavan l'erbe intorno intorno.
Allor mirando in ciel, vidi rimaso
Come un barlume, o un'orma, anzi una nicchia,
Ond'ella fosse svelta; in cotal guisa,
Ch'io n'agghiacciava; e ancor non m'assicuro.   20

MELISSO

E ben hai che temer, che agevol cosa
Fora cader la luna in sul tuo campo.

ALCETA

Chi sa? non veggiam noi spesso di state
Cader le stelle?

MELISSO

                  Egli ci ha tante stelle,
Che picciol danno è cader l'una o l'altra   25
Di loro, e mille rimaner. Ma sola
Ha questa luna in ciel, che da nessuno
Cader fu vista mai se non in sogno.

suo disco [del sole durante l'eclissi] rimane offuscato, e sembra annerire a poco
a poco a guisa di un carbone che va a spegnersi".
20. *non m'assicuro*: cfr. Petrarca, *Rime*, LIII, v. **47**: "per cui la gente ben non
s'assecura".
24. *Egli ci ha*: ci sono.
27. *Ha*: c'è.

XXXVIII

Io qui vagando

Io qui vagando al limitare intorno,
Invan la pioggia invoco e la tempesta,
Acciò che la ritenga al mio soggiorno.

Pure il vento muggia nella foresta,
E muggia tra le nubi il tuono errante,   5
Pria che l'aurora in ciel fosse ridesta.

O care nubi, o cielo, o terra, o piante,
Parte la donna mia: pietà, se trova
Pietà nel mondo un infelice amante.

O turbine, or ti sveglia, or fate prova   10
Di sommergermi, o nembi, insino a tanto
Che il sole ad altre terre il dì rinnova.

S'apre il ciel, cade il soffio, in ogni canto
Posan l'erbe e le frondi, e m'abbarbaglia
Le luci il crudo Sol pregne di pianto.   15

Composto nel 1818. Pubblicato nell'edizione bolognese dei *Versi* (Stamperia delle Muse, 1826) con il titolo *Elegia II* (*Elegia I* era, sempre nei *Versi*, il *Primo amore*).
Metro: terzine, sul modello dell'elegia amorosa settecentesca.

3. *al mio soggiorno*: ospite, in casa mia.
11-12. *insino... rinnova*: finché il sole non sorge in altre terre (cioè fino a sera).
13. *il soffio*: il vento.
15. *Le luci*: gli occhi.

XXXIX
Spento il diurno raggio

Spento il diurno raggio in occidente,
E queto il fumo delle ville, e queta
De' cani era la voce e della gente;

Quand'ella, volta all'amorosa meta,
Si ritrovò nel mezzo ad una landa   5
Quanto foss'altra mai vezzosa e lieta.

Spandeva il suo chiaror per ogni banda
La sorella del sole, e fea d'argento
Gli arbori ch'a quel loco eran ghirlanda.

I ramuscelli ivan cantando al vento,   10

È la prima parte del canto I della cantica giovanile *L'appressamento della morte*
(1816), mai pubblicata. Alla prima persona del componimento giovanile,
Leopardi sostituisce qui la terza persona, una fanciulla "volta all'amorosa
meta".
Metro: terzine dantesche.

2-3. *e queta... gente*: cfr. Ovidio, *Tristezze*, I, 3, 27: "quiescebant voces
hominumque canumque".
4. *ella*: è una giovinetta simbolica, che corrisponde alle immagini di Silvia e di
Nerina. – *all'amorosa meta*: a un convegno d'amore.
5. *nel mezzo ad una landa*: l'immagine, come si avverte più chiaramente al v. 9, è
presa da Dante, *Inferno*, XIV, vv. 8-11: "arrivammo ad una landa/ che dal suo
letto ogni pianta rimove./ La dolorosa selva l'è ghirlanda/ intorno".
8. *La sorella del sole*: la luna.
10. *cantando*: Leopardi annota a margine un passo di Teocrito: "Oh quanto è
grato/ quel pin, che canta là vicino al fonte".

E in un con l'usignol che sempre piagne
Fra i tronchi un rivo fea dolce lamento.

    Limpido il mar da lungi, e le campagne
E le foreste, e tutte ad una ad una
Le cime si scoprian delle montagne.   15

    In queta ombra giacea la valle bruna,
E i collicelli intorno rivestia
Del suo candor la rugiadosa luna.

    Sola tenea la taciturna via
La donna, e il vento che gli odori spande,   20
Molle passar sul volto si sentia.

    Se lieta fosse, è van che tu dimande:
Piacer prendea di quella vista, e il bene
Che il cor le prometteva era più grande.

    Come fuggiste, o belle ore serene!   25
Dilettevol quaggiù null'altro dura,
Nè si ferma giammai, se non la spene.

    Ecco turbar la notte, e farsi oscura
La sembianza del ciel, ch'era sì bella,

---

11. *l'usignol... piagne*: cfr. Petrarca, *Rime*, CCCXI, v. 1: "Quel rosignuol, che sì soave piagne".
17-18. *rivestia... luna*: cfr. Foscolo, *Sepolcri*, vv. 168-69: "lieta dell'aer tuo veste la luna/ di luce limpidissima i tuoi colli"; e per l'aggettivo *rugiadosa*, Virgilio, *Georgiche*, III, v. 337: "roscida luna".
23. *Piacer... vista*: cfr. Petrarca, *Rime*, CCCXXIII, v. 44: "più dolcezza prendea di tal concento".
25. *fuggiste... serene*: cfr. Petrarca, *Rime*, CCCXIX, vv. 1-4: "I dì miei più leggier' che nesun cervo/ fuggir come ombra, e non vider più bene/ ch'un batter d'occhio, e poche ore serene,/ ch'amare e dolci ne la mente serbo".
26. *Dilettevol... dura*: cfr. Petrarca, *Rime*, CCCXI, vv. 12-14: "Or cognosco io che mia fera ventura/ vuol che vivendo e lagrimando impari/ come nulla qua giù diletta e dura".

E il piacere in colei farsi paura.   30

Un nugol torbo, padre di procella,
Sorgea di dietro ai monti, e crescea tanto,
Che più non si scopria luna nè stella.

Spiegarsi ella il vedea per ogni canto,
E salir su per l'aria a poco a poco,   35
E far sovra il suo capo a quella ammanto.

Veniva il poco lume ognor più fioco;
E intanto al bosco si destava il vento,
Al bosco là del dilettoso loco.

E si fea più gagliardo ogni momento,   40
Tal che a forza era desto e svolazzava
Tra le frondi ogni augel per lo spavento.

E la nube, crescendo, in giù calava
Ver la marina sì, che l'un suo lembo
Toccava i monti, e l'altro il mar toccava.   45

Già tutto a cieca oscuritade in grembo,
S'incominciava udir fremer la pioggia,
E il suon cresceva all'appressar del nembo.

Dentro le nubi in paurosa foggia
Guizzavan lampi, e la fean batter gli occhi;   50
E n'era il terren tristo, e l'aria roggia.

Discior sentia la misera i ginocchi;

---

36. *a quella*: all'aria.
37. *lume ognor più fioco*: la stessa espressione in Dante, *Inferno*, III, v. 75.
39. *là... loco*: là dov'era il convegno d'amore.
51. *tristo*: sinistramente illuminato. – *roggia*: rossa.
52. *Discior sentia*: sentiva sciogliersi, mancare.

E già muggiva il tuon simile al metro
Di torrente che d'alto in giù trabocchi.

Talvolta ella ristava, e l'aer tetro   55
Guardava sbigottita, e poi correa,
Sì che i panni e le chiome ivano addietro.

E il duro vento col petto rompea,
Che gocce fredde giù per l'aria nera
In sul volto soffiando le spingea.   60

E il tuon veniale incontro come fera,
Rugghiando orribilmente e senza posa;
E cresceva la pioggia e la bufera.

E d'ogn'intorno era terribil cosa
Il volar polve e frondi e rami e sassi,   65
E il suon che immaginar l'alma non osa.

Ella dal lampo affaticati e lassi
Coprendo gli occhi, e stretti i panni al seno,
Gia pur tra il nembo accelerando i passi.

Ma nella vista ancor l'era il baleno   70
Ardendo sì, ch'alfin dallo spavento

---

53. *metro*: fragore.
57. *Sì... addietro*: cfr. Ovidio, *Metamorfosi*, I, vv. 529-30: "obviaque adversas
vibrabant flamina vestes/ et levis impulsos retro dabat aura capillos".
58. *il duro vento*: "Gli ardiri rispetto a certi modi epiteti frasi metafore" aveva
scritto Leopardi in un appunto dello *Zibaldone* "tanto commendati in poesia e
anche nel resto della letteratura e tanto usati da Orazio non sono bene spesso
altro che un bell'uso di quel vago e in certo modo quanto alla costruzione,
irragionevole, che tanto è necessario al poeta. Come in Orazio dove chiama
mano di bronzo quella della necessità (ode alla fortuna) ch'è un'idea chiara, ma
espressa vagamente (errantemente) così tirando l'epiteto come a caso a quello
di cui gli avvien di parlare senza badare se gli convenga bene cioè se le due idee
che gli si affacciano l'una sostantiva e l'altra di qualità ossia aggettiva si possano
così subito mettere insieme, come chi chiama *duro* il vento perchè difficilmente
si rompe la sua piena quando se gli va incontro" [61].
70. *nella vista*: negli occhi abbagliati.

Fermò l'andare, e il cor le venne meno.

E si rivolse indietro. E in quel momento
Si spense il lampo, e tornò buio l'etra,
Ed acchetossi il tuono, e stette il vento.   75

Taceva il tutto; ed ella era di pietra.

71. *Ardendo sì*: e tanto ardente (riferito al *baleno* del verso precedente).

XL

Dal greco di Simonide

Ogni mondano evento
È di Giove in poter, di Giove, o figlio,
Che giusta suo talento
Ogni cosa dispone.
Ma di lunga stagione   5
Nostro cieco pensier s'affanna e cura,
Benchè l'umana etate,
Come destina il ciel nostra ventura,
Di giorno in giorno dura.
La bella speme tutti ci nutrica   10
Di sembianze beate,
Onde ciascuno indarno s'affatica:
Altri l'aurora amica,
Altri l'etade aspetta;
E nullo in terra vive   15

È la versione di un frammento del poeta giambico greco Simonide di Amorgo (VII secolo a.C.) e risale agli anni 1823-24. Fu pubblicata nel "Corriere delle dame" del 19 novembre 1827 con il titolo *La speranza* (ma alcuni versi comparivano già nel *Parini ovvero della gloria*, con alcune modeste varianti). *Metro:* madrigale-epigramma, nella forma di stanze libere.

3. *giusta suo talento*: secondo il suo arbitrio.
5. *di lunga stagione*: di una lunga vita a venire.
7. *etate*: vita.
9. *Di giorno... dura:* dura da un giorno all'altro, cioè procede alla giornata.
11. *sembianze beate*: illusorie felicità.
13. *l'aurora*: il domani.
14. *l'etade*: un tempo più lungo.

Cui nell'anno avvenir facili e pii
Con Pluto gli altri iddii
La mente non prometta.
Ecco pria che la speme in porto arrive,
Qual da vecchiezza è giunto   20
E qual da morbi al bruno Lete addutto;
Questo il rigido Marte, e quello il flutto
Del pelago rapisce; altri consunto
Da negre cure, o tristo nodo al collo
Circondando, sotterra si rifugge.   25
Così di mille mali
I miseri mortali
Volgo fiero e diverso agita e strugge.
Ma per sentenza mia,
Uom saggio e sciolto dal comune errore   30
Patir non sosterria,
Nè porrebbe al dolore
Ed al mal proprio suo cotanto amore.

16. *facili e pii*: ben disposti e pietosi.
17. *Pluto*: la ricchezza.
20. *giunto*: raggiunto e sopraffatto.
21. *al bruno Lete*: al cupo fiume infernale, alla morte.
22. *il rigido Marte*: la guerra, inflessibile e crudele.
25. *si rifugge*: fugge, per rifugiarvisi.
28. *Volgo... diverso*: folla eterogenea e feroce; "un'inconscia associazione di
suono col verso di Dante: 'Cerbero, *fiera* crudele e *diversa*', Inf. VI, 13"
(Bandini).
30. *dal comune errore*: dal considerare il futuro (la *lunga etate* della vita), e dal
preoccuparsene.
31. *Patir non sosterria*: non sopporterebbe tale patimento.
32. *porrebbe*: dedicherebbe.
33. *cotanto amore*: una tale affannosa e intensa cura.

XLI
Dello stesso

Umana cosa picciol tempo dura,
E certissimo detto
Disse il veglio di Chio,
Conforme ebber natura
Le foglie e l'uman seme.   5
Ma questa voce in petto
Raccolgon pochi. All'inquieta speme,
Figlia di giovin core,
Tutti prestiam ricetto.
Mentre è vermiglio il fiore   10
Di nostra etade acerba,
L'alma vota e superba
Cento dolci pensieri educa invano,
Nè morte aspetta nè vecchiezza; e nulla
Cura di morbi ha l'uom gagliardo e sano.   15
Ma stolto è chi non vede
La giovanezza come ha ratte l'ale,
E siccome alla culla
Poco il rogo è lontano.

Composto a Recanati tra il 1823 e il 1824. L'originale in versi elegiaci è
attribuito a Simonide di Ceo.
Metro: madrigale-epigramma, nella forma della stanza libera.

---

3. *il veglio di Chio*: Omero.
4-5. *Conforme... seme*: le foglie e il genere umano furono dotati di una stessa
natura: citazione testuale dall'*Iliade*, VI, v. 146.
6. *questa voce*: queste parole.

Tu presso a porre il piede
In sul varco fatale
Della plutonia sede,
Ai presenti diletti
La breve età commetti.

---

22. *plutonia*: Leopardi cita in nota Orazio (*Odi*, I, 4, vv. 16-17): "Iam te premet nox fabulaeque manes/ Et domus exilis *plutonia*".
24. *commetti*: affida.

Postfazione
di Giuseppe Ungaretti

Immagini del Leopardi e nostre*

Non so se mai ci fu un altro uomo che vedesse il rapporto tra forma e ispirazione con l'umana ampiezza e acutezza di un Giacomo Leopardi. È opportuno, a giustificazione del culto che gli dedico, ch'io accenni ai tragici motivi che l'hanno abilitato a tanta chiaroveggenza.

Giorni fa, consultando i miei appunti, ho ritrovato vecchie cartelle che riassumono una mia conversazione con scrittori sud-americani, e recano la data del mio primo contatto con terre d'oltreoceano, sul finire del 1936. In quelle cartelle si legge: «I secoli da noi sono presenti, sono care fisionomie, ricche dei nostri affetti: per voi, non essendo essi i limiti cordiali dello spazio nel quale circolate, sono appena un sogno doloroso, o un'evocazione strana della memoria. Vivono certo in voi; ma, oggettivamente, non hanno più alcuna fermezza di realtà. Sono appena cose che hanno subito uno sconvolgimento, cose d'una profondità appartenente a chissà quale lontano punto, dal quale furono malamente tagliate. Il vostro essere separato dalle sue antiche radici e ancora sanguinante per la mutilazione, deve manifestarsi in contrasto con una natura quasi interamente vergine e che, nel suo stato naturale, non saprebbe ancora avventurarsi a riflettere se non un'umanità selvaggia. E non parlo di quella pertinacia delle abitudini per cui anche dopo generazioni, la vostra mente avrebbe non so quale ritegno a ammettere che il pampero sia, se non per effetto miraco-

* Tratto da Giuseppe Ungaretti, *Vita d'un uomo. Saggi e interventi*, a cura di Mario Diacono e Luciano Rebay, I Meridiani Mondadori, Milano 1974, pp. 430-50.

loso, un vento algido che soffi dal sud, che da voi faccia notte sotto altre stelle; che abbiate di Natale 40 gradi di caldo. Come si fa che la stessa natura si sia impegnata a confondere l'ordine delle stagioni consacrato dalle Scritture ritenute più veritiere? Rivedrò sempre quel capitano da Ragusa che, se gli era capitato di fare per quella festività scalo a Santos, s'imbacuccava come per andare a caccia d'orsi bianchi, e adunava gli amici a cena dentro la ghiacciaia. E che dire dei nomi della geografia e della fauna e delle piante che sono di favelle e di genti primitive quasi totalmente estinte? Vi circonda una natura che nemmeno nei nomi è vostra, oscura anche in quel poco d'umano che conserva. Parlate il Portoghese, uno Pseudoportoghese. È sopravvissuta la lingua del popolo arrivato qui per volontà di potenza. Gl'Italiani che in questi paesi costituiscono colle loro discendenze più della metà degli abitanti di razza bianca, sono sbarcati fra voi nei tempi umilianti dell'emigrazione per sostituire i negri scappati che giustamente, non appena abolita la schiavitù, avevano creduto prudente di disertare il lavoro; e la cara lingua italiana, una delle più gloriose lingue letterarie d'Europa, e i suoi coloriti dialetti fra i più plastici delle parlate umane, sono periti adattandosi a malinconiche alterazioni del vostro neo-idioma.

«Lo sviluppo autonomo della vostra lingua e della vostra letteratura, a quanto ho potuto capire in una rapida fermata, si produce dunque in modo snaturato. La vostra espressione soffre in sé di squilibri atroci come quando, ad attecchire in mezzo a succhi e ad aria non suoi, pena il grano, o la vite, o l'ulivo. Spesso l'albero cresce sterile, o non ha vigore la pasta, o l'uva pigiata non s'infuoca di spirito e non si converte se non in melma e lezzo. Né si può fare il paragone con la nascita delle letterature romanze. Prima di tutto le nostre lingue europee che hanno figliato, ma così indirettamente, la vostra, sono ancora parlate e la vostra letteratura non è sorta perché le nostre fossero giunte al termine della loro vitalità. Eppoi, nessuno avrà dimenticato con quanta spontaneità interviene la cultura antica in Dante. Ci potrà essere a volte nell'uso dei vocaboli una cruda potenza medioevale come, a proposito di Marsia punito, la figura che evoca la vagina di colpo svuotata:

Sì, come quando Marsia traesti
Della vagina delle membra sue..

«L'inferno bruscamente potrà insediarsi perfino sulla soglia del paradiso, assumere quella forma d'altezza orrendamente paradisiaca per le cui scale verranno, dal settecentesco romanzo nero alla poesia maledetta, cercate evasioni blasfeme, quando ogni altra eredità cristiana parrà dilapidata; ma la cultura antica non ne rimarrà né offesa né rescissa.

«Non era la cultura antica del Poliziano; ma la figura di Virgilio quale l'evoca Dante non dissomigliava troppo da quella effigiata fra Melpomene e Clio dal mosaicista adumetino nel ritratto molto fedele che forse si conserverà tuttora nelle raccolte tunisine del Bardo. Tra il mondo antico e quello cristiano non ci sono mai state da noi interruzioni né di spazio né temporali, ma solo eclissi nella memoria.»

Qui finisce il discorso delle vecchie cartelle. Queste osservazioni frettolose, ma non prive, credo, di qualche verità, su lingue sradicate dal corso della loro per altra e nuova storia, m'avviano a fissare il significato che assumeva per complesse situazioni di carattere psicologico, di carattere politico e di carattere teorico, il sentimento di durata nel vocabolario romantico. Avrei detto il sentimento di continuità, se non avessi avuto paura che si potesse pensare a un concetto matematico.

Il Leopardi, nel *Discorso storico d'un italiano intorno alla poesia romantica*, composto nel 1818 che è l'anno della canzone *All'Italia*, volendosi rappresentare il corso storico d'una civiltà al lume d'una tradizione letteraria, lo concepisce sottoposto, per potersi manifestare, al commercio coi sensi, come un qualsiasi ente fisico. Era come un volerne provare al tatto le degradazioni inerenti agli anni. E, poiché si prefigge di giungere a un uso personalissimo della propria lingua, il tormentato poeta invita se stesso a immedesimarsi nel corpo vetusto, a riviverne a una a una le epoche sino a incontrarne la fanciullezza, non per diminuirgli l'età, il che sarebbe mostruoso, anzi per averne l'intera esistenza presente e riscattarne, colla memoria della naturalezza dei pensieri e delle immaginazioni del primo tempo, il peso degli anni sempre più grave nel progresso dei secoli. Al medesimo modo, nell'esperienza strettamente personale di ciascuno di noi, i nostri atti infantili ci tracciano nel ricordo come la linea più sincera e felice del nostro operare. Il Leopardi non era diverso dagli altri Romantici, e sentiva bene che in Europa era scoppiata una lunga calamità, e che le forme in rivolgimenti tremendi si sarebbero rinnovate o sarebbero andate distrutte; ma non poteva consentire all'idea che raccogliendo le più ridicole e superstiziose opinioni e novelle solo perché popolari o facendo incetta di fole forestiere perché tali, la poesia italiana avrebbe ammassato il cibo miracoloso buono a ridonarle il colorito della gioventù, a farle ritrovare naturalezza e magari anche innocenza. Nessuno saprebbe poi dire perché sarebbero veri e meglio antichi tali frutti d'una fantasia popolare o altrui e falsi quelli maturatisi sull'antica nostra tradizione letteraria, presenti e operanti ancora nell'esperienza più lucida delle parole nostre, e delle pietre nostre e della nostra carne; o perché avremmo dovuto fermarci al Medioevo quando siamo nati tanto prima. Una cosa dell'arte ci persuade perché, colma dei nostri ricordi, muove la nostra fantasia fino a farci ritrovare occhi innocenti. Memoria e innocenza sono gl'inscindibili termini della poetica del Leopardi. La bellezza d'un cielo, d'una foglia, d'una fonte ci colpiscono perché una verità millenaria, in cui crediamo, ci sorge dal cuore nell'inattesa parola che la canta. Giove e Venere e Marte sono divinità perite, chi lo contesta? Chi parla e che importa di nomi momentanei? Non si tratta più d'un sapere, o d'un rito, ma del moto originario del nostro sentimento e della nostra fantasia da riscoprire nei tempi che furono quelli della loro grazia. Con quale libertà, così iniziato, poteva avvicinare gli oggetti e udire le parole che li evocavano: oggetti e parole tornati familiari, pieni d'allusioni e confidenze, ora che poteva, risalendo la sicura strada non più smarrita, distinguere dalle adulterazioni l'impeto che li aveva via via ravvivati e arricchiti.

Per il Leopardi ci sono due correnti del conoscere umano, e non è una novità distinguerle se non per quell'accento decisivo a cui ricorre nel parlarne: un accento col quale prestabilisce senza volere le funzioni del Romanticismo appena nascente, quali andranno sviluppandosi attraverso infinite alterazioni, in più d'un secolo e tutt'ora, raggiungendo, nei punti culminanti e perfetti, la forma e il valore attribuiti da lui alla poesia. C'è chi s'ingegna a conoscere per sapere e capire, per misurare e giudicare, ed è il conoscere della filosofia e della scienza; ma forse anche la filosofia è poesia; e c'è chi ha l'ambizione di conoscere per credere, e dai suoi amori e dai suoi odi, dai suoi rimorsi, dai suoi entusiasmi e dalle sue perplessità e dalle sue depressioni, dal dolore gli verranno le figure nelle quali crederà, dietro alle quali si getterà perdutamente perché gli verranno dal fondo della sua natura, e quindi non potranno non essere veritiere e sacre. Da una parte l'uomo sapiente, dall'altra l'uomo religioso quale al Leopardi pareva di vedere negli inizi eroici della società antica. Chiedeva all'Antico non modelli di sapere come il Petrarca, ma esempi di vita.

Ora è difatti vero che il sapientissimo uomo ch'era il Leopardi non riusciva a fare poesia se il sapere non gli s'era prima convertito in esperienza del sentimento, seme e fecondità della fantasia. Quando ci siamo assuefatti a un soggetto, dimentichiamo il sapere che ce lo ha fatto conoscere sino nel suo segreto, ed è a questo punto del nostro oblio ch'esso si rigenera per noi e si fa ingenuo e poetico.

Entro i termini di assuefazione e di primitivo slancio è condotta la sua voluminosa polemica, e possiamo asserire che non è condotta se non per assicurare basi autentiche alla sua poesia: è insomma un'arte poetica, un manifesto e un messaggio, da poeta a poeti.

Per mania di contrasto, interroghiamo in argomento il Manzoni. Dai documenti quest'uomo nervoso ci appare insofferente di maschere. Arriverà a credere che il semplice fatto di travestirsi da Arlecchino, Brighella, o Pantalone faccia perdere a un personaggio la sua personale sostanza umana, arriverà a lamentarsi come d'un errore inespiabile d'essersi lasciato cogliere a mettere in costume del Seicento i personaggi dei *Promessi Sposi* arrivando a considerare quasi carnevalesco il romanzo storico. Il suo giudizio sulla mitologia sembrerebbe replica indispettita a quella lettera mandata dal Petrarca a suo fratello Certosino per esprimergli garbato stupore che si trovi buona la carne servita su un piatto di terracotta, per terracotta volendosi intendere la comune lingua, e pessima la medesima carne contenuta in un piatto d'oro, e il piatto d'oro sarebbe la rettorica antica. Anche se le religioni che le suggerivano, esclama il Manzoni, sono spente, non è spento l'effetto diabolico di quelle evocazioni: sono figure di tentazione, sensuali figure, e ci riportano a idolatrare il mondo. Useremo la carità al Manzoni di non dimostrare che quando è poeta, e grande poeta, sono sensualissime figure quelle che anima. Ecco il punto fondamentale dove teoricamente diverge dal Leopardi: il fatale commercio della realtà coi sensi in ogni manifestazione che abbia un qualche effetto di mistero su di noi e un qualche significato poetico.

Dati i termini delle sue convinzioni, quando ammetterà l'origine sacra della parola, il Manzoni, non potrà esimersi dall'aggiungere che la parola è, sì, preveduta dall'eterno dalla divina mente, ma in quel preciso valore che la nostra coscienza le dà nel momento stesso in cui ce ne serviamo. Quindi la parola, valida solo nel rigore della sua attualità, storicamente è concepita in una mobilità infinita di valori morali. Quanto al guazzabuglio di spettri e streghe, gli era disgustoso quanto al Leopardi.

In ogni caso dal Leopardi e dal Manzoni la parola è considerata nella sua mobilità: nella sua costante diversità critica dal Manzoni e di qui le verranno gli effetti d'alto umorismo; dal Leopardi, nella sua continuità materiale, nel suo corpo che ogni giorno invecchiando di più, senza tregua la diversifica, e la colma d'oblio e d'illusioni nuove se è giorno che passa un lampo in cielo.

Caro Leopardi nostro, ha ventun'anni appena, uscito è appena di adolescenza, ma già nella sua testa china combattono millenni d'idee, già tutti i peccati del mondo pesano nel suo cuore: può concludere che secondo la natura Alessandro è grande, secondo la ragione, pazzo; e mettersi tranquillamente dalla parte della pazzia e della grandezza.

Colle dita scarne si premeva le tempia infossate, una sera, e udiva il rumore del mare che di giù saliva come da un cuore d'abisso, e gli sembrava lo stridore d'un fuoco, del maggiore, del più bello, del più distante da noi, del fuoco stellare che un'acqua estrema spegnesse:

> Prima divelte, in mar precipitando,
> Spente nell'imo strideran le stelle
> Che la memoria...

Un altro poeta, una notte, s'era sognato di stelle, ma solo riflesse, anche se inquietamente, dal mare:

> Or che 'l cielo e la terra e 'l vento tace
> E le fere e gli augelli il sonno affrena,
> Notte il carro stellato in giro mena
> E nel suo letto il mar senz'onde giace...

>   ...e chi mi sface
> Sempre m'è innanzi per mia dolce pena.

Laura, l'antico e la sua arte inarrivabile, passato, luci che nella mente durano senza fine come ravvivate dall'infinito disfacimento del nostro essere. Tutto s'è fatto umano, continua consunzione, e s'è internato e s'è rinchiuso nella mente umana erettasi, per il desiderio cocente d'immortalare il moto d'un dolce sguardo, a centro dell'universo. Anche l'oblio è memoria, memoria oscurata che per virtù implacabile dell'ispirazione si snebbierà e, se più al poeta non è concessa se non la spettrale amabilità dei ricordi, il mare della mente rifletta almeno in pieno splendore il cielo stellato:

E m'è rimasa nel pensier la luce...

Con il subitaneo materializzarsi del fantasma di Casella, Dante ricorreva all'intervento musicale della memoria per aprire le dighe al fluire della libera moralità nella coscienza:

Ed io: Se nuova legge non ti toglie
Memoria o uso all'amoroso canto
Che mi solea quetar tutte mie voglie...

E come perspicuo il Cavalcanti che, traendo ispirazione da un'esperienza più recente di quella dantesca, nonostante le date, è l'immediato precursore del Petrarca:

In quella parte dove sta memora
Prende suo stato, sì formato, come
Diafan da lome...

La memoria per il Leopardi non è più tanto intellettiva funzione, mera attività in sede mentale, quanto sofferenza del corpo, sensibile presenza così nella storia dei singoli come in quella delle civiltà e financo in quella dell'universo; e oggi stesso non s'è mancato di farvi cenno a proposito dei punti dai quali partiva nei ragionamenti sulla poesia, quando ho tentato di definire, dietro le sue proprie parole, i termini di slancio primitivo e di assuefazione.

L'antica voce s'è riaccesa nella sua, il suo corpo miserabile di contro al fato avverso che gli offriva ironico asilo nei campi grandiosi del nulla, si trasfigura e splende in atletica giovinezza:

...lo solo
Combatterò...

So che qualcuno ha fatto la smorfia perché l'arte quella volta era ancora d'un romanticismo teatrale, scomposta, tutta
scoperta nel gesticolare e so che il Leopardi più suadente, non
il supremo, sarà quello non meno energico, ma d'un'espressione più contenuta, più pudica, più familiare e che avrà avuto
a modello severo il Petrarca più patetico, ma più segreto; e
tuttavia lasciatemi proclamare che un paesaggio apocalittico
come quello delle stelle che precipitano in mare e una descrizione tumultuosa come quella della sconfitta dei Persi, sono
quadri ai quali solo la potenza del pennello d'un Géricault
avrebbe potuto approssimarsi.

Di solito chi parla del pessimismo leopardiano, del suo sentimento cosmico dell'invecchiamento e del perire, chiama in
causa il nome solenne del Cristianesimo. Altri, e un maestro
della critica come il Vossler, propone invece come fondamentale motivo lirico, un'angosciosa ribellione anticristiana. Dopo
tutto, anche il luciferismo è una forma di Cristianesimo ma da
dannati, come il sadismo dei poeti maledetti. Che tre anatemi
colpiscano dalle origini dei tempi il mondo, che per sua dis-
graziata natura l'uomo sia concupiscente e prepotente e avaro,
è problema che teneva avvinto anche il pensiero di Dante. E
se col Cristianesimo s'è incominciato a sentire con chiarezza,
per la progredita sensibilità, il valore negativo di tanto male, il
Leopardi non di meno riteneva che, rinnovando gli spiriti del
mondo imbarbarito da eccessiva civiltà, al Cristianesimo originario, promotore di coraggio immenso, di appassionata pron-
tezza a terribili sacrifizi in testimonianza di fede, non facesse
difetto l'energia che loda e invoca. Altra è la sorgente del canto leopardiano: il disperarsi per l'ignoranza inviolabile della
colpa che noi e l'universo espiamo; il sentirsi chiamato a soffrire, e come per un effetto biologico elementare e personale
di cui s'ignori la causa, il perenne cosmico progredire dell'e-
spiazione, della morte.

La canzone *Ad Angelo Mai* può considerarsi come la più perfetta poesia didascalica del Leopardi. Composta come una sin-
fonia, con quel tema dominante della morte, supplica che per
vergogna almeno, gli Italiani suoi contemporanei ritrovassero
un pochino di senso di dignità e qualche scintilla d'eroismo:

                    ...A noi le fasce
         Cinse il fastidio; a noi presso la culla
         Immoto siede, e su la tomba, il nulla.

    Sono, per bellezza d'espressione, i suoi momenti supremi
davanti ai quali pietà e inorridimento s'uguagliano: visioni di
deserto assoluto, natura cui ogni incanto fu tolto, dolore ince-
nerito, l'ignuda natura.
    La natura è grande e ci rende grandi purché fra essa e noi
non si frapponga l'incivilimento con sofistiche analisi e la nostra ignavia non l'abbassi a non possedere più agli occhi nostri altro mistero fuorché della sua condizione mortale, spenta
in noi ogni illusione. Erano analoghe riflessioni che convince-
vano il Leopardi a proporsi d'imitare non l'arte, ma la natura,
le cose della natura essendo forme e bellezze fisse e immortali
e quelle dell'incivilimento transitorie e mutabili, essendo opere di Dio le prime, e le altre, degli uomini; erano simili con-
vincimenti che lo decidevano a sostenere doversi alla rarità
dell'imitazione e alla familiarità degli oggetti, l'efficacia della
poesia.
    Come diventerà intima la parola esperta del poeta quando
si sarà resa ricca di tanto candore. La dottrina sembra esem-
plificata dall'*Infinito*: l'oggetto dell'ispirazione era legato alla
vita del poeta per consuetudine quasi immemorabile e tale poteva persuadere a evocazioni nel tono più semplice e commovente:

         Sempre caro mi fu...

e distaccarsi da ogni altra immagine, isolarsi, assoluto nella visione:

                    ...quest'ermo colle,
         E questa siepe, che da tanta parte
         Dell'ultimo orizzonte il guardo esclude.

e, per quella parte esclusa dell'orizzonte, poteva, toccato dal
mistero, occupare immensamente l'animo rapito:

                    ...sovrumani
         Silenzi, e profondissima quiete
         Io nel pensier mi fingo...

«Mi fingo»: è bastata una parola, una parola oscillante tra il significato corrente di mentire e l'antico di plasmare, e il mistero della poesia cade in sospetto di non essere se non illusione, il tono confidenziale si mescola coll'ironia; ma non è ancora sarcasmo.

Un fatto da nulla:

> ...E come il vento
> Odo stormir tra queste piante...

che ridesta il poeta portandolo ad accorgersi nell'infima piccolezza temporale d'un singolo paragonata al passato infinito e all'eterno e con l'ancora timida ironia a rivelare la presuntuosa debolezza della sua voce che li vuole esprimere, lo riconduce, come il brusio delle foglie che s'allontana, si diffonde e s'immedesima svanendo in sovrumani silenzi, dal dramma ad una rinascita dell'illusione anche se non vela che morte, che l'infinito d'infinità di morti, anche se non è che un naufragare nell'immensità d'un mare di morte, di assenza:

> Così tra questa
> Immensità s'annega il pensier mio:
> E il naufragar m'è dolce in questo mare.

Tre momenti: un'adesione spaziale, involontaria, frutto d'assuefazione; una ripresa temporale, cioè un insorgere dell'io con i suoi propri sospiri; una fusione di spazio e di tempo in un fremito musicale che risveglia le cose e con esse si annulla, si assenta in una dolcezza senza termini. Da notare il valore puramente accidentale dato ai fatti che muovono a poesia: gli occhi che per caso si fermano su un oggetto consueto, lo stormire per caso del vento tra le piante, eccetera.

Il poeta romantico si considerava tale per predestinazione, ed anche questo concorreva al formarsi della sua idea di durata, ed anche il Leopardi non disdegnerà di esprimersi in accenti vaticinanti. Sono ancora interventi impacciati, faticosi e inverosimili nella canzone *Ad Angelo Mai*; ma quando il tono confidenziale, del Petrarca, somma aspirazione del Leopardi artista, sarà diventato tono anche ironico, quale torturato animo paleseranno, in una sussurrata, scrupolosa, straziante confessione. Devo però tornare a osservare, a scanso di errori sul mio commento, che i momenti di tensione suprema e di altissimo tono non vanno cercati nella poesia leopardiana di tono familiare e quando vi si trovano, il tono familiare è stato superato dal poeta, di mille cubiti, in un tono allucinato.

La sera del dì di festa dove il tema virgiliano della solitudine di Didone trova forse il ricorso più commovente, ci descrive, diffusa per tutto il paese, fino dove può arrivare lo sguardo, una dolce immobilità delle cose tale che la chiarezza lunare rivelandola sembra farsi di essa letto, con essa saldarsi e confondersi tanto era lunare l'apparizione delle cose; la luna dorme, incantevole corpo:

Posa la luna...

La stessa bella indifferenza va incontro al poeta mentre dai sentieri taciti, pei balconi dove

Rara traluce la notturna lampa,

egli va seguendo le corse della fantasia spiando sin dentro le chete stanze dove, sognante, dorme la giovane che lo ispira:

Tu dormi...

Farnetica e, a poco a poco, tornato alla finestra, rimira la notturna pace; no, non è un dramma personale, quello del poeta; e solitario il canto d'un artigiano

...che riede a tarda notte,
Dopo i sollazzi, al suo povero ostello

spegnendosi induce

A pensar come tutto al mondo passa
E quasi orma non lascia...

Il poeta è predestinato, e simile canto l'ha udito, sino dalla sua prima età, ferire il silenzio e passare, è il suo proprio canto, è la voce cosmica del dolore per chi s'accorge della fatalità di morte ch'è in tutto. Beato dunque chi ignora e può dormire accarezzando sogni, conclude il profeta mosso a pietà.

Ma l'arte e la meditazione del Leopardi toccheranno l'apice della pietà nel ridare corpo alle ombre di persone morte che per qualche circostanza gli restarono impresse da vive.

Come proseguendo una conversazione ininterrotta, come per farci sentire l'intimità tremenda del tono di confidenza usato, il Leopardi apre il suo canto a Silvia con il verso:

Silvia, rimembri ancora...

Memoria: e Silvia nella memoria discorre, presente per sempre, corpo presente. La felicità è forma brevissima:

Quando beltà splendea
Negli occhi tuoi ridenti e fuggitivi;

dal suono della voce di lei pareva fosse sparsa serenità celeste:

Le vie dorate e gli orti,
E quinci il mar da lungi, e quindi il monte.

Con una rapidità impercepita, tanto presto si consumò la felicità, il ricordo di Silvia nella memoria piano è passato ad essere un'adolescente morta, rimasta per sempre sul limitare di gioventù.

Per l'indeterminatezza dell'imperfetto, tempo usato con accorgimento di tante risuonanze dal Leopardi, Silvia, distesa per sempre come nel giorno della sua morte nell'infinito della memoria, possono circondare, ora giunti di già, gli anni che avrebbero dovuto essere i suoi fiorenti e durante i quali non le sarà dato di udire le lodi che le avrebbero intenerito il cuore, mentre al lampeggiare fanciullesco degli occhi ridenti e fuggitivi si sarebbe sostituito l'ardore

...degli sguardi innamorati e schivi...

In una celere parabola, nel breve tratto fra le due apparizioni degli occhi, è forse racchiusa la musicalità più pura d'una poesia: va dall'universo tutto nuovo quale appare ai bimbi e, sebbene una sorpresa non duri nemmeno a quell'età più d'un momento, è tanta la novità che gli occhi non possono trovare posa dall'essere lustri di gioia nell'infinita rinascita radiosa; e termina in quello sguardo della giovinetta che si ritrae in un tremore desioso per fissarsi e celarsi nell'oggetto amato.

Leopardi nostro, forse solo un Blaise Pascal, ebbe un uguale cuore. Non seppe se non amare: un amore senza limiti per la sua Patria e una pietà senza limiti, per sé, e i suoi fratelli, uomini. Ha accordi infiniti; alla minima sillaba sa infondere immediatezza evocativa, con tocco lievissimo; nel diramarsi atroce della sua vasta dialettica ottiene foga, unità di misura per accenti d'indicibile tenerezza. Può ammettere il ricettario poetico più vieto e più trito della tradizione letteraria: logore e ormai frasi quasi comiche, dette da lui, con la modulazione unica della sua voce, rinnovano il mondo, non è più letteratura, è primaverile, casta poesia per sempre. Come l'incanto del farsi sera e come – lo udiva per eco dalla stanzetta del palazzo di Recanati – l'accavallarsi dell'uragano, non è oggetto di mano d'uomo tale poesia, tanto ne appare vero il mistero. Soffriva per tutti, ed era quindi in grado di parlare per tutti, di farsi la voce rivelatrice del segreto delle cose. Ma accanto alla morte, o risorta dalla stessa morte per disperato desiderio, la speranza d'un'età felice non gli sarà mai negata.

Ed anche nel *Tramonto della luna*, la sua ultima elegia, ritoccata ancora poco prima di spirare, la speranza non cede: la luna scomparsa, per un attimo rimasta la terra come fulminata dalla cecità:

> ...vedrete il cielo
> Imbiancar novamente, e sorger l'alba.

Il guastarsi d'un principio d'autorità e lo sforzo per istituirne uno diverso, non sono fatti apparsi in Europa col Romanticismo, e il Leopardi stesso ne ha ricercato le origini.

Nessuno rimbrotterà, credo, se, per attenermi meglio alla verità storica, uso dare a Romanticismo una accezione più lata di quella riferita dalle cronache.

In pieno Rinascimento, l'arte degli Antichi non ha più nulla da insegnare a Michelangelo e, se essa gli serve per quello che ha da dire, essa gli lega anche duramente le mani. Avverte già che quell'esprimersi non suo, lo allontana da se stesso, dalla natura. Eppure fu, tornando ad essere scrutata, la natura a riporre in circolazione quell'arte. Non chiede più essa abilità per essere avvicinata ed espressa? Chiede uno scatto irragionevole dell'essere? Aveva ragione il Savonarola oppure il Ficino? Chiede essa anima e non arte? Era entrato un gran dramma nella vita: il mondo s'era accorto di non sapere più che cosa fosse: se Cristiano, se Antico, se campato nel mestiere, se abbandonato da Dio...

Nelle *Pietà* della vecchiaia ogni quadro è finalmente spezzato: non esiste più né scultura, né pittura, né architettura, né poesia secondo i canoni propri a ciascuna di queste arti; ma esiste la necessità d'esprimersi, e null'altro. Si ricordi, per esempio, in quel braccio pesantissimo del Cristo morto, nella loro potenza smisurata l'inerzia, l'invalidità, la caduta. Quale partito nel carnefice di San Matteo ha tratto un Caravaggio da un'analoga deformazione. E [nella *Pietà* ultima] le parti lasciate grezze, e le parti portate a finimento: le gambe che cedono, vane, infelicissime, come per ricordarci che il vero atto vivo è quello del camminare. E la mano della Madre che per sostenere il Figlio fa tutt'uno col suo petto, conservando autonomia violentissima solo per un eccedere di amorosa trepidazione: tutta l'umana volontà, e la disperazione dinnanzi all'inutilità di tanta impresa è in quell'immensa mano di madre. Michelangelo sapeva che cosa voglia dire soffrire.

I Romantici si sono accaniti a fare il processo al Seicento e, per chi parli delle cose non da orecchiante, era difatti un processo che muovevano a se stessi: gli errori, errori di enfasi, erano gli stessi loro errori; le soluzioni che proponevano erano le medesime che il Seicento aveva trovato nello svolgimento della sua polemica.

Il mito di Adone propagato dal Marino in tutta Europa e che, sorto da uno dei tanti suggerimenti tecnici offerti dal Petrarca, dalle preziosità del madrigale, recava a insegna un emistichio del Maestro:

...tremar di meraviglia,

quale disagio non sottointende? In una scuola dello stupore senza tregua, quale prestigio potevano ancora avere gli archetipi? E se è vero che per il Marino lo stupore dovrà derivare dall'arte e non dalla natura come per i Romantici, quell'arte che, probabilmente perché la natura non sapeva più rimanervi compressa, squassato e spezzato il proprio modello s'ingegnerà a ricomporlo tale che sorprenda, perché non arrivava a fine d'opera se non a dare a malapena un certo risalto d'eleganza alle farragini d'uno svolgimento proverbialeggiante?

Il rimedio lo trova lo stesso Seicento. E sarebbe proficuo mettersi a verificare come il La Fontaine sotto la ferula del Marino, e non lo dico perché ha scritto un *Adonis*, si facesse la mano alla scrittura di maggiore giovialità che si conosca. E non meno curioso sarebbe indagare come l'*Adone* abbia condotto l'arte francese a Racine, a quella gelosa purezza tutta presa nel foggiarsi canali capillari e che è veramente diventata classica se per classico dobbiamo intendere il raggiungimento della libertà espressiva per la precisione di regole e la loro esatta osservanza. Sarebbe avvincente scoprire come, in così arcilogica circonvoluzione di vene, il Racine sia arrivato a incanalare un sangue forse scarso, ma voraginoso; ma sarebbe edificante osservare come non appena, in mezzo a tanta geometria e a tanta finezza intervenga Pascal, ogni ornamento e ogni divertimento vadano in fumo, per la verità davvero rivelata d'una poesia che metteva semplicemente a contatto intelletto e cuore.

Insegna il Leopardi che una grande scoperta nell'ordine fisico giunge sempre in un momento di maturità dello spirito umano e ch'essa di conseguenza porta naturalmente uno spostamento in ogni ordine di rapporti. Il giorno che Galileo scopre la legge d'inerzia e ne intravvede la formulazione, quel giorno crolla la fisica di Aristotele, e in quel giorno in molte cose potevamo incominciare a considerarci maestri rispetto all'Antico, e poteva benissimo incominciare a considerarsi compromesso anche un antico modo d'intendere la rettorica e poteva la medesima rettorica prestarsi per sopravvivere a meccanizzazioni fanatiche o ad altre demenze, e poteva giungere opportuna, contro tanto scervellarsi razionale, la parola mitica del Vico.

Ci sarebbe un ultimo punto da toccare e dimostra quanta natura erompesse nelle forme del Seicento: l'America scoperta, con le strane conchiglie che avevano ispirato sviluppi strabilianti all'architettura barocca, quelle conchiglie medesime che suggerivano il carnicino vitreo agli Impressionisti e a Mallarmé il più bel sonetto della sua prima maniera; – l'America, con la pittura di marine, le navi vere reduci da terre inventate, la solitudine bieca e la clausura inviolabile delle foreste, gli autodafé, le spiagge da camminarci tutta la vita senza arrivarne a capo, abbandonati tra gli insetti. Non so se sia stato Las Casas o se sia vero come alcuni asseriscono, che siano state le riflessioni di Montaigne sui Tupinambu incontrati a Roano, a mettere in circolazione l'immagine romantica del buon selvaggio; o sarà stato forse il Muratori con quell'opuscolo che fece tanto chiasso ai suoi tempi e che ancora i Sansimoniani citavano e perfino Bouvard e Pécuchet andavano a consultare intitolato, se non erro, *Il Cristianesimo felice nelle missioni dei P.P. della C.d.G. nel Paraguay*. L'esperimento consisteva in una repubblica ierocratica basata economicamente sulla comunanza dei beni, e l'opuscolo recava prove, ritenute irrefutabili, della bontà dell'uomo allo stato naturale e dei danni dell'incivilimento, per lo meno dell'incivilimento nelle condizioni innaturali dell'organizzazione sociale d'allora. Il buon Muratori sarebbe cascato dalle nuvole se avesse saputo e se quanto si narra è vero, che l'Eldorado sarebbe stato mandato in rovina dagli stessi Comuneros i quali, venuta presto a mancare la soggezione verso i P.P., erano entrati tutti in un gran parapiglia non avendo più ciascuno che la mira d'arrivare primo a portarsi via il tesoro collettivo. Indirettamente, attraverso Rousseau ed altri, per arrivare a lui, Leopardi, per sua stessa indicazione in tante sue osservazioni sugli autoctoni americani, forse tale è l'itinerario percorso dall'idea della virtù primitiva. Ma il Leopardi intendeva parlare d'uno stato d'animo, di generosità epica, di fierezza più che d'uno stato sociale. E mirava a una lingua e a un vivere sociale, senza rinuncia alla loro storia, rigenerati. È poi vero che tutto è legato. Se fissava gli occhi su una società, s'accorgeva che l'uomo è fatto di timori e di speranze, che anche un agnellino un pochino di cattiveria ce l'ha in seguito a quel male che ha colpito dalle origini tutta la natura; s'accorgeva che un freno all'egoismo l'uomo che abbia ancora qualche rispetto di sé, può solo trovarlo nei richiami patrii.

Quanto il Seicento potesse evocare quel periodo della prima generazione romantica che va dagli ultimi lustri del Settecento al 1850, l'ho imparato bene una volta che ebbi occasione di vedere in una stessa giornata tutte le opere del Caravaggio conservate a Roma: braccia tese nello spavento, dita aperte della mano, bocca aperta in un grido strozzato, interno, aspirato. La morte, nel *David con la testa di Golia* è veramente la rappresentazione non, come al solito, d'un modello finto morto, e finto dormente, ma d'una testa di vero cadavere. Da notare come braccia e piedi – lo spaventato poggiato sulle braccia nel *Martirio di San Matteo* – formino l'architettura, o meglio le colonne che reggono il quadro. Si veda come nella *Vocazione di San Matteo*, le figure balzino come una materia incendiaria dalla notte. Nel *San Girolamo* della Galleria Borghese si veda come il vecchio diventi un'astrazione, pura pittura, e sia trattato in questo senso rispetto alle nature morte del quadro, alle quali s'adegua come semplice oggetto. Si veda l'infanzia, nel *San Matteo*, data con gran dolcezza, rappresentata in atto delicato di stupore e di malinconia ridente. Ma nei giovani è un equilibrio forsennato: passione dominata, passione scatenata.

Il Seicento è anche vicino a noi.

Mallarmé, quando con gli epitafi superava il mito di Narciso dei Simbolisti, la ripresa romantica cioè del marinismo giansenista di Racine, e s'avviava verso il metafisico scombussolamento del *Coup de dés*, aveva avuto sentore di Góngora? Góngora, sollecitando la propria memoria a emanciparsi da monumenti e da mummie, fattole attraversare l'inferno per darle tempera, la invitava a trascendersi in una durata che potesse salvarla meglio dei poveri espedienti dell'arte.

Più segreto e più nostro mi è apparso, in quel momento della mia esperienza di poeta, Giacomo Leopardi.

Ed ora so come coglieva la parola in istato di crisi e la faceva con sé soffrire, e ne provava la tensione, e l'alzava come una ferita di luce nel buio; ora so perché dovesse muoversi una parola dalla necessità di restituire alla natura la maestà tragica.

Indice